Spion van God

Bezoek onze internetsite www.awbruna.nl
voor informatie over al onze boeken en softwareproducten.

Juan Gómez-Jurado

Spion van God

A.W. Bruna Uitgevers B.V., Utrecht

Oorspronkelijke titel
Espía de Dios
© 2005 by Juan Gómez-Jurado
First edition published by Editorial Roca, S.A., Barcelona
Published by arrangement with UnderCover Literary Agents
Vertaling
Elvira Veenings
Omslagbeeld
© Getty Images, fotograaf: Samy Sarkis
Omslagontwerp
Wil Immink Design
© 2006 A.W. Bruna Uitgevers B.V., Utrecht

ISBN 978 90 229 9246 3
NUR 305

Voor Katu
Omdat je het licht in mijn ogen bent

... et tibi dabo claves regni caelorum
(... en ik zal je de sleutels van het koninkrijk van de hemel geven)
Matteüs 16:19

Proloog

Instituut Saint Matthew
(rehabilitatiecentrum voor katholieke priesters
met een verleden van seksueel misbruik)

Silver Spring, Maryland

Juli 1999

Pater Selznick werd midden in de nacht wakker met een vismes op zijn keel. Het is tot op de dag van vandaag een raadsel hoe Karoski aan een mes was gekomen. Hij had het nachtenlang gewet aan de loszittende rand van een vloertegel in zijn isoleercel.

Dat was de op een na laatste maal dat hij erin slaagde uit zijn benauwde cel van twee bij drie te ontsnappen; hij had de keten waarmee hij aan de muur zat vastgeklonken, losgepeuterd met de punt van een balpen.

Selznick had hem beledigd. Daar moest hij voor bloeden.

'Niet praten, Peter.'

Karoski hield zijn sterke, sponzige hand stevig over de mond van zijn medebroeder en liet het mes strelend over diens beginnende baard glijden, van boven naar beneden, als een macabere parodie op een scheerbeurt. Selznick staarde hem verlamd van angst met wijdopen ogen aan. Hij klemde zijn vingers krampachtig om de rand van het laken en was zich scherp bewust van het gewicht van zijn belager.

'Je weet wat ik kom doen, is het niet, Peter? Knipper eenmaal met je ogen voor "ja" en tweemaal voor "nee".'

Selznick reageerde amper, tot hij voelde dat het vismes zijn dans onderbrak. Hij knipperde tweemaal.

'Je domheid irriteert me nog meer dan je onbeschoftheid, Peter. Ik ben gekomen om je de biecht af te nemen.'

Even gloorde er opluchting in Selznicks ogen.

'Heb je er spijt van dat je onschuldige kinderen hebt misbruikt?'

Selznick kneep eenmaal zijn ogen dicht.

'Heb je berouw van het bezoedelen van je priesterambt?'

Hij kneep eenmaal zijn ogen dicht.

'Heb je er spijt van dat je zoveel zielen hebt geschoffeerd, waarbij je onze heilige moederkerk door het slijk hebt gehaald?'

Eenmaal knipperen.

'En in de laatste plaats, maar daarom niet minder belangrijk: heb je er spijt van dat je me drie weken geleden in de rede bent gevallen tijdens de groepstherapie, waarmee je mijn sociale re-integratie en mijn herintrede als dienaar Gods ernstig hebt vertraagd?'

Hij kneep eenmaal stijf zijn ogen dicht.

'Het doet me deugd dat je oprecht berouw toont. Voor de eerste drie zonden leg ik je een penitentie op van zes Onzevaders en zes Weesgegroetjes. Wat de laatste betreft...'

De uitdrukking in Karoski's grijze ogen veranderde niet, maar hij hief het mes en stootte het tussen de lippen van zijn hevig geschokte slachtoffer.

'Ach Peter, je kunt je niet voorstellen hoe ik hiervan ga genieten...'

Het kostte Selznick bijna drie kwartier om dood te gaan en hij deed het in gedwongen stilte, zonder de cipiers te alarmeren die op nog geen dertig meter afstand de wacht hielden. Karoski keerde alleen terug naar zijn cel en sloot de deur. Daar trof de directeur van het instituut hem de volgende ochtend aan, kaarsrecht op een stoel en overdekt met geronnen bloed. Dat macabere beeld was niet wat de oude priester het diepst schokte.

Waar hij volkomen ontdaan van was, was de kille nonchalance waarmee Karoski hem om een handdoek en een waskom vroeg, want 'hij had zich vies gemaakt'.

Dramatis personae

Priesters
Anthony Fowler, ex-officier van de luchtmacht. Amerikaan.
Viktor Karoski, priester en seriemoordenaar. Amerikaan.
Canice Conroy, voormalig directeur van Instituut Saint Matthew. Overleden. Amerikaan.

Hoge civiele posten in het Vaticaan
Joaquín Balcells, woordvoerder van het Vaticaan. Spanjaard.
Gianluigi Varone, de enige rechter in Vaticaanstad. Italiaan.

Kardinalen
Eduardi Gonzáles Samalo, camerlengo. Spanjaard.
Francis Shaw, Amerikaan.
Emilio Robayra, Argentijn.
Enrico Portini, Italiaan.
Geraldo Cardoso, Braziliaan.
110 andere kardinalen.

Kloosterlingen
Broeder Francesco Toma, karmeliet. Parochie Santa Maria in Traspontina.
Zuster Helena Tobina, Poolse. Directrice van de Domus Sancta Marthae.

Corpo di Vigilanza dello Stato della Città del Vaticano.
Camilo Cirin, hoofdcommissaris.
Fabio Dante, hoofdinspecteur.

Italiaanse politie
(Unità per l'analisi del Crimine Violento, UACV)
Paola Dicanti, rechercheur en doctor in de psychiatrie. Hoofd van het Laboratorium voor Gedragsonderzoek (LGO).
Carlo Boi, algemeen directeur van de UACV en de baas van Paola
Maurizio Pontiero, onderinspecteur.
Angelo Biffi, forensisch beeldhouwer en expert vingerafdrukken.

Burgers
Andrea Otero, speciale verslaggeefster van de Spaanse krant *El Globo*. Spaanse.
Giuseppe Bastina, koerier van Tevere Express. Italiaan.

Noot van de auteur: Vrijwel alle personages in dit boek zijn geïnspireerd op bestaande personen. Het is een fictief verhaal, dat echter dicht bij de waarheid staat wat betreft de gang van zaken binnen het Vaticaan en het Instituut Saint Matthew, dat werkelijk bestaat (zij het onder een andere naam). Dat is op zichzelf al onrustbarend genoeg, met name omdat niemand in Spanje er ooit van heeft gehoord. Het meest angstaanjagende van dit boek is waarschijnlijk niet het verhaal zelf, maar het feit dat het waar gebeurd zou kunnen zijn.

Zaterdag 2 april 2005, 21.37 uur

De oude man op het bed blies de laatste adem uit. Zijn persoonlijk secretaris, monseigneur Stanislaw Dwisicz, die zesendertig uur lang onafgebroken aan de rand van het sterfbed had gezeten, barstte in tranen uit. De dienstdoende artsen moesten hem met harde hand bij het bed vandaan trekken en stelden ook toen nog ruim een uur lang alles in het werk om de oude man te reanimeren. Ze deden aanzienlijk meer dan redelijk was. Steeds opnieuw doorliepen ze alle stappen van het reanimatieproces, in het besef dat ze alles moesten doen wat in hun macht lag, en meer, al was het maar om hun eigen geweten te sussen.
De privévertrekken van de Heilige Vader zouden iedere leek verbaasd hebben. De grote leider voor wie ieder staatshoofd respectvol het hoofd boog, leefde in totale armoede. Zijn slaapkamer was het summum van soberheid, met slechts een crucifix aan de kale wanden en alleen het hoognodige meubilair van ruw gelakt hout: een tafel, een stoel en een eenvoudig bed, dat enkele maanden geleden was vervangen door een ziekenhuisbed. Twee verpleegkundigen deden hun uiterste best om hem te reanimeren, waarbij dikke druppels zweet op de helderwitte lakens dropen. Het beddengoed werd driemaal daags verschoond door vier Poolse nonnen. Ten slotte maakte dokter Silvio Renato, de lijfarts van de paus, een einde aan hun vruchteloze pogingen. Met een vermoeid gebaar gaf hij de verpleegkundigen opdracht het oude gelaat met een witte sluier te bedekken. Hij verzocht allen het vertrek te verlaten, alleen Dwisicz bleef aan zijn zijde. De akte van overlijden werd ter plekke opgesteld. De doodsoorzaak was glashelder, een cardiocirculaire collaps, verergerd door een ontsteking in de larynx. Hij aarzelde een fractie van een seconde voordat hij de naam van de oude man opschreef, maar om latere problemen te voorkomen koos hij voor diens burgerlijke naam. Nadat hij het document had opgemaakt en ondertekend, overhandigde de arts het aan kardinaal Samalo, die zojuist de kamer was binnengekomen. De kardinaal had de zware taak de dood officieel vast te stellen.
'Dank u, dokter. Als u het goedvindt, neem ik het nu over.'
'Hij is bij u in goede handen, eminentie.'
'Nee, dokter. Vanaf nu is hij in Gods handen.'
Samalo liep traag en behoedzaam naar het doodsbed. Hij was achtenzeventig en had vele malen tot God gebeden dat hij dit moment niet zou hoeven meemaken. De bedachtzame, bedaarde heer was zich bewust van de zware last en de vele verantwoordelijkheden die nu op zijn schouders rustten.
Hij richtte zijn ogen op de dode. Deze man was vierentachtig jaar oud geworden

en had een schotwond in de borst, een tumor in de dikke darm en een gecompliceerde blindedarmontsteking overleefd. Uiteindelijk had de ziekte van Parkinson hem geveld en elke dag ernstiger verzwakt, tot zijn hart eraan bezweek.

Vanuit het raam van de derde etage van het paleis had de kardinaal zicht op de bijna tweehonderdduizendkoppige menigte op het Sint-Pietersplein. De daken van de omringende gebouwen vertoonden een woud van antennes en televisiecamera's. Het zullen er nog veel meer worden, peinsde Samalo. Er staan ons moeilijke tijden te wachten. Deze paus was zeer geliefd; hij werd bewonderd om zijn moedige standpunten, zijn ijzeren wil. Het zal een zware slag betekenen, hoewel we het al sinds januari verwachtten... of hoopten, in sommige gevallen. En dan zitten we nog met die andere kwestie.

Hij schrok op van een geluid bij de deur; het hoofd van de veiligheidsdienst van het Vaticaan, Camilo Cirin, stapte binnen, gevolgd door de drie kardinalen op wie de zware taak rustte de dood officieel vast te stellen. Hun gezichten waren getekend door zorgen en slaapgebrek. De kardinalen stelden zich op rond het bed. Geen van drieën wendde zijn blik af.

'Laten we beginnen,' zei Samalo.

Dwisicz schoof een geopend koffertje in zijn richting. De camerlengo lichtte de witte sluier die het gelaat van de overledene bedekte op en opende een ampul met het heilige oliesel. Hij begon het eeuwenoude ritueel in het Latijn: '*Si vives, ego te absolvo a peccatis tuis, in nomine Patris, et Filii, et Spiritus Sancti, amen.*'[1] Samalo maakte het teken van het kruis op het voorhoofd van de overledene en vervolgde: '*Per istam sanctam Unctionem, indulgeat tibi Dominus a quidquid... Amen.*'[2]

Met een ingetogen gebaar riep hij de apostolische zegen aan:

'Bij de bevoegdheid mij verstrekt door de Apostolische Kamer verleen ik je volle aflaat en vergeving van al je zonden... en ik zegen je. In naam van de Vader, de Zoon en de Heilige Geest, Amen.'

Hij nam een zilveren hamertje uit de koffer die de bisschop voor hem openhield. Hij klopte er driemaal zachtjes mee op het voorhoofd van de dode en zei na elke tik: 'Karol Wojtyla, ben je dood?'

Er kwam geen antwoord. De camerlengo keek de drie kardinalen aan, die droevig knikten.

'Waarlijk, de paus is dood.'

Met de rechterhand nam Samalo de dode de pontificale vissersring af, het symbool van zijn macht in de wereld. Met de rechterhand bedekte hij het gelaat van Johannes Paulus II opnieuw met de sluier. Hij slaakte een diepe zucht en keek zijn drie metgezellen aan.

'Er wacht ons een zware taak.'

---

1 Als u leeft, ontsla ik u van uw zonden in de Naam van de Vader en de Zoon en de Heilige Geest. Amen.
2 Door deze heilige zalving en Zijn barmhartigheid vergeve u de Heer al wat gij misdaan hebt. Amen.

Kerngegevens van Vaticaanstad

(uit: *CIA World Factbook*)

Oppervlakte: 0,44 km^2 (het kleinste land ter wereld).

Grenzen: 3,2 km (met Italië).

Laagste punt: Sint-Pietersplein, 19 meter boven de zeespiegel.

Hoogste punt: De Vaticaanse tuinen, 75 meter boven de zeespiegel.

Klimaat: Zachte, regenachtige winters van september tot half mei; warme, droge zomers van mei tot september.

Grondgebruik: 100 procent verstedelijkt. Landbouwgrond 0 procent.

Natuurlijke bronnen: Geen.

Inwoneraantal: 911 staatsburgers in het bezit van een paspoort. Er werken 3000 leken die elders wonen.

Staatsvorm: Pontificaat, absolute monarchie.

Geboortecijfer: Nul. Geen enkele geboorte sinds het bestaan.

Economie: Gebaseerd op giften en de verkoop van postzegels en ansichtkaarten; beheer van banken en financiën.

Communicatie: 2200 telefoonlijnen, 7 radiozenders, 1 televisiekanaal.

Jaarlijkse inkomsten: 242 miljoen dollar.

Jaarlijkse uitgaven: 272 miljoen dollar.

Juridisch systeem: Gebaseerd op het Wetboek van Canoniek Recht. De doodstraf is nog steeds van kracht, hoewel deze voor het laatst is uitgevoerd in 1868.

Bijzonderheden: De Heilige Vader heeft grote invloed op de levens van ruim 1.086.000.000 gelovigen.

KERK VAN SANTA MARIA IN TRASPONTINA
Via della Conciliazione 14

Dinsdag 5 april 2005, 10.41 uur

Rechercheur Dicanti kneep haar ogen tot spleetjes toen ze vanuit de zonnige buitenwereld de schemerduistere kerk binnenliep. Het had haar bijna een half-uur gekost de plaats delict te bereiken. Het verkeer in Rome was altijd een chaos, maar na de dood van de Heilige Vader was het de hel op aarde. Dagelijks stroomden er tienduizenden mensen naar de katholieke hoofdstad om een laat-ste groet te brengen aan het lichaam dat lag opgebaard in de Sint-Pietersbasiliek. Deze paus was gestorven met de aura van een heilige en nu al liepen er vrijwilli-gers door de straten van Rome om handtekeningen te verzamelen voor zijn za-ligverklaring. Per uur schuifelden er 18.000 mensen langs het lichaam. Een groot succes voor de forensische geneeskunst, bedacht Paola ironisch.

Voordat ze het appartement aan de Via della Croce verliet, had haar moeder haar op het hart gedrukt niet langs Cavour te gaan.

'Dat houdt veel te veel op. Ga via Regina Margherita en dan langs Rienzo,' zei ze terwijl ze in de havermout roerde die ze al drieëndertig jaar elke ochtend trouw voor haar dochter klaarmaakte.

Uiteraard was ze toch via Cavour gegaan, en veel te laat gekomen.

Ze proefde de havermout nog op haar lippen, de smaak van haar ochtenden. In het jaar waarin ze aan de FBI-academie in Quantico, Virginia, studeerde, had ze deze smaak zo gemist dat ze er bijna ziek van werd. Ze had haar moeder ge-vraagd haar een blik te sturen en ze warmde de pap op in de magnetron in de kantine van de afdeling Gedragswetenschappen. Het smaakte niet hetzelfde, maar toch hielp het haar door dat loodzware maar vruchtbare jaar heen waarin ze zo ver van huis was. Paola was op twee passen van de Via Condotti opge-groeid, een van de exclusiefste straten ter wereld, maar ze kwam uit een arm ge-zin. Ze leerde de betekenis van dat woord pas kennen toen ze voor het eerst in Amerika kwam, een land dat alles naar eigen maatstaven meet. Ze was dolgeluk-kig toen ze eindelijk terug mocht naar de stad waar ze als kind zo'n hekel aan had gehad.

In 1995 werd in Italië de UACV opgericht, een speciale eenheid voor het onder-zoek naar geweldsdelicten, gespecialiseerd in seriemoordenaars. Niet te geloven dat het land dat vijfde staat op de wereldranglijst van psychopaten pas zo laat een speciale eenheid in het leven riep om ze te bestrijden. Binnen de UACV had Giovanni Balta, Dicanti's leraar en mentor, een bijzondere afdeling opgericht, het Laboratorium voor Gedragsonderzoek. Spijtig genoeg kwam Balta begin 2004 om het leven ten gevolge van een tragisch verkeersongeval en *dottoressa*

Dicanti werd dankzij haar gedegen FBI-opleiding en Balta's lovende rapporten *ispettore* Dicanti, hoofd van het LGO te Rome. Sinds de dood van haar supervisor was het personeel van het LGO aardig ingekrompen: tot haarzelf. Maar als volwaardig lid van de UACV kon ze gebruikmaken van de technische ondersteuning van een van de meest geavanceerde forensisch instituten van Europa.

Tot dusver was had ze echter weinig goeds kunnen doen. In Italië liepen dertig niet-geïdentificeerde seriemoordenaars op vrije voeten. Negen daarvan beantwoordden aan het profiel 'uiterst gevaarlijk', gezien de recentheid van de gepleegde moorden. Sinds zij aan het hoofd van het LGO stond hadden zich geen nieuwe moorden voorgedaan, dus kon ze haar expertise niet bewijzen. Dat verhoogde de druk op Dicanti, aangezien de psychologische profielen soms het enige waren wat ze hadden om een verdachte op te sporen.

'Luchtkastelen,' noemde doctor Boi dat, een wiskundige en atoomfysicus die meer tijd aan de telefoon doorbracht dan in het laboratorium. Jammer genoeg was Boi algemeen directeur van de UACV en Paola's directe baas, en elke keer als ze hem tegenkwam in de gang wierp hij haar een spottende knipoog toe. 'Mijn mooie fantaste' noemde hij haar liefkozend als ze alleen in zijn kantoor waren, waarmee hij sarcastisch op de buitengewone verbeeldingskracht doelde waarmee Dicanti haar profielen samenstelde. Dicanti hoopte ooit een weergaloos succes te boeken, om dat vervolgens hardhandig onder de neus van die vervelende klier te wrijven. Ze was zo stom geweest met hem het bed in te duiken, na een lange, zware dag waarop ze zich ellendig en eenzaam had gevoeld en geen verweer meer had... De volgende ochtend had ze spijt als haren op haar hoofd. Boi was nota bene tweemaal zo oud als zij en nog getrouwd ook. Hij had zich echter als een heer gedragen en er nooit met een woord over gerept, maar zorgde er wel voor dat Paola het nooit zou vergeten, met af en toe een simpel hoffelijk, maar o zo seksistisch zinnetje. God, wat haatte ze die man!

Nu kreeg ze dan eindelijk haar eerste echte zaak, waar ze vanaf het begin bij betrokken werd en zich niet hoefde te baseren op het klungelige bewijsmateriaal van slordige politieagenten. Het telefoontje kwam tijdens het ontbijt en ze ging meteen naar haar kamer om zich te verkleden. Ze stak haar lange, donkere haar op in een stijve knot en verwisselde de broekrok en trui die ze altijd naar kantoor droeg voor een elegant zwart mantelpakje. Ze was benieuwd wat er precies was gebeurd, want de beller had weinig losgelaten, behalve dat er een misdaad was gepleegd die binnen haar competentie viel en dat ze met de grootste spoed naar de Santa Maria in Traspontina moest.

En daar stond ze dan, in het kerkportaal. Achter haar verdrong een krioelende menigte zich in een bijna vijf kilometer lange rij die reikte tot de Vittorio Emanuel II-brug. Ze wierp een bezorgde blik op het tafereel. Die mensen hadden daar de hele nacht gestaan, maar degenen die mogelijk iets gezien hadden zouden inmiddels een heel stuk opgeschoten zijn. Sommige pelgrims wierpen tersluikse blikken op de twee *carabinieri* die een groepje gelovigen de toegang tot de kerk ontzegden. Ze zeiden diplomatiek dat het gebouw gesloten was wegens renovatiewerkzaamheden.

Paola haalde diep adem en liep door het voorportaal de halfduistere kerk in. Er was maar één schip, met aan weerszijden vijf kapellen. Er hing een bedompte lucht van verschaalde wierook. Alle lichten waren gedoofd, waarschijnlijk omdat dit de situatie was waarin het lichaam was aangetroffen. Een van Bois gouden stelregels luidde: we moeten het zien zoals hij het zag.

Ze kneep haar ogen tot spleetjes en keek om zich heen. Twee mensen stonden achter in de kerk op fluistertoon met elkaar te praten, met hun rug naar haar toe. Een nerveuze karmeliet die naast de wijwatervont de rozenkrans liep te bidden reageerde op de intense aandacht waarmee ze haar omgeving in zich opnam.

'Mooi hè, *signorina*? De kerk dateert uit 1566. Hij is gebouwd door Peruzzi en de kapellen...'

Dicanti onderbrak hem met een besliste glimlach.

'Het spijt me, eerwaarde, maar ik ben momenteel niet in kunst geïnteresseerd. Ik ben rechercheur Paola Dicanti. Bent u de parochiepriester?'

'Ja, ispettore. Ik heb het lichaam gevonden. Ik denk dat dat u meer interesseert. Gezegend zij God, en dat in tijden als deze... Er is ons een heilige ontnomen en er resten ons slechts duivels op aarde.'

Het was een oud uitziende man met dikke brillenglazen, gehuld in het bruine habijt van de ongeschoeide karmelieten. Hij droeg een breed schapulier rond zijn middel en zijn gezicht ging schuil onder een dikke grijzige baard. Hij liep almaar rondjes rond de wijwatervont. Hij liep ietwat krom en trok licht met een been. Zijn handen vlogen over de kralen, af en toe onderbroken door een hevige tremor.

'Kom tot bedaren, eerwaarde. Hoe heet u?'

'Francesco Toma, ispettore.'

'Goed, vertelt u me in uw eigen woorden wat er is gebeurd. Ik weet dat u dit verhaal al zes- of zevenmaal hebt verteld, maar het is echt nodig, geloof me.'

De pater zuchtte.

'Er valt weinig te vertellen. Ik ben niet alleen parochiepriester, maar ook koster van de kerk. Ik woon in een kleine cel achter de sacristie. Ik stond om zes uur op, net als anders. Ik waste mijn gezicht en trok mijn habijt aan. Ik liep de sacristie door en ging de kerk binnen door een verborgen deur achter het hoofdaltaar om naar de kapel van Onze-Lieve-Vrouwe van de Karmel te gaan, waar ik elke dag mijn gebeden opzeg. Het viel me op dat voor de kapel van Sint-Thomas kaarsen brandden, want toen ik naar bed ging brandde er niet één. Toen zag ik het. Ik holde in doodsangst de sacristie in, want wie weet was de moordenaar nog in de kerk, en ik belde het alarmnummer.'

'Hebt u niets aangeraakt op de plaats delict?'

'Nee, ispettore, niets. Ik was hevig geschrokken, moge God me vergeven.'

'Hebt u ook niet geprobeerd het slachtoffer te helpen?'

'Ispettore... deze man was boven elke aardse hulp verheven.'

Vanuit het in schemer gehulde middenpad zag ze iemand hun kant uit komen. Het was onderinspecteur Maurizio Pontiero van de UACV.

'Schiet op, Dicanti, ze willen zo het licht aandoen.'

'Momentje, ik kom eraan. Alstublieft, pater, mijn kaartje. Het nummer van mijn mobiele telefoon staat er ook op. Bel me als u zich plotseling nog iets herinnert, het maakt niet uit hoe laat.'

'Dat zal ik doen, ispettore. Alstublieft, dit is voor u.'

De karmeliet drukte haar een felgekleurd bidprentje in de handen.

'Onze-Lieve-Vrouwe van de Karmel. Houd het altijd bij u. Zij zal u de weg wijzen in deze duistere tijden.'

'Dank u, pater.' Dicanti stopte het bidprentje afwezig in haar zak.

Rechercheur Dicanti volgde Pontiero door de kerk tot de derde kapel links, die was afgezet met het bekende rood-witte tape van de UACV.

'Je bent laat,' zei de onderinspecteur verwijtend.

'Het was een chaos. Wat een circus, daarbuiten.'

'Je had via Rienzo moeten gaan.'

Hoewel volgens de Italiaanse politiehiërarchie Dicanti hoger in rang stond dan Pontiero, had hij de leiding over de opsporings- en onderzoeksdienst van de UACV. Derhalve was iedere onderzoeker van het gerechtelijk laboratorium in de praktijk ondergeschikt aan hem, zelfs iemand als Paola, die de rang van afdelingshoofd had. Pontiero was een man van 51 jaar, broodmager en altijd slechtgehumeurd. Zijn doorgroefde gezicht was gefronst. Paola had er geen last van; ze wist dat de onderinspecteur dol op haar was, hoewel hij er wel voor zorgde dat nooit te laten merken.

Dicanti stond op het punt over het afzettape te stappen, toen Pontiero haar bij de arm pakte.

'Wacht even, Paola. Niets wat je ooit hebt gezien, kan je hebben voorbereid op wat je nu onder ogen krijgt. Het is pure waanzin, dat kan ik je wel vertellen.' Zijn stem trilde.

'Ik denk dat ik het wel kan hebben, Pontiero. Maar toch bedankt.'

Ze stapte de kapel in. Binnen stond een medewerker van de technische analysedienst van de UACV zijn camera op te stellen. Achter in de kapel bevond zich een klein altaar tegen de muur met een schilderij van Sint-Thomas erboven, een afbeelding van het moment waarop hij zijn vingers in de wonden van Jezus doopte.

Het lichaam lag er precies onder.

'Lieve god!'

'Ik zei het toch, Dicanti.'

Het was weerzinwekkend. De dode zat tegen het altaar aan gepropt. Zijn uitgestoken ogen lieten twee afgrijselijke gapende wonden zien. Uit zijn openhangende mond, opengesperd in een huiveringwekkende, groteske grijns, hing een bruingrijzig geval. In het licht van de flitslamp ontdekte Dicanti nog een gruwelijk detail: de handen waren afgehakt en lagen bloedeloos en schoon keurig naast elkaar op een witte doek naast het lichaam. Aan een van de handen prijkte een forse ring.

De dode was gekleed in het zwarte kardinaalsgewaad met rode biezen.

Paola sperde haar ogen wijd open.

'Pontiero, zeg dat het geen kardinaal is.'

'Dat weten we nog niet, Dicanti. Dat wordt momenteel uitgezocht, maar zoals je ziet, is er weinig van zijn gezicht over. We moesten op jou wachten, omdat jij de plaats delict moest bekijken zoals de moordenaar hem zag.'

'Waar is de rest van de technische dienst plaats delict?'

De technische analysedienst Moordzaken vormde de grootste afdeling van de UACV. Allen waren forensisch experts, gespecialiseerd in het verzamelen van sporen, voetafdrukken, haren en wat de misdadiger ook maar had achtergelaten. Ze werkten volgens het principe dat bij elke misdaad een transfer plaatsvindt: de moordenaar neemt iets mee en laat iets achter.

'Ze zijn onderweg. Het busje zit vast op Cavour.'

'Ze hadden via Rienzo moeten komen,' bracht de enige aanwezige technicus naar voren.

'Niemand heeft jou wat gevraagd,' snauwde Dicanti.

De technicus liep weg en mompelde binnensmonds weinig goeds over de rechercheur.

'Je zou eens wat aan dat karaktertje van je moeten doen, Paola.'

'Verdomme, Pontiero, had je me niet eerder kunnen bellen?' vloekte Dicanti zonder aandacht te schenken aan het advies van de onderinspecteur. 'Dit is me nogal wat. Degene die dit op zijn geweten heeft, is knettergek.'

'Is dat uw professionele analyse, dottoressa?'

Carlo Boi stapte de kapel in en schonk haar een van zijn spottende blikken. Hij was dol op dit soort onverwachte entrees. Paola besefte dat hij een van de twee personen was geweest die voor in de kerk hadden gestaan toen zij binnenkwam en vervloekte zichzelf dat ze zich weer eens door die zak had laten overvallen. De andere man stond vlak achter de directeur, maar zei geen woord en kwam ook niet de kapel in.

'Nee, meneer Boi. Mijn professionele analyse ligt op uw bureau zodra hij klaar is. Voorlopig beperk ik me tot de verklaring dat degene die deze misdaad op zijn geweten heeft ernstig gestoord is.'

Boi stond op het punt iets te zeggen, maar op dat moment floepte het licht in de kerk aan. Ze zagen allemaal tegelijk wat hun tot dan toe was ontgaan: op de vloer, vlak bij het lichaam, stond met niet al te grote letters geschreven:

EGO TE ABSOLVO

'Het lijkt wel bloed,' aarzelde Pontiero, waarmee hij verwoordde wat iedereen dacht.

Een mobiele telefoon bracht de eerste akkoorden uit het Halleluja van Händel ten gehore. Ze keken alle drie naar de metgezel van Boi, die het toestel met een ernstig gezicht uit zijn zak haalde en opnam. Hij zei weinig, alleen een tiental keer 'aha' en 'hm'.

Toen hij ophing, keek hij Boi aan en knikte.

'Dus het is zoals we vreesden,' zuchtte de directeur van de UACV. 'Ispettore

Dicanti, *vice* ispettore Pontiero, het is onnodig u te zeggen dat dit een uiterst delicate kwestie betreft. De persoon die hier aan de voet van het altaar ligt, is de Argentijnse kardinaal Emilio Robayra. Alsof de moord op een kardinaal in Rome op zich al niet tragisch genoeg zou zijn, is dat in de huidige situatie des te meer het geval. Het slachtoffer behoort tot de honderdvijftien kiesgerechtigde kardinalen die over enkele dagen in conclaaf gaan om de nieuwe paus te kiezen. Dientengevolge ligt deze zaak uiterst gevoelig. De misdaad mag onder geen beding de pers ter ore komen. Ik zie de koppen al voor me: "Seriemoordenaar terroriseert pausverkiezing". Ik moet er niet aan denken...'

'Momentje, meneer Boi. Zei u seriemoordenaar? Is er misschien iets wat wij niet weten?'

Boi schraapte zijn keel en wierp een vragende blik op de onbekende, die nog steeds achter hem stond.

'Paola Dicanti, Maurizio Pontiero, mag ik u voorstellen aan Camilo Cirin, hoofdcommissaris van de veiligheidsdienst van de Staat Vaticaanstad.'

De onbekende deed met een beleefd knikje een stap naar voren. Hij nam met enige moeite het woord, alsof praten hem moeite kostte.

'We vrezen dat dit het tweede slachtoffer is.'

'Komt u binnen, pater Karoski, komt u binnen. Wees zo vriendelijk u achter dat scherm uit te kleden, als u zo goed wilt zijn.'

De pater trok langzaam zijn priesterkleding uit. De specialist bleef van de andere kant van het witte kamerscherm tegen hem praten.

'U hoeft zich geen zorgen te maken over het onderzoek, pater. Het is heel gewoon, ja? Heel gewoon, hihi. Misschien hebt u de overige geïnterneerden er iets over horen zeggen, maar de soep wordt nooit zo heet gegeten als hij wordt opgediend, zoals mijn grootmoeder altijd zei. Hoe lang bent u al bij ons?'

'Twee weken.'

'Genoeg om dat te weten, nietwaar... Hebt u al getennist?'

'Ik hou niet van tennissen. Kan ik al naar buiten komen?'

'Nee, nee, trekt u eerst dat groene ziekenhuishemd aan, we willen niet dat u kouvat, hihi.'

Karoski kwam gehuld in het ziekenhuishemd achter het scherm vandaan.

'Gaat u maar op de behandeltafel liggen. Zo, ja. Momentje, dan zet ik de rugleuning in de juiste stand. U moet het beeldscherm goed kunnen zien. Gaat dat zo?'

'Heel goed.'

'Mooi zo. Momentje, ik stel de meetapparatuur in en dan kunnen we beginnen. Dit is een uitstekende televisie, ja? Een beeldscherm van 32 inch; als ik er zo eentje thuis zou hebben, zou moeder de vrouw heel wat meer respect voor me hebben, denkt u niet? Hihi.'

'Dat weet ik niet.'

'Bah, natuurlijk niet, pater, natuurlijk niet. Dat kreng zou nog geen respect hebben voor Jezus zelf als hij uit een pakje Golden Grahams tevoorschijn zou springen om haar een schop onder haar dikke kont te geven, hihi.'

'U mag de naam van God niet ijdel gebruiken, mijn zoon.'

'Gelijk hebt u, pater. Goed, we zijn er klaar voor. Er is nooit eerder een penisplethysmografie bij u gedaan, ja?'

'Nee.'

'Natuurlijk niet, wat een onzin, hihi. Hebben ze u uitgelegd wat het onderzoek inhoudt?'

'In grote lijnen.'

'Mooi. Ik ga met mijn handen onder uw hemd en bevestig deze twee elektroden op uw penis, ja? Daarmee meten we uw seksuele reactie op bepaalde stimuli.

Juist, ik ga ze nu bevestigen. Dat was het al.'

'U hebt koude handen.'

'Ja, het is hier frisjes, hihi. Ligt u goed?'

'Prima.'

'Dan gaan we beginnen.'

De beelden schoven over het scherm. De Eiffeltoren. Een zonsopgang. Mist in de bergen. Een chocolade-ijsje. Een heteroseksuele coïtus. Een bos. Bomen. Heteroseksuele fellatie. Tulpen in Nederland. Een homoseksuele coïtus. *De Eredames* van Velázquez. Zonsondergang in de Kilimanjaro. Homoseksuele fellatie. Sneeuw op de daken van een Zwitsers dorpje. Pedofiele fellatie. Het jongetje kijkt recht in de camera terwijl hij de volwassene pijpt. Zijn ogen staan intens droevig.

Karoski schiet woedend overeind.

'Pater, u mag nog niet opstaan, we zijn nog niet klaar!'

De pater grijpt hem in zijn kraag en slaat het hoofd van de specialist keer op keer tegen het instrumentenpaneel, totdat het bloed langs de knoppen stroomt en over de witte doktersjas, de groene hes van Karoski en de hele wereld.

'Denk erom dat je nooit meer oneerbaar handelt, ja? Ja, weerzinwekkend stuk vuil? Ja?'

KERK VAN SANTA MARIA IN TRASPONTINA
Via della Conciliazione 14

Dinsdag 5 april 2005, 11.59 uur

Na de woorden van Cirin viel er een gespannen stilte, des te indringender omdat de klokken op het nabije Sint-Pietersplein net het angelus luidden.
'Het tweede slachtoffer? Is er nog een kardinaal aan mootjes gehakt en horen we
dat nu pas?' Pontiero trok een gezicht dat overduidelijk aangaf hoe hij daarover
dacht.
Cirin keek hem onbewogen aan. Een opmerkelijk mens, zonder twijfel. Een
man van gemiddelde lengte, met bruine ogen, van onbepaalde leeftijd, in een
onopvallend kostuum met een grijze jas. Hij onderscheidde zich in niets van
wie dan ook, en dat was het eigenaardige: hij zag eruit als een doorsneetypetje.
Hij zei weinig, alsof hij ook op die manier probeerde vooral geen bekijks te trekken. Geen van de aanwezigen liet zich hier echter door voor de gek houden: ze
hadden allemaal van Camilo Cirin gehoord, een van de machtigste mannen van
het Vaticaan. Hij stond aan het hoofd van de kleinste politiemacht ter wereld, de
Vigilanza Vaticana. Een korps van achtenveertig agenten (officieel), minder dan
de helft van de Zwitserse garde, maar vele malen machtiger. Geen mens kon een
stap verzetten in het ministaatje zonder dat Cirin het wist. In 1997 had iemand
een poging gedaan hem in de schaduw te stellen: de recent verkozen korpschef
van de Zwitserse garde, Alois Siltermann. Twee dagen na zijn benoeming werden Siltermann, zijn vrouw en een korporaal van onbesproken gedrag dood aangetroffen. Ze waren doodgeschoten.[1] De kolonel werd aangewezen als
schuldige. Hij zou in een vlaag van waanzin op het echtpaar hebben geschoten
en vervolgens zijn 'dienstwapen' in zijn mond hebben gestoken en de trekker
hebben overgehaald. Een plausibele verklaring, afgezien van enkele onbeduidende details: de korporaals van de Zwitserse garde zijn niet gewapend en de
voortanden van de korporaal in kwestie waren gebroken. Alles wees erop dat
iemand hem het pistool met bruut geweld in de mond had geduwd.
Dicanti had het verhaal gehoord van een collega van het *Inspectorado.*[2] Zodra hij

---

1 Dit is echt gebeurd (hoewel de namen zijn veranderd uit respect voor de slachtoffers) en de
  implicaties van het incident zijn diepgeworteld in de machtsstrijd tussen de vrijmetselaars en
  de Opus Dei in het Vaticaan.
2 Een kleine afdeling van de Italiaanse politie binnen het Vaticaan. Dit speciale korps bestaat
  uit slechts drie man. Hun aanwezigheid is louter getuigend en ze hebben een ondersteunende
  functie. Technisch gesproken hebben ze geen jurisdictie in het Vaticaan, aangezien het een
  ander land betreft.

van het incident op de hoogte was gebracht, stelden zijn collega's en hij alles in het werk om de leden van de Vigilanza bij te staan. Ze waren echter nog niet in de buurt van de plaats delict gekomen of ze kregen het vriendelijke, doch dringende verzoek onmiddellijk terug te keren naar het Inspectorado en de deur aan de binnenkant op slot te doen. Een dankjewel kon er niet af. Cirins duistere legende deed op alle politiebureaus in Rome de ronde en de UACV vormde daarop geen uitzondering.

Daar stonden ze dan bij de kapel, alle drie met stomheid geslagen na Cirins schokkende verklaring.

'Met alle respect, ispettore *generale*, als u wist dat er een moordenaar van dit kaliber rondloopt in Rome, had u de plicht dat aan de UACV te melden,' zei Dicanti.

'Dat is precies wat mijn gewaardeerde collega heeft gedaan,' antwoordde Boi. 'Hij heeft mij persoonlijk ingelicht. We waren het er echter roerend over eens dat deze zaak de grootste geheimhouding vereiste, voor het welzijn van iedereen. Daarnaast werden we het eens over iets anders. Het Vaticaan heeft niemand die capabel genoeg is om zich te meten met een crimineel van deze... bijzondere aard.'

Verrassend genoeg viel Cirin hem in de rede.

'Ik zal eerlijk zijn, signorina. Onze taken liggen op het terrein van afbakening, beveiliging en contraspionage. Op dat gebied zijn we heel goed, dat kan ik u verzekeren. Maar een... hoe noemde u dat? Een kerel die zo gestoord is als deze valt niet binnen onze competentie. We waren juist van plan uw hulp in te roepen toen het bericht van de tweede misdaad binnenkwam.'

'Zelfs wij zien in dat deze zaak een creatieve benadering vereist, ispettore Dicanti. Derhalve willen we uw inzet ditmaal niet beperken tot het schetsen van een daderprofiel. We verzoeken u de leiding over het onderzoek te nemen,' zei directeur Boi.

Paola zweeg verbouwereerd. Dat was het werk van een gewone rechercheur, niet van een psychiatrisch criminologe. Uiteraard kon zij het even goed, zo niet beter dan welke rechercheur ook, gezien haar opleiding in Quantico, maar dat dit verzoek van Boi kwam en nog wel op dit specifieke moment maakte haar sprakeloos.

Cirin draaide zich om naar een man in een leren jack die zich zojuist naar hen toe haastte.

'Ah, daar bent u. Mag ik u voorstellen aan hoofdinspecteur Dante van de Vigilanza. Dit is uw contactpersoon in het Vaticaan, Dicanti. Hij zal u bijpraten over de eerder gepleegde misdaad en wat deze zaak betreft, zult u met hem samenwerken. Een verzoek aan hem staat gelijk aan een verzoek aan mij. Omgekeerd is elke weigering van hem een weigering van mij. In het Vaticaan hebben we onze eigen regels, ik hoop dat u dat begrijpt. Ik hoop eveneens dat u dat monster in de boeien slaat. De moord op twee prinsen van de heilige moederkerk mag niet ongestraft blijven.'

Hij vertrok zonder verder een woord te zeggen.

Boi ging zo dicht bij Paola staan dat ze zich ongemakkelijk voelde. De herinnering aan hun amoureuze escapade lag nog vers in haar geheugen.

'U hebt het gehoord, Dicanti. U hebt zojuist met een van de machtigste mannen in het Vaticaan gesproken en hij heeft u een concrete opdracht gegeven. Ik weet niet waarom hij speciaal u wilde hebben, maar hij vroeg expliciet om u. U kunt gebruikmaken van alle diensten die u nodig hebt. Ik wil dagelijks een kort en helder rapport... een deskundigenrapport, graag. Hopelijk werpen uw luchtkastelen ditmaal vruchten af. Ik wil resultaat zien, en snel.'

Hij draaide zich op zijn hakken om en volgde Cirin naar de uitgang.

'Stelletje klootzakken!' barstte Dicanti uit toen ze zeker wist dat ze buiten gehoorafstand waren.

'Tjonge, wat een taal,' lachte de pas aangekomen Dante.

Paola stak hem blozend de hand toe.

'Paola Dicanti.'

'Fabio Dante.'

'Maurizio Pontiero.'

Dicanti maakte gebruik van de begroeting tussen Pontiero en Dante om de laatste eens goed te bestuderen. Hij kon niet ouder zijn dan eenenveertig. Hij was klein, donker en sterk, en zijn hoofd rustte stevig op een korte, dikke nek. Hij was hooguit een meter zeventig en bezat geen enkele uiterlijke charme, desondanks was hij een aantrekkelijke man. Zijn ogen hadden de typische olijfgroene kleur van de zuidelijke bevolking van Italië.

'Begrijp ik het goed als de uitdrukking "stelletje klootzakken" ook mijn baas betreft, ispettore?'

'Eerlijk gezegd wel. Hij bewijst me een eer die ik niet verdien.'

'We weten allebei dat het nauwelijks een eer is eerder een verschrikkelijke rotklus, Dicanti. U verdient het echter wel, want uw cv spreekt wonderen van uw competentie en training. Helaas hebt u nog geen enkel resultaat geboekt, maar dat kan snel veranderen, is het niet?'

'Hebt u mijn cv gelezen? God beware me, is er dan niets meer vertrouwelijk?'

'Niet voor Hem.'

'Hoor eens even, arrogante eikel...' viel Pontiero uit.

'Laat maar, Maurizio, het maakt niet uit. We zijn op een plaats delict en ik ben verantwoordelijk. We gaan aan het werk, we praten straks verder. Laten we ze de ruimte geven.'

'Jij bent de baas, Paola. Woorden van de chef.'

Op veilige afstand achter de rood-witte afscheiding stonden twee mannen en een vrouw in donkerblauwe overalls te wachten: het onderzoeksteam plaats delict, specialisten in het verzamelen van sporen en aanwijzingen. Rechercheur Dicanti verliet de kapel en liep met de beide heren in haar kielzog naar het middenschip.

'Oké, Dante. Brand maar los,' verzocht Dicanti.

'Goed... Het eerste slachtoffer was de Italiaanse kardinaal Enrico Portini.'

'Dat bestaat niet!' riepen Dicanti en Pontiero als uit één mond.

'Geloof me, mensen, ik heb het met eigen ogen gezien.'

'De gedoodverfde kandidaat van de liberale, reformistische vleugel van de Kerk. Als dat bericht uitlekt, hebben we de poppen aan het dansen.'

'Sterker nog, Pontiero: het zou een regelrechte ramp zijn. Gisterochtend is George Bush in Rome aangekomen, in gezelschap van zijn hele gezin. Andere internationale regeringsleiders en staatshoofden logeren in uw land, maar zijn vrijdag in het mijne voor de begrafenis. Iedereen verkeert in de staat van het hoogste alarm, maar u weet wat een chaos het is in de stad. Het is een uiterst precaire situatie en het laatste wat we willen, is dat er paniek uitbreekt. Komt u mee naar buiten, alstublieft, ik wil roken.'

Dante liep voor hen uit de straat op, waar het zo mogelijk nog drukker was geworden; de menigte stond steeds dichter op elkaar gepakt. De Via della Conciliazione was een zee van mensen met Franse, Spaanse, Poolse en Italiaanse vlaggen. Jongeren met hun gitaar, nonnen met brandende kaarsen en zelfs een oude man met een blindengeleidehond. Er waren twee miljoen mensen afgekomen op de begrafenis van de paus die de kaart van Europa had veranderd.

Dicanti dacht bij zichzelf dat je geen slechter scenario om in te werken kon verzinnen dan dit. Elk spoor werd onmiddellijk uitgewist in die chaos van pelgrims.

'Portini logeerde in het instituut van de zustercongregatie Madri Pie, in de Via de Gasperi,' vervolgde Dante. 'Hij is donderdagochtend al aangekomen, gezien de ernstige gezondheidstoestand van de paus. Volgens de nonnen verscheen hij vrijdagavond gewoon aan het diner en heeft hij daarna in de kapel gezeten om voor de Heilige Vader te bidden. Niemand heeft hem naar zijn kamer zien gaan en er zijn geen sporen van een strijd aangetroffen. Het bed was onbeslapen, of anders heeft degene die hem heeft ontvoerd het keurig netjes opgemaakt. Zaterdag verscheen hij niet aan het ontbijt, maar men veronderstelde dat hij naar het Vaticaan was gegaan om te bidden. We kunnen niet met zekerheid stellen of hij op zaterdag het Vaticaan is binnengegaan of niet; het was een chaos in de Città. Kunt u zich dat voorstellen? Hij verdween op een steenworp afstand van het Vaticaan.'

Hij stak een sigaret op en bood Pontiero er een aan, die met een korzelig gebaar weigerde en er een van zichzelf opstak. Dante ging verder.

'Gisterochtend werd zijn lichaam aangetroffen in de kapel van de zustercongregatie, maar net als hier zijn er geen bloedsporen aangetroffen, wat erop duidt dat het misdrijf elders is gepleegd. Een geluk bij een ongeluk was dat hij is gevonden door een integere priester, die allereerst ons heeft gealarmeerd. We hebben foto's van de plek genomen, maar op mijn voorstel u te bellen zei Cirin dat hij de zaak overnam. Hij gaf ons de opdracht alles op te ruimen en schoon te maken. Het lichaam van kardinaal Portini is overgebracht naar een zekere plek in de Vaticaanse bijgebouwen en gecremeerd.'

'Wat zegt u? Hebben ze de bewijzen van een ernstig misdrijf op Italiaanse grond laten verdwijnen? Dat is toch niet te geloven!'

Dante keek hen hooghartig aan.

'Het was een beslissing van mijn directe chef, misschien niet een van zijn beste.

Hij heeft echter uw baas gebeld en de situatie voorgelegd. En hier staan we dan. Hebt u enig idee wat een wespennest dit is? Niemand van ons is op een situatie van dit kaliber ingesteld.'

'Dat is precies de reden waarom u het aan de professionals had moeten overlaten.' Pontiero's gezicht stond strak van woede.

'U begrijpt het nog steeds niet. We konden niemand vertrouwen. Daarom handelde Cirin zoals hij gehandeld heeft, als een gezegend soldaat van onze moederkerk. Kijk me niet zo aan, Dicanti. Denk aan de achterliggende motieven. Als het bij de dood van Portini was gebleven, hadden we wel een of ander excuus bedacht en de hele zaak in de doofpot gestopt. Zo mocht het echter niet zijn. Het is niets persoonlijks, dat verzeker ik u.'

'Wat ik ervan begrijp, is dat we er nu bij betrokken zijn, als een soort mosterd na de maaltijd en met de helft van het bewijsmateriaal. Fantastisch. Is er misschien nog iets wat we moeten weten?' Dicanti ziedde van woede.

'Voorlopig niet, ispettore,' zei Dante, die zich wederom achter zijn sarcastische glimlach terugtrok.

'Verdomme! Verdomme, verdomme. Dit is een shitzooi, Dante. Ik sta erop dat u me van nu af aan alles, maar dan ook alles vertelt wat u weet. En laat één ding duidelijk zijn: ik ben de baas. U bent aangesteld om mij te helpen, maar u moet goed begrijpen dat de misdrijven, of er nu kardinalen bij betrokken zijn of niet, onder mijn jurisdictie vallen. Is dat duidelijk?'

'Jazeker.'

'Mooi. Was de modus operandi dezelfde?'

'Voor zover ik het met mijn beperkte detectivekwaliteiten kan overzien wel. Het lijk lag languit voor het altaar. De ogen waren uitgestoken. De handen waren, net als hier, afgehakt en lagen naast het lichaam op een doek. Walgelijk. Ik heb het lichaam zelf in een lijkenzak gestopt en naar het crematorium gebracht. Ik heb de halve nacht onder de douche gestaan, geloof me.'

'Toch nog iets te kort,' mompelde Pontiero.

Vier lange uren later konden ze de vereiste procedure rond het lichaam van Robayra afronden om over te gaan tot de lijkschouwing. Op uitdrukkelijk verzoek van directeur Boi stopten de jongens van het onderzoeksteam zelf het lichaam in een plastic zak en brachten het over naar het lijkenhuis, om te voorkomen dat een van de verpleegkundigen het kardinaalsgewaad zou herkennen. Het betrof een uiterst delicate kwestie en de identiteit van het slachtoffer diende geheim te blijven.

Voor ieders welzijn.

September 1994

Rapport: Onderhoud nummer 5 tussen patiënt nummer 3643 en doctor Canice Conroy.

Dr. Conroy	Goedemiddag, Viktor. Welkom in mijn spreekkamer. Gaat het weer iets beter met u?
#3643	Ja, doctor, dank u.
Dr. Conroy	Wilt u iets drinken?
#3643	Nee, dank u.
Dr. Conroy	Kijk eens aan, een priester die niet drinkt... Dat is weer eens iets anders. Stoort het u als ik...?
#3643	Ga uw gang, doctor.
Dr. Conroy	Als ik het goed begrijp, hebt u enige tijd in de ziekenboeg doorgebracht.
#3643	Ik had wat kneuzingen opgelopen.
Dr. Conroy	Herinnert u zich hoe u die kneuzingen hebt opgelopen?
#3643	Natuurlijk, doctor. Tijdens een handgemeen in de onderzoeksruimte.
Dr. Conroy	Vertel me daar eens wat meer over, Viktor.
#3643	Ik was in de onderzoeksruimte voor een plethysmografie, zoals u had geadviseerd.
Dr. Conroy	Weet u wat het doel van het onderzoek was, Viktor?
#3643	De oorzaak van mijn probleem bepalen.
Dr. Conroy	Juist, Viktor. U erkent dat u een probleem hebt, dat is al een hele verbetering.
#3643	Doctor, ik heb altijd geweten dat ik een probleem had. Mag ik u eraan herinneren dat ik me vrijwillig heb laten opnemen?
Dr. Conroy	Dat onderwerp zou ik graag tijdens een andere sessie met u willen doornemen. Vandaag wil ik van u horen wat er die middag is gebeurd.
#3643	Ik ging naar binnen en kleedde me uit.
Dr. Conroy	Vond u dat akelig?
#3643	Ja.
Dr. Conroy	Het betreft een medisch onderzoek. Naaktheid is een voorwaarde.

#3643	Ik vond het overbodig.
Dr. Conroy	De specialist moet zijn apparatuur bevestigen op een lichaamsdeel dat normaal gesproken bedekt is. Daarom moest u naakt zijn, Viktor.
#3643	Ik vond het overbodig.
Dr. Conroy	Wel, laten we er voor het gemak van uitgaan dat het noodzakelijk was.
#3643	Zoals u wilt, doctor.
Dr. Conroy	Wat gebeurde er toen?
#3643	Hij zette er kabels op.
Dr. Conroy	Waarop, Viktor?
#3643	U weet wel.
Dr. Conroy	Nee, Viktor, dat weet ik niet. Ik wil graag dat u het zegt.
#3643	Op mijn dinges.
Dr. Conroy	Kunt u wat duidelijker zijn, Viktor?
#3643	Op mijn... penis.
Dr. Conroy	Goed zo, Viktor, dat is het. Het seksorgaan, het mannelijk lid dat dient om te copuleren en te plassen.
#3643	In mijn geval uitsluitend voor het laatste, doctor.
Dr. Conroy	Weet u dat zeker, Viktor?
#3643	Ja.
Dr. Conroy	Dat is in het verleden niet altijd zo geweest, Viktor.
#3643	Het verleden is het verleden. Voortaan is het anders.
Dr. Conroy	Waarom?
#3643	Zo luidt de wil van God.
Dr. Conroy	Denkt u werkelijk dat Gods wil er iets mee te maken heeft, Viktor? Met uw probleem?
#3643	Gods wil heeft overal mee te maken.
Dr. Conroy	Ik ben ook priester, Viktor, en ik denk dat God op sommige momenten de natuur zijn gang laat gaan.
#3643	De natuur is een illusie waar onze religie geen plaats voor heeft, doctor.
Dr. Conroy	Laten we teruggaan naar de onderzoeksruimte, Viktor. Vertel me eens wat u voelde toen ze de kabels bevestigden.
#3643	De specialist had koude handen.
Dr. Conroy	Voelde u alleen kou? Verder niets?
#3643	Verder niets.
Dr. Conroy	Wat voelde u bij de beelden op het scherm?
#3643	Ook niets.
Dr. Conroy	Wel, Viktor... Ik heb hier de uitslag van de plethysmografie en er vonden diverse reacties plaats. Hier en hier, ziet u de uitslag?
#3643	Ik voelde afkeer bij bepaalde beelden.
Dr. Conroy	Afkeer, Viktor?

(Hier is het ruim een minuut stil.)

Dr. Conroy	Neemt u rustig de tijd om uw antwoord te formuleren, Viktor.
#3643	Ik walgde van de seksuele beelden.
Dr. Conroy	Welke beelden in het bijzonder, Viktor?
#3643	Allemaal.
Dr. Conroy	Begrijpt u waarom u last had van deze beelden?
#3643	Ze zijn een belediging van God.
Dr. Conroy	Toch registreerde het apparaat bij bepaalde beelden een zwelling in uw mannelijk lid.
#3643	Dat is onmogelijk.
Dr. Conroy	Plat gezegd werd u geil van die beelden.
#3643	Die taal is een belediging van God en van uw waardigheid als priester. U zou...
Dr. Conroy	Wat zou ik, Viktor?
#3643	Niets.
Dr. Conroy	Voelt u een woedeaanval opkomen, Viktor?
#3643	Nee, doctor.
Dr. Conroy	Kreeg u vorige week wel een woedeaanval?
#3643	Vorige week?
Dr. Conroy	Neem me niet kwalijk, ik moet preciezer zijn. Zou u willen zeggen dat u de vorige week, toen u het hoofd van mijn specialist tegen de apparatuur sloeg, geplaagd werd door een woedeaanval?
#3643	Die man daagde me uit. 'Als je rechteroog je op de verkeerde weg brengt, ruk het dan uit en werp het weg,' zegt de Heer.
Dr. Conroy	Matteüs, hoofdstuk 5, vers 29.
#3643	Juist.
Dr. Conroy	Hoe zit dat met dat oog? De pijn van het oog?
#3643	Ik begrijp u niet.
Dr. Conroy	Die man heet Robert. Hij heeft een vrouw en een dochter. U hebt hem het ziekenhuis in geslagen. Hij heeft zijn neus gebroken, is zeven tanden kwijt en is zich een beroerte geschrokken. Gelukkig wist de bewaking hem net op tijd te ontzetten.
#3643	Misschien ben ik iets te agressief geweest.
Dr. Conroy	Denkt u dat u nu ook agressief zou kunnen worden, als uw handen niet vastgebonden zaten aan de stoelleuningen?
#3643	Als u wilt kunnen we dat testen, doctor.
Dr. Conroy	Het lijkt me beter dit gesprek te beëindigen, Viktor.

Dinsdag 5 april 2005, 20.32 uur

De ondefinieerbare kleur grauwpaars waarin de autopsiezaal was geschilderd maakte de ruimte er niet vrolijker op. Boven de sectietafel verleende een armatuur met zes spotlights het kadaver zijn laatste minuten van roem voor de vier toeschouwers die moesten uitzoeken wie hem zo ruw van het toneel des levens had getrokken.

Pontiero maakte een gebaar van afschuw toen de forensisch patholoog kardinaal Robayra's maag op het blad legde. Toen hij het operatiemes erin zette, dreef de geur van bedorven voedsel door de sectieruimte. De hevige stank overheerste zelfs de geur van formaldehyde en de chemische cocktail die gebruikt werd om de instrumenten te ontsmetten. Dicanti vroeg zich absurd genoeg af wat voor zin het had de instrumenten zo goed schoon te maken. De dode hoefde bepaald niet bang te zijn een of andere bacterie op te lopen.

'Hé, Pontiero, weet jij waarom die dode baby de weg overstak?'

'Jawel, dottore, omdat hij blindemannetje speelde. U hebt hem al tig keer verteld. Kent u geen andere mop?'

De patholoog zong tijdens het onderzoek zachtjes voor zich uit. Hij had een goede stem, laag en melodieus, die Paola deed denken aan Louis Armstrong, vooral ook omdat hij *What a Wonderful World* zong. Hij onderbrak zijn gezang alleen om Pontiero van repliek te dienen.

'De echte mop is dat het u zoveel moeite kost om niet te kotsen, vice ispettore. Ha, ha, ha. Denk niet dat ik er geen lol in heb. Deze heeft gekregen wat hij verdiende...'

Paola en Dante wisselden een blik van verstandhouding over het lichaam van de kardinaal heen. De patholoog, een oude, recalcitrante communist, was een capabele vent, maar het ontbrak hem nogal eens aan respect voor de doden. Zo te zien vond hij de dood van Robayra uitermate geestig, maar Dicanti kon het niet waarderen.

'Dottore, ik wil u verzoeken u te beperken tot het onderzoek. Zowel onze gast, hoofdinspecteur Dante, als ik vinden uw pogingen om geestig te zijn beledigend en niet op hun plaats.'

De patholoog keek Dicanti schuins aan en ging zonder verder commentaar door met het onderzoek van de inhoud van Robayra's maag, hoewel hij de aanwezigen en hun voorouders binnensmonds vervloekte. Paola luisterde niet; ze concentreerde zich op Pontiero's gezicht, dat langzaam maar zeker van doodsbleek in groen veranderde.

'Maurizio, kwel jezelf niet zo. Je hebt nooit tegen bloed gekund.'

'Shit, Paola, als die kwezel het aankan, kan ik het ook.'

'Niet zo teergevoelig, mannetje. Het zou u verbazen hoeveel secties ik heb bij-gewoond.'

'Ach, is dat zo? Mag ik u eraan herinneren dat u er nog minimaal één in het ver-schiet hebt? Hoewel ik vrees dat ik daar meer van zal genieten dan u...'

Daar gaan we weer, dacht Paola, terwijl ze probeerde tussenbeide te komen. Zo waren ze al de hele dag. Dante en Pontiero hadden een onmiddellijke antipathie voor elkaar opgevat, maar om eerlijk te zijn kon de onderinspecteur niemand uitstaan die een broek droeg en zich op minder dan drie meter afstand van haar bevond. Ze wist dat hij haar als een dochter beschouwde, maar af en toe overdreef hij. Dante was een dandy en zeer zeker niet een van de slimsten, maar voorlopig was dat geen reden voor de minachting waarmee haar collega hem te lijf ging. Wat ze niet begreep, was hoe een vent als Dante zo'n hoge post had bereikt bij de Vigilanza. Zijn constante grapjes en bijtende sarcasme stonden in fel contrast met het onopvallende, muizige karakter van de zwijg-zame hoofdcommandant Cirin.

'Zouden mijn geëerde gasten misschien zo beleefd willen zijn hun aandacht bij de sectie te houden?'

De plagerige stem van de forensisch patholoog bracht Dicanti terug naar de werkelijkheid.

'Gaat u verder, alstublieft.' Ze wierp de twee politieagenten een kille blik toe, in de hoop dat ze hun gekibbel zouden staken.

'Het slachtoffer heeft sinds het ontbijt niets gegeten en alles wijst erop dat hij dat zeer vroeg genuttigd heeft, want er zijn vrijwel geen resten meer te vinden. Derhalve heeft hij ofwel een maaltijd overgeslagen, ofwel hij is voor lunchtijd in handen van zijn moordenaar gevallen.

Ik betwijfel of hij een maaltijd zou overslaan... Hij had een bourgondische le-vensstijl, zoals u kunt zien. Hij woog bijna tweeënnegentig kilo bij een lengte van een meter drieëntachtig.'

'Wat erop wijst dat de moordenaar sterk moet zijn. Robayra was niet bepaald een schriel mannetje,' bracht Dante in het midden.

'Bovendien is het veertig meter van de achterdeur van de kerk naar de kapel,' zei Paola. 'Iemand moet gezien hebben dat de moordenaar het slachtoffer de kerk binnensleepte. Pontiero, doe me een plezier. Stuur vier betrouwbare agenten de wijk in. Ik wil dat ze in burger gaan, maar ze moeten wel hun penning meenemen. Je mag ze niet vertellen wat er is gebeurd. Zeg maar dat er is ingebroken in de kerk en dat ze de mensen moeten vragen of ze iets vreemds hebben gezien die nacht.'

'Het heeft weinig zin de pelgrims te ondervragen.'

'Dat hoeft ook niet. Vraag het maar aan de buurtbewoners, vooral de oude men-sen. Die slapen meestal licht.'

Pontiero knikte en verliet de snijkamer, zichtbaar opgelucht dat hij weg kon. Paola keek hem na en toen de deur achter hem gesloten was, richtte ze zich tot Dante.

'Mag ik weten wat u bezielt, meneer van het Vaticaan? Pontiero is een moedige man die niet tegen bloed kan, dat is alles. Ik wil u dringend verzoeken dat gekibbel en gemier vanaf nu achterwege te laten.'

'Tjonge, we hebben meer dan één grote mond in het mortuarium,' grinnikte de patholoog.

'Hou u erbuiten, dottore, we gaan zo verder. Begrepen, Dante?'

'Rustig, ispettore,' verdedigde de hoofdcommandant zich terwijl hij zijn handen in de lucht stak. 'U begrijpt het verkeerd. Als ik morgen schouder aan schouder met Pontiero met mijn pistool in de aanslag een brandend huis in moet, zou ik geen seconde aarzelen.'

'Mag ik dan misschien weten waarom u hem het bloed onder de nagels vandaan haalt?' vroeg Paola verbijsterd.

'Omdat het leuk is. Ik weet honderd procent zeker dat hij het ook heerlijk vindt om mij te stangen. Vraag het hem zelf maar.'

Paola schudde meewarig haar hoofd en uitte niet mis te verstane verwensingen aan het adres van mannen in het algemeen en deze twee in het bijzonder.

'Gaat u door, dottore. Kunt u het tijdstip en de oorzaak van overlijden vaststellen?'

De patholoog raadpleegde zijn aantekeningen.

'Ik wil u erop wijzen dat dit een voorlopig verslag is, maar ik ben er redelijk zeker van. De kardinaal overleed gisteren, maandagavond rond negen uur. De foutmarge is een uur. Hij stierf omdat zijn keel werd doorgesneden, achterlangs, waarschijnlijk door iemand van dezelfde lengte als hij. Ik kan weinig zeggen over het wapen, behalve dat het een vlijmscherp voorwerp is geweest van ten minste vijftien centimeter lang, met een platte rand. Het zou een professioneel scheermes kunnen zijn of zoiets.'

'Wat kunt u ons vertellen over de verwondingen?' vroeg Dante.

'Het uitsteken van de ogen vond ante mortem plaats, evenals de verminking van de tong.'

'Heeft hij hem de tong uitgerukt? God beware me,' griezelde Dante.

'Waarschijnlijk met een tang, ispettore. Toen hij klaar was, propte hij de mond vol wc-papier om het bloeden te stelpen. Daarna haalde hij dat er weer uit, maar er zijn wat celstofresten achtergebleven. Tussen twee haakjes, Dicanti, ik sta versteld van u. U lijkt er nauwelijks van onder de indruk te zijn.'

'Tja, ik heb erger meegemaakt.'

'Dan vrees ik dat ik u nu iets moet laten zien wat u nooit eerder hebt meegemaakt. Ik heb het in elk geval in al die jaren nooit eerder bij de hand gehad. Hij heeft de tong in het rectum gestoken. Vakwerk, moet ik zeggen. Daarna heeft hij het bloed eromheen gewist. Het zou me nooit opgevallen zijn als ik geen inwendig onderzoek had gedaan.'

De forensisch patholoog toonde enkele foto's van de verminkte tong.

'Ik heb hem op ijs gelegd en naar het laboratorium gestuurd. Ik wil graag een kopie van het laboratoriumrapport, ispettore. Ik begrijp nog steeds niet hoe hij dat voor elkaar gekregen heeft.'

'Ik zal er persoonlijk voor zorgen,' beloofde Dicanti. 'Hoe zit het met die handen?'

'Die verwondingen zijn post mortem toegebracht. Het zijn slordige sneden. Er zijn tekenen van aarzeling, hier en hier. Wellicht vond hij het zwaar werk of zat hij in een ongemakkelijke houding.'

'Zat er nog iets onder de nagels?'

'Lucht. De handen zijn brandschoon. Ik vermoed dat hij ze met zeep heeft schoongeboend. Ik meende een lichte lavendelgeur te ruiken.'

Paola keek nadenkend voor zich uit.

'Dottore, hoeveel tijd denkt u dat de moordenaar nodig heeft gehad om zijn slachtoffer zo toe te takelen?'

'Daar heb ik nog niet over nagedacht. Laat me even rekenen.'

De oude arts ging nadenkend met zijn handen langs de polsen van het lichaam, de oogkassen, de verminkte mond. Hij neuriede nog steeds, ditmaal iets van de Moody Blues. Paola kon niet op de titel van het liedje komen.

'Eens kijken... Hij had in elk geval een halfuur nodig om die handen af te zagen en ze schoon te maken, en vervolgens nog een uur om het hele lichaam te wassen en aan te kleden.

Het is lastig te berekenen hoe lang hij het slachtoffer gemarteld heeft, maar alles wijst erop dat hij er de tijd voor heeft genomen. Hij is minimaal drie uur met het slachtoffer bezig geweest, maar het zou langer kunnen zijn.'

Een stille, geheime plek. Een afgezonderde plek waar hij niet gestoord kon worden en niemand hen kon horen, want Robayra moet het hebben uitgegild van pijn. Hoeveel lawaai maakt een man als zijn ogen en tong worden uitgerukt? Vast heel veel. Ze moest de tijden afbakenen, vaststellen hoeveel uur de kardinaal in handen van de moordenaar was geweest en dan de tijd die het duurde om te doen wat hij had gedaan ervan aftrekken. Dat beperkte de radius van de zoektocht, als de moordenaar tenminste niet in alle rust zijn gang was gegaan.

'Ik weet dat de jongens geen enkel spoor hebben aangetroffen. Hebt u iets abnormaals gevonden voordat u hem schoonmaakte, iets wat u ter analyse kunt opsturen?'

'Niet veel. Wat vezels en enkele vlekken op de kraag van het overhemd van iets wat make-up zou kunnen zijn.'

'Make-up? Bizar. Kan die van de moordenaar zijn?'

'Wel, Dicanti, wie weet had onze kardinaal een geheimpje,' grapte Dante.

Paola keek hem verbaasd aan. De patholoog liet een vunzig gegrinnik horen.

'Ho ho, zover wil ik niet gaan,' haastte Dante zich te zeggen. 'Ik bedoel alleen dat hij misschien veel aandacht aan zijn uiterlijk besteedde. Hij was tenslotte op leeftijd...'

'Toch is het een opmerkelijk detail. Zaten er make-upresten op het gezicht?'

'Nee, maar dat is door de moordenaar gewassen, of in elk geval heeft hij het bloed uit de oogholtes gewist. Ik zal er verder naar zoeken.'

'Dottore, stuur een monster van die make-up naar het lab, voor het geval dat. Ik wil precies weten welk merk en welke kleur het was.'

'Het kan veel tijd kosten als ze geen database hebben om met het monster te vergelijken.'

'Schrijf een werkbriefje uit dat ze als het nodig is een complete parfumerie leegtrekken. Dit is het soort opdracht waar directeur Boi dol op is. Wat kunt u me vertellen over het bloed of eventueel het zaad? Heeft er iemand gescoord?'

'Helemaal niets. De kleding van het slachtoffer was brandschoon en er waren alleen bloedsporen van hetzelfde type. Het zijne, zonder twijfel.'

'Huid, haren? Sporen, aarde... iets?'

'Ik heb sporen gevonden van kleefstof, dus ik vermoed dat de moordenaar de kardinaal heeft uitgekleed en vastgebonden met tape voordat hij hem martelde, om hem vervolgens weer aan te kleden. Hij heeft het lichaam gewassen, maar niet gebaad, ziet u wel?'

De patholoog wees op een smalle witte rand van opgedroogde zeep op Robayra's zij.

'Hij heeft hem afgesponst met water en zeep, maar hij had niet genoeg water of heeft weinig aandacht besteed aan dat onderdeel, want er zitten overal zeepresten op het lichaam.'

'Wat voor soort zeep was het?'

'Dat zal makkelijker uit te zoeken zijn dan de make-up, maar ook minder nuttig. Een gangbare lavendelzeep, zou ik zeggen.'

Paola gaf hem zuchtend gelijk.

'Is dat alles?'

'Er zit ook een restje kleefstof op zijn gezicht, maar minimaal. Dat is het. De dode was trouwens aardig bijziend.'

'Wat heeft dat ermee te maken?'

'Dante, kijk dan. Hij heeft geen bril op.'

'Nee, natuurlijk heeft hij geen bril op. Zijn ogen zijn verdomme uitgestoken, hoe zou hij een bril op moeten hebben?'

De patholoog raakte kriegel van de hoofdinspecteur.

'Ja, hoor eens, ik hoef uw werk niet te doen, ik vertel alleen wat ik zie.'

'In orde, dokter. Bel ons zodra het rapport klaarligt.'

'Uiteraard, ispettore.'

Dante en Paola lieten de patholoog verdiept in zijn lijk en zijn interpretatie van de jazzklassiekers achter en liepen de gang in, waar Pontiero bevelen blafte in zijn mobiele telefoon. Toen hij ophing, richtte Dicanti het woord tot beide heren.

'Goed, we gaan het volgende doen. Dante, u gaat terug naar kantoor en maakt een rapport op van alles wat u zich kunt herinneren van het eerste misdrijf. Ik wil dat u dat alleen doet, dat lijkt me beter. Verzamel alle foto's en bewijzen die uw geachte baas u heeft laten behouden. Kom naar het hoofdkantoor van de UACV zodra u het af hebt. Ik vrees dat dit een lange nacht gaat worden.'

Opdracht:
Beschrijf in minder dan 100 woorden het belang van de factor tijd in het samenstellen van een daderprofiel (volgens Rosper). Trek een persoonlijke conclusie waarbij u de variabelen in verband brengt met het ervaringsniveau van de moordenaar. U hebt twee minuten, die ingaan op het moment waarop u dit formulier omdraait.

Antwoord:
Men dient rekening te houden met de benodigde tijd voor het volgende:

    a. eliminatie van het slachtoffer
    b. interactie met het lichaam
    c. verwijdering van sporen op het lichaam en zich van het lichaam ontdoen

Commentaar:
Volgens mij wordt variabele a) bepaald door de fantasieën van de moordenaar, variabele b) helpt ons zijn verborgen motieven te onthullen en variabele c) geeft een indruk van zijn onderzoekscapaciteit en improvisatietalent. Concluderend besteedt de moordenaar meer tijd:

    a. als hij van gemiddeld niveau is (drie misdrijven)
    b. als deskundige (vier misdrijven of meer)
    c. als beginner (eerste of tweede misdrijf)

Dinsdag 5 april 2005, 22.32 uur

'Eens zien, wat hebben we tot dusver?'
'We hebben twee op gruwelijke wijze vermoorde kardinalen, Dicanti.'
Dicanti en Pontiero zaten allebei met een sandwich en een beker koffie in de vergaderzaal van het laboratorium. De zaal was modern ingericht, maar het was een saaie, deprimerende ruimte. Kleurloos, afgezien van het honderdtal foto's van de moord dat voor hen uitgespreid lag op de vergadertafel. Aan één kant van de enorme tafel lagen vier in plastic verpakte bewijsstukken. Dat was alles wat ze hadden zolang Dante niet met het materiaal van het eerste delict kwam opdagen.
'Oké, Pontiero, we beginnen met Robayra. Wat weten we van hem?'
'Hij woonde en werkte in Buenos Aires. Hij is zondagochtend aangekomen met een vlucht van Aerolíneas Argentinas. Hij had een open ticket dat hij weken geleden al had gekocht, maar hij heeft gewacht tot zaterdagmiddag één uur om op het vliegtuig te stappen. Dat was ongeveer op het moment waarop de Heilige Vader stierf.'
'Een retourticket?'
'Enkele reis.'
'Eigenaardig. Had hij een vooruitziende blik of was hij zo zeker van de uitkomst van het conclaaf? Maurizio, je kent me, ik hou me niet zo bezig met de Kerk. Weet je iets van Robayra's kansen op de Heilige Stoel?'
'Niet veel. Ik heb een week geleden een artikel over hem gelezen, ik geloof in de *Stampa*. Hij zat stevig in de race, maar behoorde niet tot de favorieten. Maar ja, je weet hoe het zit met de Italiaanse media, ze besteden alleen aandacht aan onze eigen kardinalen. Over Portini, bijvoorbeeld, heb ik veel meer gelezen.'
Pontiero was een goede echtgenoot en een lieve vader. Hij was rechtdoorzee en ging elke zondag naar de kerk, daar kon je de klok op gelijkzetten. Hij vroeg haar met dezelfde regelmaat van de klok om met hen mee te gaan, een uitnodiging die Paola met steeds een ander excuus afsloeg. Sommige smoezen waren goed, andere minder, maar hij trapte er nooit in. Pontiero wist dat Paola niet of nauwelijks gelovig was. Haar geloof was tegelijk met haar vader naar de hemel gegaan, inmiddels tien jaar geleden.
'Er zit me iets dwars, Maurizio. We moeten weten wat voor gefrustreerde band de moordenaar heeft met kardinalen. Heeft hij een hekel aan rode biezen, is het een doorgedraaide seminarist of kan hij gewoon niet tegen rode kalotjes?'
'Kardinaalshoeden.'

'Dank voor je toelichting. Ik vermoed dat er een link is tussen de slachtoffers, afgezien van hun hoeden. Maar goed, zo komen we niet veel verder; we hebben een autoriteit nodig op dat gebied. Ik zal Dante vragen aan de juiste touwtjes te trekken, ik moet een hoge jongen spreken die volkomen is ingevoerd in de pauselijke curie. En als ik hoog zeg, bedoel ik hoog.'

'Dat zal niet makkelijk worden.'

'We zullen wel zien. Laten we eerst maar eens bekijken wat we hebben. Om te beginnen weten we dat Robayra niet in de kerk is gestorven.'

'Klopt, er lag nauwelijks bloed. Hij is ergens anders vermoord.'

'Het is zeker dat de moordenaar de kardinaal gedurende enkele uren heeft vastgehouden op een afgelegen, geheime locatie, waar hij zich kon uitleven op het slachtoffer en diens lichaam. We weten dat hij op de een of andere manier zijn vertrouwen genoot, want het slachtoffer moet vrijwillig met hem zijn meegegaan. Van daaruit bracht hij het lijk over naar de Santa Maria in Traspontina, uiteraard met een achterliggende reden.'

'Weten we iets van die kerk?'

'Ik heb de parochiepriester gesproken. De kerk zat op slot en grendel toen hij naar bed ging. Hij vertelde dat hij de deur van het slot moest doen voor de politie toen die arriveerde. Maar er is nog een deur, een kleintje, aan de kant van Via dei Corridori. Wie weet is hij daardoor binnengekomen. Hebben jullie dat onderzocht?'

'Het slot was intact, het was nieuw en stevig. Maar ook al had dat deurtje opengestaan, dan nog snap ik niet hoe de moordenaar langs die kant is binnengekomen.'

'Want?'

'Heb je gezien hoeveel mensen er aan de voorkant stonden, in de Via della Conciliazione? Nou, aan de achterkant stonden er zo mogelijk nog meer, verdomme. Het krioelde er van de pelgrims. Ze hebben de straten zelfs afgesloten voor het verkeer. Je gaat me toch niet vertellen dat er tussen al die mensen een moordenaar met een lijk loopt te sjouwen?'

Paola dacht even na. Mogelijk was die zee van mensen juist een geweldige dekmantel geweest, maar hoe was hij binnengekomen zonder de deur te forceren?

'Pontiero, dat is onze eerste prioriteit: we moeten weten hoe hij binnengekomen is. Ik heb het gevoel dat dat van groot belang is. We gaan morgen nog eens met die priester praten – hoe heet hij ook alweer?'

'Francesco Toma, pater karmeliet.'

De onderinspecteur knikte bedachtzaam en schreef iets in zijn agenda.

'Die ja. Aan de andere kant hebben we al die macabere details: de boodschap op de muur, de afgehakte handen op het doek... en die zakjes hier. Ga door.'

Pontiero begon te lezen terwijl rechercheur Dicanti het expertiserapport invulde met een balpen. Een ultramodern kantoor, maar ze moesten het nog steeds doen met relikwieën uit de twintigste eeuw, waaronder deze ouderwetse formulieren.

'Bewijsstuk nummer één. Stool. Langwerpige, geborduurde lap stof gedragen door katholieke priesters tijdens het boetesacrament. Hij hing gedrenkt in bloed uit de mond van het lijk. De bloedgroep komt overeen met die van het slachtoffer. DNA-onderzoek in uitvoering.'

Dat was het bruingrijze voorwerp dat ze in de duisternis van de kerk niet goed hadden kunnen zien. De uitslag van het DNA-onderzoek zou minstens twee dagen op zich laten wachten en dat was alleen dankzij het feit dat de UACV gebruik kon maken van een van de meest geavanceerde laboratoria ter wereld. Dicanti schoot altijd in de lach als ze naar CSI keek op tv. Was het maar waar dat de onderzoeksresultaten zo snel binnenkwamen als in Amerikaanse televisieseries.

'Bewijsstuk nummer twee. Witte doek. Herkomst onbekend. Materiaal: katoen. Lichte bloedsporen. Op deze doek zijn de afgehakte handen van het slachtoffer aangetroffen. De bloedgroep komt overeen met die van het slachtoffer. DNA-onderzoek in uitvoering.'

'Wacht even, schrijf je Robayra met een Griekse y of met een i?' aarzelde Dicanti.

'Met een Griekse y, geloof ik.'

'Oké, ga door, Pontiero.'

'Bewijsstuk nummer drie. Verfrommeld stukje papier van ongeveer drie bij drie centimeter. Papiersoort, samenstelling, gewicht en chloorpercentage worden onderzocht. Op het papiertje staan met de hand en met balpen de volgende letters geschreven:'

Mt 16

'Mt 16,' vulde Dicanti aan. 'Is dat een adres?'

'Het papiertje was doordrenkt met bloed en tot een propje verfrommeld. Het is duidelijk dat het een boodschap van de moordenaar betreft. Het feit dat hij de ogen van het slachtoffer heeft uitgestoken, zou evengoed een strafmaatregel als een aanwijzing kunnen betekenen... alsof hij ons wilde wijzen waar we moeten kijken.'

'Of hij wilde ons laten weten dat we blind zijn.'

'Een ludieke moordenaar... Dat is dan de eerste in Italië. Ik denk dat Boi daarom wil dat jij de leiding over het onderzoek neemt, Paola. Geen normale detective, maar iemand die creatief kan denken.'

Dicanti overpeinsde de woorden van de onderinspecteur. Als dat waar was, werd de inzet verdubbeld. Het profiel van de ludieke moordenaar correspondeerde over het algemeen met intelligente personen die beduidend moeilijker te pakken waren, tenzij ze een vergissing begingen. Vroeg of laat deden ze dat, maar tot het zover was raakte het lijkenhuis overbelast.

'Laten we eens denken. Welke straatnamen beginnen met die initialen?'

'Viale del Muro Torto...'

'Die kan het niet zijn; die ligt aan een park en heeft geen huisnummers, Maurizio.'

'Dan kan Monte Tarpeo ook niet, want die grenst aan de tuinen van het Palazzo dei Conservatori.'

'De Monte Testaccio?'

'Aan het Parco Testaccio... maar die zou wel kunnen.'

'Momentje.' Dicanti pakte de telefoon en toetste een intern nummer in. 'Documentatie? O, hallo Silvio. Kun jij voor me uitzoeken wat er zit op Monte Testaccio 16, alsjeblieft? En wil je ons een stratenboekje van Rome brengen? Ja, in de vergaderzaal. Dank je.'

Pontiero ging intussen door met het opnoemen van het bewijsmateriaal.

'Als laatste (voorlopig): bewijsstuk nummer vier: verfrommeld stukje papier van ongeveer drie bij drie centimeter. Het bevond zich in de rechteroogkas van het slachtoffer en was identiek aan bewijsstuk nummer drie. Papiersoort, samenstelling, gewicht en chloorpercentage worden onderzocht. Op het papiertje staat met de hand en met balpen het volgende woord geschreven:

Undeviginti.

'Het lijkt verdomme wel een rebus!' vloekte Dicanti. Ze hoopte maar dat de briefjes niet het vervolg waren op eventuele boodschappen die bij het eerste slachtoffer waren achtergelaten, want die waren inmiddels in rook opgegaan.

'Ik vrees dat we het hier voorlopig mee moeten doen.'

'Erg fijn, Pontiero. Waarom vertel je me niet wat een "undeviginti" is, dan doe je tenminste wat.'

'Je Latijn is niet meer wat het geweest is, Dicanti. Het betekent negentien.'

'Shit, je hebt gelijk. Ik had er ook altijd onvoldoendes voor. En dat pijltje?'

Op dat moment kwam een van de medewerkers van Documentatie binnen met het gevraagde stratenboekje van Rome.

'Alstublieft, mevrouw. Ik heb dat huisnummer dat u vroeg opgezocht, maar Monte Testaccio 16 bestaat niet. De huisnummers gaan niet verder dan 14.'

'Dank je, Silvio. Doe me een plezier en blijf even hier om ons te helpen zoeken naar straatnamen die met MT beginnen. Het is een schot voor de boeg, maar wie weet is het wat.'

'U schijnt een heel goede psychologe te zijn, maar raadsels oplossen gaat u niet best af, dottoressa Dicanti. U kunt er beter een bijbel bij halen dan een stratenboekje.'

Ze draaiden zich alle drie om naar de deur van de vergaderzaal. In de deuropening stond een priester. Hij was lang en slank, met een kalende kruin. Het was een goed geconserveerde vijftiger met krachtige, harde trekken, iemand die eruitzag alsof hij heel wat dagen en nachten in de buitenlucht had doorgebracht. Dicanti vond dat hij er eerder uitzag als een militair dan als een priester.

'Wie bent u en wat komt u hier doen? Dit gebouw is verboden voor onbevoegden. Ik moet u verzoeken onmiddellijk te vertrekken,' zei Pontiero streng.

'Ik ben pater Anthony Fowler, ik kom u helpen.'

Hij sprak uitstekend Italiaans, maar enigszins zangerig en onzeker.

'Dit is politiedomein, en u hebt geen toestemming dit terrein te betreden. Als u zo graag wilt helpen, ga dan naar de kerk om voor ons te bidden.'

Pontiero liep naar de deur met de bedoeling de priester desnoods hardhandig het gebouw uit te zetten. Dicanti had zich alweer omgedraaid om de foto's op tafel te bekijken toen Fowler zei: 'Het komt uit de Bijbel. Uit het Nieuwe Testament, om precies te zijn.'

'Wat?' vroeg Pontiero.

Dicanti keek op.

'Goed, zegt u het maar.'

'Mt 16. Het evangelie volgens Matteüs, hoofdstuk 16. Heeft hij nog een ander bericht achtergelaten?'

Pontiero had duidelijk de pest in.

'Hoor eens, Paola, je gaat die vent toch niet echt...'

Dicanti snoerde hem met een gebaar de mond.

'Ik wil horen wat hij te zeggen heeft.'

Fowler kwam de vergaderzaal binnen en legde de zwarte jas die hij over de arm droeg op een stoel.

'Het Nieuwe Testament is verdeeld in vier evangeliën, dat weet u: Matteüs, Marcus, Lucas en Johannes. In de christelijke bibliografie wordt het boek Matteüs aangegeven met de letters Mt. De letters worden gevolgd door cijfers, de nummers van de hoofdstukken. Met nog twee cijfers wordt een citaat aangegeven tussen twee bijbelverzen.'

'Dat heeft de moordenaar er niet bij gezet.'

Paola liet hem bewijsstuk nummer vier zien, verpakt in plastic. Ze hield hem nauwlettend in de gaten. De pater gaf echter geen enkel teken dat hij het briefje eerder had gezien en leek ook niet te schrikken van het bloed. Hij bekeek het alleen zorgvuldig en zei toen: 'Negentien. Zeer toepasselijk.'

Pontiero begon echt kwaad te worden.

'Gaat u ons nog vertellen wat u weet, of moeten we nog lang wachten, pater?'

Et tibi dabo claves regni coelorum et quodcumque ligaveris super terram, erit legatum et in coelis; et quodcumque solveris super terram, erit solutum et in coelis,' citeerde Fowler. '"Ik zal je de sleutels van het koninkrijk van de hemel geven, en al wat je op aarde bindend verklaart zal ook in de hemel bindend zijn, en al wat je op aarde ontbindt zal ook in de hemel ontbonden zijn." Matteüs 16, vers 19. Het zijn de woorden waarmee Jezus Petrus aanstelde als hoofd van de apostelen en waarmee hij hem en zijn nazaten de macht over het christendom in handen legde.'

'Jezus Maria!' riep Dicanti uit.

'Gezien alles wat er op dit moment gaande is in deze stad, vrees ik dat u zich zorgen moet maken. Ernstige zorgen.'

'Shit man, een halvegare klojo helpt een kardinaal om zeep en u komt ons vertellen dat we ons zorgen moeten maken? Dat hadden we nog niet door, pater Fowler,' sneerde Pontiero.

'Nee, beste vriend. De moordenaar is geen halvegare. Het is een wrede, methodische en intelligente man, en hij is zwaar gestoord, dat kunt u van me aannemen.'

'O ja? U schijnt heel wat over hem te weten, pater.'

De priester keek Dicanti strak aan toen hij zijn antwoord formuleerde.

'Ik weet meer over hem dan u denkt, mensen. Ik ken hem.'

(Artikel uit de *Maryland Gazette* van 29 juli 1999. Pagina 7)

AMERIKAANSE PRIESTER BESCHULDIGD VAN
SEKSUEEL MISBRUIK PLEEGT ZELFMOORD

Silver Spring, Maryland (Nieuwsagentschap). Terwijl de schandalen wegens seksueel misbruik de katholieke clerus in Amerika op hun grondvesten doen schudden, heeft een priester uit Connecticut, beschuldigd van seksueel misbruik van minderjarigen, zich opgehangen in zijn cel in een instituut dat zich toelegt op hulp aan geestelijken met problemen, zo luidde afgelopen vrijdag het bericht van de plaatselijke politie aan American Press.

Volgens een woordvoerder van bisdom Bridgeport had de 61-jarige Peter Selznick zijn functie als parochiepriester in San Andrés, Bridgeport (Connecticut), op 27 april jongstleden neergelegd, een dag nadat de autoriteiten van de katholieke kerk twee mannen hadden ondervraagd die bevestigden dat Selznick hen eind jaren zeventig, begin jaren tachtig had misbruikt.

De priester was onder behandeling in Instituut Saint Matthew in Maryland, een psychiatrische kliniek voor de opvang van geestelijken die schuldig zijn bevonden aan seksueel misbruik of onderhevig zijn aan 'verward seksueel gedrag', aldus het genoemde instituut.

'Nadat het personeel van de kliniek herhaaldelijk aan de deur van zijn kamer had geklopt, trachtte men naar binnen te gaan, maar de deur werd door een zwaar voorwerp geblokkeerd,' bevestigde Diane Richardson, woordvoerster van de politie van het graafschap Prince George, tijdens een persconferentie. 'Toen het uiteindelijk lukte de kamer te betreden, bleek dat het slachtoffer zich had verhangen aan een van de balken aan het plafond.'

Selznick hing zich op aan een beddenlaken, aldus Richardson. Het lichaam is voor sectie overgebracht naar het mortuarium. Richardson ontkende in alle toonaarden dat het lichaam geheel ontkleed was en ernstige sporen van marteling vertoonde en ze deed deze geruchten af met de woorden 'volkomen ongefundeerd'.

Tijdens de persconferentie verwezen diverse verslaggevers naar 'getuigenverklaringen' waarin melding werd gemaakt van gruwelijke verminkingen. De woordvoerster bevestigde dat een verpleegkundige van de medische dienst van het graafschap deze verklaringen heeft afgelegd onder invloed van drugs zoals marihuana en andere hallucinerende middelen. Deze verpleegkundige is inmiddels uit zijn functie ontheven tot hij zijn verslaving onder controle heeft. Deze krant is erin geslaagd de genoemde verpleegkundige te traceren, maar op onze vraag wat er waar was van de geruchten gaf hij geen andere verklaring dan de tekst '*I was wrong*' (Ik had het mis).

De bisschop van Bridgeport, William Lopes, verklaarde dat hij 'diep geschokt' was door de tragische dood van Selznick en voegde eraan toe dat deze het zoveelste slachtoffer was van het schandaal dat de Noord-Amerikaanse afdeling van de katholieke kerk momenteel teistert.

Pater Selznick werd geboren in 1938 in New York en werd in 1965 in Bridgeport tot priester gewijd. Hij diende in diverse parochies in Connecticut, alsmede korte tijd in de parochie San Juan Vianney in Chiclayo, Peru.

'God laat iedereen, zonder uitzondering, in zijn waarde en ieder mens heeft recht op onze compassie,' verklaarde Lopes. 'Ondanks de verwarrende omstandigheden rond zijn dood mogen we nooit vergeten hoeveel goeds pater Selznick heeft gedaan in zijn leven.'

Pater Canice Conroy, geneesheer-directeur van Saint-Matthew, weigerde deze krant te woord te staan. Pater Anthony Fowler, hoofd Nieuwe Projecten van het instituut, verklaarde dat pater Conroy 'in shock' verkeert.

Dinsdag 5 april 2005. 23.14 uur

Fowlers verklaring kwam aan als een mokerslag. Dicanti en Pontiero keken de kalende priester verbijsterd aan.

'Mag ik gaan zitten?'

'Stoelen genoeg,' wees Paola. 'Kies er maar eentje uit.'

Ze gebaarde de medewerker van Documentatie dat hij kon vertrekken.

Fowler zette een zwart reiskoffertje met kale randen en slijtplekken op tafel. Zo te zien was de eigenaar in gezelschap van deze koffer de halve wereld rondgereisd en had hij er duizenden kilometers mee afgelegd. Hij klikte hem open, haalde een dikke kartonnen map met versleten hoeken en vol koffiekringen tevoorschijn en ging tegenover Dicanti zitten. Ze keek aandachtig naar zijn bedachtzame bewegingen, naar de energie die uit de groene ogen straalde. Die vreemde man die zo plotseling uit het niets was opgedoken intrigeerde haar, maar ze besloot streng dat ze zich niet wilde laten overdonderen en al helemaal niet op eigen terrein.

Pontiero trok een stoel bij, draaide hem om en ging er achterstevoren op zitten, links van de priester en met zijn armen op de rugleuning. Dicanti nam zich voor hem er nogmaals op te wijzen dat zijn imitatie van Humphrey Bogart zijn beste tijd had gehad. De vice ispettore had *The Maltese Falcon* zo'n driehonderd keer gezien. Hij ging steevast links van degene die hij als verdachte beschouwde zitten en stak dan de ene Pall Mall zonder filter na de andere op.

'Oké dan, pater. Mag ik uw identiteitspapieren zien?'

Fowler haalde zijn paspoort uit zijn binnenzak en overhandigde het aan Pontiero. Hij trok een geïrriteerd gezicht bij de rookwolk die de onderinspecteur praktisch in zijn gezicht blies.

'Kijk eens aan, een diplomatenpas. U bezit diplomatieke onschendbaarheid, wel, wel, wel. Wie voor de duivel bent u? Een of andere spion?'

'Ik ben officier bij de Amerikaanse luchtmacht.'

'Wat is uw rang?' vroeg Paola.

'Majoor. Wilt u inspecteur Pontiero alstublieft verzoeken niet in mijn bijzijn te roken? Ik ben jaren geleden gestopt en ik wil liever niet in mijn oude gewoonte vervallen.'

'Hij is verslaafd aan nicotine, majoor Fowler.'

'Pater Fowler, dottoressa Dicanti. Ik ben... met pensioen.'

'Momentje... hoe weet u hoe de ispettore en ik heten, eerwaarde?'

De criminologe glimlachte geamuseerd, maar kon enige nieuwsgierigheid niet verhullen.

'Wel Maurizio, ik denk dat pater Fowler niet geheel en al met pensioen is, zoals hij zelf verklaart.'

Fowler schonk haar een ietwat trieste glimlach.

'Ik ben onlangs teruggeroepen in actieve dienst, dat klopt. Gek genoeg zijn het mijn activiteiten als burger die daartoe hebben geleid.' Hij zweeg en wuifde ongeduldig de rook weg.

'Gaat u verder. Vertel ons wie u bent en vooral waar die klootzak uithangt die een kardinaal van de heilige moederkerk zo gruwelijk heeft toegetakeld, dan kunnen we allemaal naar huis om te slapen, wijsneus.'

De priester deed er even ondoorgrondelijk het zwijgen toe als zijn witte priesterboord. Paola vermoedde dat deze man veel te gehard was om zich door Pontiero's act te laten imponeren. De diepe groeven in zijn gezicht gaven te kennen dat deze man heel wat had meegemaakt in zijn leven en die ogen hadden ergere dingen gezien dan een middelmatige politieman en zijn stinktabak.

'Hou daarmee op, Maurizio. En doof die sigaret.'

Pontiero smeet korzelig zijn peuk op de grond.

'Pater Fowler,' begon Dicanti. Ze schoof de foto's op tafel heen en weer, maar bleef de pater strak aankijken. 'Als ik het goed begrijp, staat u voorlopig aan kop. U weet iets wat ik niet weet. Maar dit is mijn wijk, mijn terrein. Zegt u maar hoe we dat oplossen.'

'Wat zou u ervan vinden om te beginnen met een daderprofiel?'

'Kunt u me zeggen waarom?'

'Omdat het in dit geval niet nodig is een daderprofiel samen te stellen om achter de identiteit van de moordenaar te komen. Ik weet wie het is. U hebt een daderprofiel nodig om te weten waar hij zich bevindt. Dat is niet hetzelfde.'

'Wilt u mij testen, eerwaarde? Wilt u weten of degene die u voor u hebt aan uw hoge eisen voldoet? Trekt u mijn onderzoekscapaciteiten in twijfel, in navolging van de heer Boi?'

'Ik vrees dat u de enige bent die aan uw capaciteiten twijfelt, dottoressa.'

Paola ademde diep in en riep al haar zelfbeheersing aan om niet te gaan gillen, want Fowler had de vinger precies op de zere plek gelegd. Net toen ze dacht dat ze het niet ging redden, verscheen haar baas in de deuropening. Hij bleef daar minutenlang staan en keek de priester strak aan, die zijn blik even vast beantwoordde. Ten slotte lieten ze elkaar met een knikje van verstandhouding los.

'Pater Fowler.'

'Doctor Boi.'

'Uw komst is mij gemeld via een laten we zeggen ongebruikelijk kanaal. Onnodig daaraan toe te voegen dat uw aanwezigheid hier ons wordt opgedrongen, hoewel ik moet erkennen dat u ons van nut kunt zijn, mits de bronnen niet liegen.'

'Dat doen ze niet.'

'Dan wil ik u verzoeken het goede werk voort te zetten.'

Als klein meisje had ze altijd het onbestemde gevoel gehad dat ze te laat was voor een wereld die zonder haar was begonnen te draaien en dat gevoel kreeg ze nu weer. Paola was er doodziek van dat iedereen van alles scheen te weten wat zij niet wist. Zodra ze er de kans toe kreeg, zou ze Boi om opheldering vragen. Vooralsnog besloot ze echter van de gelegenheid gebruik te maken.

'Chef, pater Fowler hier beweert te weten wie de moordenaar is, maar hij verzoekt mij een daderprofiel samen te stellen voordat hij ons de identiteit van de misdadiger wil onthullen. Ik persoonlijk ben van mening dat we kostbare tijd verspillen, maar ik heb besloten zijn spel mee te spelen.'

Met een energie die de drie heren perplex deed staan veerde ze op, liep naar het bord dat bijna de hele muur in beslag nam en begon te schrijven.

'De moordenaar is een blanke man van tussen de achtendertig en zesenveertig jaar oud. Hij is van gemiddelde lengte, sterk en intelligent. Hij is universitair geschoold en heeft een talenknobbel. Hij is linkshandig, heeft een streng katholieke opvoeding genoten en is in zijn jeugd misbruikt of mishandeld. Hij is onvolwassen, staat door zijn werk onder hevige druk die zijn psychische en emotionele stabiliteit ver te boven gaat en hij leidt aan ernstige seksuele repressie. Mogelijk heeft hij een gewelddadige achtergrond. Het is niet de eerste, noch de tweede maal dat hij een moord pleegt, en het zal zeker ook niet de laatste maal zijn. Hij koestert een diepe minachting jegens de mensheid, de politie en met name zijn slachtoffers. Wel, eerwaarde, ik denk dat het tijd wordt dat u ons de naam van de moordenaar onthult.' Dicanti draaide zich op haar hakken om en gooide het krijtje in de richting van de priester.

Ze keek haar toehoorders uitdagend aan. Fowler keek verbaasd, Pontiero bewonderend en Boi sceptisch. De priester was de eerste die zijn stem terugvond. 'Gefeliciteerd, dottoressa. Een tien met een griffel. Ik ben zelf psycholoog, maar ik begrijp werkelijk niet hoe u tot deze conclusie bent gekomen. Kunt u misschien een toelichting geven?'

'Dit is slechts een provisorisch profiel, maar het zou redelijk accuraat moeten zijn. Dat het een blanke man is blijkt uit het profiel van zijn slachtoffers, want het komt zelden voor dat een seriemoordenaar iemand doodt uit een andere etnische groepering dan hijzelf. Hij is van gemiddeld postuur, gezien het feit dat Robayra een rijzig man was, en de hoek en richting van de snee in zijn hals geven aan dat hij geheel onverwacht is vermoord door iemand van om en nabij de een meter tachtig. Dat hij sterk moet zijn moge duidelijk zijn; als dat niet zo was, had hij de kardinaal nooit die kerk in kunnen slepen, en zelfs als hij een auto had waarmee hij het lichaam tot aan de achterdeur heeft gebracht, is het nog altijd veertig meter naar de kapel. De onvolwassenheid is recht evenredig met het type ludieke moordenaar, dat diepe minachting koestert voor zijn slachtoffer, in wie hij weinig meer ziet dan een object, en voor de politie, die hij beschouwt als een minderwaardig ras.'

Fowler interrumpeerde haar door beleefd zijn hand op te steken.

'Twee van uw conclusies zijn buitengewoon opmerkelijk, dottoressa. Ten eerste: u stelt dat dit niet de eerste keer is dat hij een moord pleegt. Maakt u dat op uit de complexe toedracht van de moord?'

'Juist, eerwaarde. Deze persoon bezit een zekere basiskennis van politiewerk, hij heeft dit vaker gedaan. Uit ervaring weet ik dat de eerste keer een smerige en slecht voorbereide daad moet zijn geweest.'

'De tweede is uw constatering dat hij "door zijn werk onder hevige druk staat, die zijn psychische en emotionele stabiliteit ver te boven gaat". Waaruit leidt u dat af?'

Dicanti sloeg blozend haar armen over elkaar. Ze gaf geen antwoord. Boi maakte gebruik van de stilte om zijn mening ten beste te geven.

'Dat is onze Paola ten voeten uit. Haar scherpe intellect laat altijd enige ruimte voor de vrouwelijke intuïtie, is het niet? Eerwaarde, onze dottoressa Dicanti staat erom bekend dat ze af en toe conclusies trekt die puur op haar gevoel zijn gebaseerd. Ik vraag me af waarom dat is. Ze zou een goede romanschrijfster kunnen zijn.'

'Beter dan u denkt, ze heeft namelijk volkomen gelijk.' Fowler stond eindelijk op en liep naar het bord. 'Mevrouw Dicanti, wat is de correcte naam van uw beroep. *Profiler*, is het niet?'

Paola knikte, nog altijd wat beduusd.

'Hoe wordt iemand profiler?'

'Na de studie forensische criminologie en een jaar intensieve training aan de opleiding gedragswetenschappen van de FBI. Slechts weinigen leggen deze opleiding met goed gevolg af.'

'Kunt u me vertellen hoeveel profilers er zijn in de wereld?'

'Op dit moment twintig. Twaalf in Amerika, vier in Canada, twee in Duitsland, één in Italië en één in Oostenrijk.'

'Dank u. Is dat duidelijk, heren? Slechts twintig personen in de hele wereld zijn in staat een deskundig psychologisch profiel van een moordenaar te schetsen en één daarvan staat voor u. En gelooft u me, om deze man te vinden...'

Hij keerde zich naar het bord en schreef er met grote, dikke krijtletters een naam op:

VIKTOR KAROSKI

'... hebben we iemand nodig die in zijn hoofd kan kruipen. Dit is de naam van degene die we zoeken. Maar voordat u naar de telefoon grijpt om arrestatiebevelen rond te schreeuwen, wil ik u vertellen wie deze man is.'

Fragmenten uit de correspondentie tussen psychiater Edward Dressler en kardinaal Francis Shaw

Boston, 14 mei 1991

[...] Uwe eminentie, we hebben hier zonder enige twijfel met een geboren recidivist te maken. Als ik het goed begrijp, is dit de vijftiende maal dat hij naar een andere parochie wordt overgeplaatst. De diepgaande onderzoeken van de afgelopen twee weken bevestigen onze vermoedens dat wij er alles aan moeten doen hem bij kinderen uit de buurt te houden, uit vrees voor herhaling. [...] Ik twijfel geen seconde aan de waarachtigheid van zijn berouw, maar op dit punt moet ik voet bij stuk houden. Ik vrees dat hij niet in staat is zich te beheersen. [...] We kunnen ons de luxe niet veroorloven hem wederom als parochiepriester aan te stellen. Ik adviseer u met klem hem in zijn vrijheid te beperken, voordat de zaak escaleert. Indien u mijn raad in de wind slaat, wijs ik alle verantwoordelijkheid van de hand. Ik stel voor hem ten minste zes maanden te laten opnemen in Instituut Saint Matthew.

Boston, 4 augustus 1993

[...] Ik heb voor de derde maal met hem (Karoski) gesproken. [...] Ik moet u zeggen dat een 'verandering van omgeving' zoals u het noemde, geen enkel effect heeft gesorteerd, eerder het tegenovergestelde. Hij verliest steeds vaker zijn zelfbeheersing en zijn gedrag vertoont tekenen van schizofrenie. Het is zeer wel mogelijk dat het moment waarop hij de grens passeert en een geheel andere persoonlijkheid aanneemt zeer nabij is. Eminentie, u weet hoezeer ik de Kerk ben toegewijd en ik heb begrip voor uw schrijnende tekort aan priesters, maar om de lat nu zo laag te leggen! [...] Ik heb intussen 35 geestelijken behandeld, eminentie, en bij een klein aantal daarvan zie ik zeer wel mogelijkheden om met een gezonde geest terug te keren naar hun parochie, maar Karoski behoort daar beslist niet toe. Kardinaal, tot mijn spijt moet ik constateren dat uwe eminentie mijn adviezen zelden opvolgt. In dit geval smeek ik u dat wel te doen: laat Karoski opnemen in Saint Matthew!

Woensdag 6 april 2005, 00.03 uur

Paola ging er eens goed voor zitten om zich op pater Fowlers verhaal te concentreren.
'Het begon, voor mij tenminste, in 1995. In die periode, na mijn ontslag bij de luchtmacht, stelde ik mezelf ter beschikking van mijn bisschop. Met het oog op mijn graad in de psychologie zond hij me naar Saint Matthew. Hebt u daar wel eens van gehoord?'
Ze schudden alle drie ontkennend het hoofd.
'Dat verbaast me niets. De aard van deze instelling wordt ook in Amerika angstvallig geheimgehouden. Officieel is het een medisch centrum voor priesters en nonnen met "problemen", gevestigd in Silver Spring, in de staat Maryland. In werkelijkheid heeft 95 procent van de patiënten een verleden van seksueel misbruik van minderjarigen of drugsmisbruik. De kliniek is uiterst luxueus ingericht: vijfendertig kamers voor de patiënten, negen voor de medische staf – bijna allen intern – tennisbanen, een squashbaan, zwembad, een ontspanningsruimte met een biljart...'
'Eerder een vakantiekolonie dan een psychiatrische kliniek,' merkte Pontiero op.
'Het is een mysterie, op diverse niveaus. Niet alleen voor de buitenwereld, maar ook voor de patiënten, die opgenomen worden met het idee dat ze enkele maanden tot rust mogen komen. Ze komen er gaandeweg pas achter waar het werkelijk om draait. U bent allen op de hoogte van de enorme problematiek van de afgelopen jaren rond katholieke priesters in mijn land. De publieke opinie zou er zeker niet beter op worden als men wist dat geestelijken, beschuldigd van seksueel misbruik van minderjarigen, op vakantie werden gestuurd in een luxehotel.'
'Maar dat gebeurde wel?' Pontiero zat op het puntje van zijn stoel. Het onderwerp raakte hem diep; hij had twee kinderen van dertien en veertien jaar.
'Niet helemaal, nee. Ik zal proberen mijn ervaringen in de kliniek zo beknopt mogelijk weer te geven. Bij aankomst trof ik een volledig seculiere instelling aan. Niets wees erop dat het een religieus instituut was. Er hingen geen kruisbeelden aan de wanden en geen van de monniken of nonnen droeg een habijt of priesterkleding. Ik heb veel nachten in de openlucht doorgebracht, zowel om te kamperen als aan het front, maar ik heb mijn priesterboord nooit afgedaan. Daar echter nam iedereen er zijn gemak van en de patiënten konden gaan en staan waar ze wilden. Er was zowel een schrijnend gebrek aan controle als aan uitingen van het geloof.'

'Hebt u dat niet gerapporteerd?' wilde Dicanti weten.

'Natuurlijk wel. Het eerste wat ik deed, was een brief schrijven aan de aartsbis-schop. Hij beschuldigde me er echter van dat ik te veel beïnvloed was door mijn tijd in het leger, door mijn "rigiditeit als aalmoezenier". Hij adviseerde me "toe-gankelijker" te worden. Het was een verwarrende periode voor me, aangezien mijn carrière bij de luchtmacht gekenmerkt werd door enkele ups en downs. Daar wil ik nu niet op ingaan, dat staat los van deze zaak. Laat ik volstaan met u te zeggen dat mijn reputatie als keiharde militair me vooruit was gesneld.'

'U hoeft zich niet te verontschuldigen.'

'Dat weet ik, maar ik word nog altijd geplaagd door een slecht geweten. In die kliniek deed men niets om de ziel of de geest van de patiënten te genezen; het enige wat men deed was ze "een duwtje" geven in de juiste richting, in de hoop dat ze dan minder last zouden veroorzaken. Wat er gebeurde, was precies het tegenovergestelde van hetgeen het bisdom beoogde.'

'Ik begrijp er niets van,' zuchtte Pontiero.

'Ik ook niet,' zei Boi.

'Het ligt ook gecompliceerd. Om te beginnen was de enige psychiater in het centrum ene pater Conroy, tevens directeur van het instituut in die periode. Geen van de anderen bezat enige medische bevoegdheid, behalve misschien een verpleegkundigendiploma of een of ander technisch diploma. Toch permit-teerden ze zich de luxe psychiatrische onderzoeken te doen.'

'Krankzinnig!' reageerde Dicanti verbijsterd.

'Absoluut. Degenen die de grootste kans maakten om bij het instituut in vaste dienst te komen waren leden van Dignity, een organisatie die zich sterk maakt voor priesterschap voor vrouwen en seksuele vrijheid voor mannelijke geestelij-ken. Hoewel ik persoonlijk niet akkoord ga met de postulaten van deze club, ligt het absoluut niet in mijn bedoeling de aanhangers ervan te veroordelen. Wat ik wel veroordeel is de professionele deskundigheid van het personeel, want die was bedroevend.'

'Ik snap nog steeds niet waar u naartoe wilt.' Pontiero stak een sigaret op.

'Geef me nog een paar minuten, ik kom zo tot de kern van de zaak. Zoals ik al zei zwaaide pater Conroy, fervent aanhanger van Dignity en liberaal in hart en nieren, de scepter over Saint Matthew, en hij deed dat volstrekt willekeurig. Er kwamen ook priesters in Saint Matthew terecht die ten onrechte beschuldigd waren, want ook dat komt voor, en het gebeurde maar al te vaak dat zo iemand op aanraden van Conroy uittrad, al was het priesterschap hem op het lijf ge-schreven. Tegen veel van de anderen zei hij dat ze de natuur zijn gang moesten laten gaan en hun leven naar eigen goeddunken moesten invullen. Hij be-schouwde het als een persoonlijk succes als een geestelijke uittrad en een homo-seksuele relatie begon.'

'Is dat dan een probleem?' vroeg Dicanti.

'Niet als de persoon in kwestie dat werkelijk wil. Maar het interesseerde Conroy geen zier wat de patiënt nodig had of wat zijn wensen waren. Hij stelde bij voor-baat een bepaalde diagnose vast en legde deze vervolgens aan de patiënt op, soms zelfs zonder hem eerst te spreken. Hij speelde God voor de zielen en geesten van die mannen en vrouwen die in sommige gevallen ernstig in de war waren. En hij overgoot alles en iedereen met een flinke scheut moutwhisky. Onverdund.'

'Lieve god!' riep Pontiero geschokt uit.

'Geloof me, Hij was daar nergens te bekennen, inspecteur. Maar dat is nog niet het ergste. Wegens ernstige dwalingen in de keuze van kandidaten zijn er in de jaren zeventig en tachtig veel jongeren toegelaten tot de Amerikaanse katholieke seminaries die totaal niet geschikt waren voor het priesterschap. Ze konden zichzelf nauwelijks leidinggeven, laat staan een parochie. Mettertijd namen veel van deze jongeren de soutane aan. Ze hebben de naam van de katholieke kerk bepaald geen goedgedaan, en wat erger is: ze hebben een groot aantal kinderen en jongeren ernstig leed berokkend. Veel geestelijken die werden verdacht van of zelfs veroordeeld voor seksueel misbruik, zijn nooit in de gevangenis beland. Men kneep een oogje dicht, ze werden van parochie naar parochie overgeplaatst. Enkelen van hen eindigden uiteindelijk in Saint Matthew.[1] Eenmaal daar kregen ze als ze geluk hadden een duwtje in de richting van een seculier leven. Jammer genoeg keerden de meesten terug in de moederschoot van de Kerk, terwijl ze eigenlijk achter de tralies hadden moeten zitten. Vertel me eens, dottoressa Dicanti: hoeveel kans is er op rehabilitatie van een seriemoordenaar?'

'Geen enkele. Als hij die grens eenmaal gepasseerd is, is er geen weg terug.'

'Dat geldt eveneens voor de compulsieve pedofiel. Jammer genoeg is op dit terrein de gezegende zekerheid die u hebt nog ver te zoeken. U weet dat u te maken hebt met een beest dat opgejaagd moet worden tot het achter slot en grendel zit. Maar voor een therapeut is het vele malen moeilijker om te bepalen of een pedofiel de grens definitief gepasseerd is of niet. Er was slechts één geval waarover niet de minste twijfel bestond. Dat was een geval waarbij, naast pedofilie, nog iets anders aan de hand was.'

'Laat me raden: Viktor Karoski. Onze moordenaar.'

'Karoski en niemand anders.'

Boi schraapte zijn keel voordat hij iets ging zeggen. Een irritante gewoonte.

'Pater Fowler, wilt u zo vriendelijk zijn ons uit te leggen hoe u zo zeker weet dat hij degene is die Robayra en Portini aan mootjes heeft gehakt?'

'Natuurlijk. Karoski kwam in augustus 1994 naar het instituut. Hij was al meerdere malen overgeplaatst en zijn superieur stak telkens opnieuw zijn kop in het zand. In elke parochie wemelde het van de klachten, de ene keer ernstiger van aard dan de andere, maar in geen van de gevallen betrof het ernstige ge-

---

1 De werkelijke cijfers: tussen 1993 en 2003 nam Instituut Saint Matthew 500 geestelijken op, van wie er 44 werden aangemerkt als pedofiel. 185 hielden er schandknapen op na, 142 werden gediagnosticeerd als compulsief en 165 vertoonden afwijkingen op het gebied van niet-geïntegreerde seksualiteit (problemen om seksualiteit te integreren in de eigen persoonlijkheid).

weldsdelicten. Voor zover wij weten gaat het om seksueel misbruik van in totaal negenentachtig jongens, maar het kunnen er meer zijn.'

'De lul.'

'Wat u zegt, Pontiero. De oorsprong van Karoski's problemen ligt in zijn jeugd. Hij is geboren in 1961 in Katowice, Polen, en...'

'Momentje, eerwaarde. Hij is nu dus vierenveertig jaar oud?'

'Dat klopt, dottoressa. Hij is een meter achtenzeventig lang en weegt ongeveer vijfentachtig kilo. Hij is zo sterk als een beer en zijn intelligentietests wezen een IQ tussen de 110 en 120 uit, al naar gelang wie de test afnam. In het instituut heeft hij er zeven gedaan, dat bood hem wat afleiding.'

'Dat is erg hoog.'

'Dottoressa, u bent psychiater, terwijl ik alleen psychologie heb gestudeerd, en ik was geen briljante student. De meest acute psychotische ontwikkelingsvormen van Karoski kwamen te laat aan het licht om vakliteratuur over het onderwerp te raadplegen, dus vertel me: is het waar dat seriemoordenaars over het algemeen superintelligent zijn?'

Paola stond zichzelf een ironische glimlach toe en trok een gezicht naar Pontiero, die haar grimas beantwoordde.

'Ik denk dat inspecteur Pontiero deze vraag beter kan beantwoorden dan ik.'

'Dicanti zegt altijd: Lecter bestaat niet en Jody Foster kan zich beter toeleggen op historisch drama.'

Ze schoten allemaal in de lach, meer om de spanning te verlichten dan omdat het zo geestig was.

'Dank je, Pontiero. Eerwaarde, het personage van de superpsychopaat is een fabeltje, in het leven geroepen door Hollywood en de romans van Thomas Harris. In het echte leven bestaan zulke mensen niet. Er zijn recidive moordenaars met een hoog intelligentiequotiënt en met een laag. Het enige verschil is dat degenen met een hoog IQ langer op vrije voeten blijven, omdat ze voorzichtiger te werk gaan. Wat ze wel unaniem met elkaar gemeen hebben op academisch niveau is de gedegen kennis om iemand te vermoorden.'

'En op niet-academisch niveau?'

'Op niet-academisch niveau, eerwaarde, moet ik toegeven dat sommige van die klootzakken slimmer zijn dan de duivel zelf. Niet intelligent, maar slim. En er zijn er een paar, maar dat zijn uitzonderingen, met een hoog IQ en twee natuurlijke talenten: één voor hun gruwelijke hobby en twee om zich anders voor te doen dan ze zijn. In één geval, dat tot dusver op zichzelf staat, bezat de delinquent niet alleen deze drie kenmerken, maar was hij bovendien hoog opgeleid. Ik heb het over Ted Bundy.'

'Zijn casus is beroemd in mijn land. Hij wurgde zo'n dertig vrouwen en verkrachtte ze met voorwerpen zoals de krik van zijn auto.'

'Zesendertig, eerwaarde. Voor zover wij weten,' corrigeerde Paola hem. Ted Bundy was verplichte kost in Quantico en ze kon zijn case dromen.

Fowler knikte droefgeestig.

'Zoals ik al zei, dottoressa, zag Viktor Karoski het levenslicht in 1961 in Katowice, ironisch genoeg op een steenworp afstand van de geboorteplaats van paus Wojtyla. In 1969 emigreerde het gezin Karoski, bestaande uit Viktor, zijn ouders en twee broers, naar de Verenigde Staten. De vader kreeg een baan bij General Motors in Detroit en volgens alle rapporten was hij een harde werker, hoewel opvliegend van aard. In 1972 moest het bedrijf inkrimpen vanwege de oliecrisis en hij behoorde tot de eersten die op straat stonden. De vader was toen al in het bezit van de Amerikaanse nationaliteit en dus plofte hij in een stoel in hun appartementje en zette hij zijn schadeloosstelling en uitkering om in drank. Dat deed hij grondig en vakkundig. Hij werd een volkomen ander mens. In die periode begon hij Viktor en zijn oudere broer stelselmatig te misbruiken. De broer, Beria, nam op zijn veertiende de kuierlatten en liet nooit meer iets van zich horen.'

'Heeft Karoski u dit allemaal verteld?' Paola was zowel geïntrigeerd als verbaasd.

'Na intensieve regressietherapie. Toen hij pas in het centrum was, vertelde hij aan iedereen die het wilde horen dat hij was opgegroeid in een keurig katholiek gezin.'

Paola zat alles op te schrijven met haar kriebelige ambtenarenhandschrift en wreef voordat ze het woord nam met haar hand over haar ogen in een poging de vermoeidheid weg te wrijven.

'Wat u vertelt, pater Fowler, komt exact overeen met de kenmerken van een primaire psychopaat: persoonlijke charme, gebrek aan irrationeel denken, onbetrouwbaar, leugenachtig en geen schuldgevoel. Ouderlijke lijfstraffen en alcoholgebruik bij ouders zijn ook waargenomen bij ruim 74 procent van de gedocumenteerde gewelddadige psychopaten.'[2]

'Is dat de hoofdoorzaak?'

'Eerder een van diverse bepalende factoren. Ik kan u duizenden gevallen opnoemen van mensen die in vernietigender omstandigheden zijn opgegroeid dan de situatie die u beschrijft en toch zijn uitgegroeid tot redelijk normale volwassenen.'

'Momentje, ispettore. Dit is nog maar het topje van de ijsberg. Karoski vertelde ons dat zijn jongere broer in 1974 overleed aan meningitis, zonder dat het iemand ook maar iets leek te deren. Hij deed dit relaas met een verbijsterende kilte. Twee maanden na de dood van het kind verdween de vader op mysterieuze wijze. Viktor heeft nooit gezegd of hij iets met de verdwijning te maken had, maar we vermoeden van niet, hij was toen pas dertien. We weten wel dat hij in die periode dieren begon te mishandelen. Het ergste was echter dat hij was overgeleverd aan de genade van een dominante moeder, een godsdienstfanaat die hem als meisje verkleedde om "spelletjes te doen". Ze raakte hem aan onder zijn rokje en dreigde zijn "bobbels" af te hakken om de verkleedpartij echter te maken. Resultaat: op zijn vijftiende plaste Karoski nog in zijn bed. Hij droeg kleren van de liefdadigheid, totaal uit de mode en versleten, want ze waren

2 Tot dusver zijn er 191 mannelijke en 39 vrouwelijke seriemoordenaars bekend.

straatarm. Op school werd hij gepest en hij was heel eenzaam. Op een dag schold een klasgenootje hem uit vanwege zijn belachelijke kleding en toen ging hij hem te lijf met een dik boek; hij mepte hem diverse malen in het gezicht. Het joch droeg een bril, hij kreeg glas in beide ogen en werd blind.'

'De ogen... Net als onze slachtoffers. Dat was zijn eerste geweldsdelict.'

'Voor zover wij weten wel. Viktor werd naar een tuchtschool in Boston gestuurd en bij het afscheid waren de laatste woorden van zijn moeder: "Had ik je maar laten aborteren." Enkele maanden daarna pleegde ze zelfmoord.'

Wat volgde was een geschokt stilzwijgen. Woorden waren overbodig.

'Karoski bleef tot eind 1979 op de tuchtschool. Over dat jaar hebben we geen gegevens, maar in 1980 schreef hij zich in op een seminarie in Baltimore. Op de inschrijvingsformulieren van het seminarie staat niets over zijn tumultueuze verleden; ze wisten niet beter of hij kwam uit een goed katholiek gezin. Hij was intussen negentien jaar en het leek erop dat hij zijn jeugdzonden had overwonnen. Er is weinig bekend over zijn verblijf op het seminarie, alleen dat hij blokte tot hij erbij neerviel en een diepe weerzin koesterde voor de openlijke homoseksuele atmosfeer van het instituut.[3] Conroy had bepaald dat Karoski latente homoseksuele gevoelens had waarmee hij uit de kast moest komen, maar dat klopte niet. Karoski is noch homoseksueel, noch heteroseksueel; zijn oriëntatie is niet duidelijk omlijnd. Seks is niet in zijn persoonlijkheid geïntegreerd en dat heeft naar mijn mening zijn psyche ernstige schade berokkend.'

'Verklaar u nader, pater,' vroeg Pontiero.

'Ik ben priester en heb gekozen voor het celibaat. Dat weerhoudt me er niet van me aangetrokken te voelen tot mevrouw Dicanti, hier aanwezig,' zei Fowler. Hij knikte Paola toe, die meteen weer begon te blozen. 'Daarom weet ik dat ik heteroseksueel ben, maar ik kies uit vrije wil voor kuisheid. Op die manier heb ik mijn seksualiteit geïntegreerd in mijn persoonlijkheidsstructuur, hoewel ik die niet in praktijk breng. Bij Karoski ligt dat geheel anders. De hevige trauma's in zijn jeugd en puberteit leidden tot een afgescheiden seksualiteit. Hij weigerde categorisch zijn seksuele en gewelddadige aard te erkennen. Hij haatte zichzelf, maar had zichzelf tegelijkertijd innig lief. Dat leidde tot uitbarstingen van geweld, schizofrenie en ten slotte tot misbruik van minderjarigen, die hij precies zo behandelde als zijn vader hem. In 1986, in zijn pastorale jaar,[4] vond Karoski's eerste incident met een minderjarige plaats. Het betrof een veertienjarige jongen, die hij heeft gekust en betast. Het is niet zeker of deze kwestie ter ore is gekomen van de bisschop, maar Karoski legde datzelfde jaar nog zijn geloften

---

3 Het seminarie Saint Mary te Baltimore werd in de jaren tachtig het Roze Paleis genoemd vanwege de tolerante houding ten aanzien van homoseksuele contacten onder seminaristen. In de woorden van pater John Despard: 'In de periode waarin ik daar studeerde, was het heel gewoon als twee jongens samen douchten; iedereen wist het en niemand greep in. 's Nachts was het druk op de gang, want de studenten liepen kamer in, kamer uit...'

4 Het seminarie bestaat gewoonlijk uit zes opleidingsjaren waarvan het zesde en laatste, ook wel pastoraal jaar genoemd, een praktijkjaar is waarin de seminarist ervaring opdoet in bijvoorbeeld een parochie, een ziekenhuis of een charitatieve instelling met christelijke inslag.

af. Sinds die dag is hij ziekelijk geobsedeerd door zijn handen. Hij wast ze dertig-, veertigmaal per dag en verzorgt ze uitzonderlijk goed.'

Pontiero zocht tussen de macabere foto's op tafel en wierp er een in Fowlers richting. Fowler ving hem zonder enige moeite tussen twee vingers op. Paola had stiekem bewondering voor zijn snelle reactie.

'Twee handen, afgehakt en schoongewassen, op een witte doek. De witte doek is het symbool van de Kerk voor respect en eerbied. In het Nieuwe Testament vinden we ettelijke verwijzingen naar witlinnen doeken. Zoals u weet, werd Jezus na zijn dood in een witte doek gewikkeld.'

'Die is tegenwoordig zo wit niet meer,' grapte Boi.[5]

'Ik weet zeker dat u maar al te graag uw apparatuur zou loslaten op de lijkwade, chef,' pareerde Pontiero.

'Nou en of. Gaat u verder, Fowler.'

'De handen van een geestelijke zijn heilig; daarmee dient hij de sacramenten toe. Dat was iets wat Karoski zich goed in zijn hoofd prentte, zoals we later zullen merken. In 1987 werkte hij op een school in Pittsburg, waar de eerste gevallen van misbruik zich voordeden. Zijn slachtoffers waren jongens tussen de acht en elf jaar. Er is ons niets bekend over relaties met volwassenen, homoseksueel noch heteroseksueel. Toen er klachten over hem binnenkwamen, deden zijn superieuren in eerste instantie niets. Later werd hij van parochie naar parochie overgeplaatst. Niet lang daarna kwam de eerste aanklacht over geweld, afkomstig van een parochiaan die hij zonder ernstige gevolgen in het gezicht had geslagen... en uiteindelijk belandde hij in Saint Matthew.'

'Denkt u dat het anders was gelopen als hij eerder hulp had gekregen?'

Fowler fronste zijn wenkbrauwen en klemde zijn handen krampachtig samen. Zijn hele lichaam spande zich.

'Mijn beste mevrouw Dicanti, niemand heeft hem geholpen. Het enige wat we hebben gedaan, is dat we de latente moordenaar in hem tot volle bloei hebben gebracht. Vervolgens hebben we hem laten ontsnappen.'

'Is het zo erg?'

'Erger. Toen ik aankwam was Karoski verward, omdat hij zijn lusten en woede niet meer onder controle had. Hij had berouw van zijn daden, hoewel hij deze ook stelselmatig ontkende. Hij was simpelweg niet in staat zich te beheersen. Maar mettertijd, ten gevolge van desastreuze behandelingen en het contact met de uitwassen van het priesterschap die allemaal op een kluitje in Saint Matthew zaten, veranderde Karoski van verward tot iets wat vele malen erger was. Hij raakte zijn berouw kwijt en vanaf die periode verdrong hij zijn pijnlijkste

---

5 Directeur Boi refereert aan de heilige lijkwade van Turijn. In de christelijke traditie is dit de doek waarin het lichaam van Jezus Christus werd gewikkeld. Zijn beeltenis zou op wonderbaarlijke wijze afgetekend staan op het linnen. Ondanks talrijke onderzoeken is nog steeds niet met zekerheid aangetoond of dit al dan niet het geval is. De Kerk heeft de lijkwade van Turijn niet officieel erkend als relikwie en heeft officieus naar buiten gebracht dat 'deze kwestie wordt overgelaten aan het geloof en de interpretatie daarvan van iedere christen'.

jeugdherinneringen. Dat maakte hem slechts tot een pederast. Maar die desastreuze regressietherapie...'

'Waarom gebruikt u het woord "desastreus"?'

'Het zou minder slecht zijn afgelopen als het doel was geweest de geest van de patiënt enigszins tot rust te brengen. Ik vrees echter dat pater Conroy een morbide, bijna immorele belangstelling voor het geval-Karoski had. In vergelijkbare gevallen tracht de hypnotiseur op kunstmatige wijze positieve gedachten in het geheugen van de patiënt te prenten en stimuleert hij hem de ergste gebeurtenissen te vergeten. Conroy koos voor een heel andere aanpak. Hij liet Karoski niet alleen over zijn ervaringen praten, maar dwong hem vervolgens de tapes te beluisteren waarop hij zijn moeder met een hoge kinderstem smeekte hem met rust te laten.'

'Wat voor Mengele-kloon hadden ze toch aan het hoofd van die kliniek gezet?' vroeg Paola hoofdschuddend.

'Conroy was ervan overtuigd dat Karoski zichzelf moest leren accepteren zoals hij was. Volgens hem was dat de enige oplossing. Hij moest onder ogen zien dat hij een moeilijke jeugd had gehad en dat hij homoseksueel was. Zoals ik al eerder zei, hij had van tevoren een diagnose gesteld en probeerde deze vervolgens met de schoenlepel aan de patiënt op te leggen. Om het helemaal af te maken liet hij Karoski een cocktail van hormonen slikken, waaronder enkele experimentele, als variant op het anticonceptiemiddel DEPO-Covetan. Met dat middel, ingespoten in abnormale doses, verminderde Conroy Karoski's seksuele reacties, maar verhoogde hij zijn agressie. De therapie werd keer op keer verlengd, maar positieve resultaten bleven uit. Er waren periodes waarin hij wat kalmer was, wat Conroy interpreteerde als het succes van zijn therapie. Uiteindelijk leidde de behandeling tot chemische castratie. Karoski kon geen erectie meer krijgen en die frustratie maakte hem kapot.'

'Wanneer zag u hem voor het eerst?'

'Dat was in 1995, in Saint Matthew. Ik heb langdurig met hem gesproken. We raakten op vertrouwelijke voet met elkaar, maar deze vertrouwensband werd in een later stadium verbroken. Daar kom ik straks op, ik wil niet op de zaken vooruitlopen. Karoski kreeg twee weken na zijn aankomst in de instelling het advies een penis-plethysmografie te ondergaan. Dat is een test waarbij de penis met elektroden aan een apparaat wordt verbonden. Het apparaat meet de seksuele respons op bepaalde stimuli.'

'Dat ken ik,' knikte Paola op de toon van iemand die zegt dat ze wel eens heeft gehoord van het ebolavirus.

'Juist. Hij reageerde er slecht op. Tijdens de sessie kreeg hij extreem weerzinwekkende beelden te zien.'

'Hoezo extreem?'

'Beelden van pedofielen in actie.'

'Shit.'

'Karoski reageerde agressief en de specialist die de apparatuur bediende, liep zware verwondingen op. De bewaking wist hem te overmeesteren, anders had hij hem vast en zeker doodgeslagen. Conroy had op dat moment moeten inzien dat hij niet capabel was om deze man te behandelen en hem laten overbrengen naar een psychiatrische kliniek. Dat deed hij echter niet. Hij huurde twee potige bewakers in, die de opdracht kregen Karoski geen seconde uit het oog te verliezen en liet zijn regressietherapie op hem los. Dat viel samen met mijn aankomst in het instituut. Na verloop van maanden trok Karoski zich in zichzelf terug. Zijn plotselinge woedeaanvallen bleven uit. Conroy schreef dat toe aan sterke verbetering in zijn persoonlijkheidsstructuur en verminderde de bewaking. Op een nacht forceerde Karoski het slot van zijn kamer, die uit voorzorg 's nachts werd afgesloten en hakte de handen af van een pater die in dezelfde vleugel logeerde als hij. Hij verklaarde dat deze priester onrein was en dat hij had gezien dat deze een andere geestelijke op een 'onzuivere' manier betastte. Terwijl de bewakers naar de kamer holden waar de priester lag te schreeuwen van pijn, waste Karoski zijn handen onder de douche.'

'Dezelfde modus operandi. Ik denk niet dat er nog enige twijfel bestaat, pater Fowler,' zei Paola.

'Tot mijn wanhoop en verbijstering gaf Conroy deze brute mishandeling niet aan bij de politie. De verminkte priester kreeg een flink bedrag aan zwijggeld en een team artsen uit Californië slaagde erin zijn handen weer aan te zetten, zij het met beperkte mobiliteit. Intussen schroefde Conroy de bewaking op en liet hij een isoleercel bouwen van drie bij drie meter. Daar verbleef Karoski tot hij erin slaagde uit de instelling te ontsnappen. Gesprek na gesprek, groepstherapie na groepstherapie, Conroy bleef de plank misslaan en veranderde Karoski langzaam maar zeker in een monster. Ik heb de aartsbisschop ik weet niet hoeveel brieven geschreven, maar ik kreeg nooit antwoord. In 1999 wist Karoski uit zijn cel te ontsnappen en hij pleegde zijn eerste moord. Het slachtoffer was pater Peter Selznick.'

'Dat verhaal heeft hier ook alle kranten gehaald. Hij had toch zelfmoord gepleegd?'

'Zo stond het in de krant, maar zo was het niet. Karoski heeft het slot van zijn cel losgepeuterd met een balpen en sneed met een stuk vismes dat hij gewet had in zijn cel Selznicks tong en lippen af. Hij hakte hem tevens zijn penis af en stopte hem tussen zijn tanden. Het duurde drie kwartier voordat hij onder helse pijnen stierf en niemand heeft iets gehoord.'

'Wat was de reactie van Conroy?'

'Officieel deed hij het af met "een terugval". Het lukte hem de zaak in de doofpot te stoppen en hij wist de rechter en de sheriff van het graafschap over te halen het te doen voorkomen als een geval van zelfmoord.'

'En daar gingen ze zomaar mee akkoord?' vroeg Pontiero kwaad.

'Ze waren beiden katholiek. Ik denk dat Conroy ze heeft gemanipuleerd door ze op hun plichten als gelovige te wijzen; als goed katholiek moesten ze de Kerk beschermen. Maar ook al liet hij het niet blijken, mijn ex-baas was werkelijk geschokt. Hij zag dat de geest van Karoski langzaam maar zeker wegleed, alsof zijn wilskracht van dag tot dag werd verteerd. Desondanks weigerde hij stelselmatig incidenten te rapporteren aan een hogere instantie, misschien uit angst zijn leidinggevende functie te verliezen. Ik schreef steeds vaker brieven aan het aartsbisdom, maar niemand wilde naar me luisteren. Ik zette mijn gesprekken met Karoski voort, maar vond geen spoortje berouw meer, en ik besefte dat hij niet meer dezelfde was. Hij was alle binding met de oude Karoski kwijt. Niet lang daarna heb ik het contact verbroken. Eerlijk gezegd was ik als de dood voor dat monster in die cel. Karoski bleef in Saint Matthew. Er draaiden dag en nacht camera's in zijn cel en er werd meer personeel aangenomen. Tot hij op een nacht in 2000 verdween.'

'En Conroy? Hoe reageerde hij?'

'Hij was getraumatiseerd. Hij schonk zich nog maar eens een whisky in. Drie weken later begaf zijn lever het. Intriest.'

'Niet overdrijven,' vond Pontiero.

'Laten we het niet meer over hem hebben. Ik kreeg de tijdelijke leiding over het instituut, tot er een geschikte vervanger was gevonden. De aartsbisschop stelde weinig vertrouwen in mij, waarschijnlijk omdat ik zoveel klachten over mijn superieur had ingediend. Ik ben nauwelijks een maand in dienst geweest, maar in die korte tijd heb ik gedaan wat ik kon. Ik begon onmiddellijk aan de herstructurering van de medische afdeling en heb in allerijl nieuw, geschoold personeel aangenomen en andere programma's voor de patiënten opgesteld. Veel van die vernieuwingen zijn nooit geïmplementeerd, maar sommige wel, dus het is in elk geval enigszins de moeite waard geweest. Ik heb een nauwgezet rapport verzonden aan een oude vriend van me bij de VICAP,[6] Kelly Sanders. Hij vond het profiel van de verdachte en het feit dat de moord op pater Selznick onbestraft was gebleven uiterst zorgelijk en vaardigde een arrestatiebevel voor Karoski uit. Zonder resultaat.'

'Niets? Is hij zomaar van de aardbodem verdwenen?' Paola geloofde haar oren niet.

'Van de aardbodem verdwenen. In 2001 leek hij te zijn opgedoken, aangezien er in Albany een moord was gepleegd met vergelijkbare verminkingen. Hij was het echter niet. Veel mensen dachten dat hij dood was, maar bij toeval voerden ze zijn profiel in in de computer. Ik had intussen onderdak gevonden bij een gaarkeuken in het Spaanstalige Harlem in New York. Daar heb ik enkele maanden gewerkt, tot gisteren. Een van mijn voormalige superieuren riep me voor de dienst op, dus ik neem aan dat ik de titel aalmoezenier weer kan voeren. Ik kreeg een korte briefing waarin ik te horen kreeg dat alles erop wees dat Karoski na al die jaren opnieuw had toegeslagen. Ik heb een dossier meegenomen met de meest relevante documentatie die ik in de vijf jaar waarin ik met hem te maken had over Karoski heb verzameld.' Fowler reikte haar de versleten map van wel

---

6 VICAP: Violent Criminal Apprehension Program, een afdeling van de FBI die zich richt op geweldsdelicten. Noot van de vertaler: het is een databank waarin alle gegevens van geweldsdelicten en delinquenten zijn ingevoerd, zodat alle details met elkaar vergeleken kunnen worden.

vijftien centimeter dik aan. 'Er zitten e-mails in met gegevens over de hormonen waarover ik het heb gehad, uitdraaien van de vraaggesprekken, wat kranten-knipsels, brieven van psychiaters, verslagen... Hij is voor u, dottoressa Dicanti. Mocht u nog vragen hebben, dan wil ik die graag beantwoorden.'

Paola stak haar arm uit om het dikke dossier aan te nemen. Ze had hem nog niet opengeslagen of er sloeg een golf van onbehagen door haar heen. Aan de eerste pagina zat met een paperclip een foto van Karoski gehecht. Hij had een lijkbleke huid, steil lichtbruin haar en donkerbruine ogen. In de jaren waarin ze zich be-roepsmatig intensief bezighield met dit soort lege hulzen waarin geen sprankje gevoel meer te vinden was, had ze die vage roofdierenblik van seriemoordenaars goed leren kennen, de oogopslag van mensen die moorden met dezelfde ge-moedsrust waarmee ze een hapje gaan eten. Er is maar één wezen in de natuur dat min of meer dezelfde blik in de ogen heeft en dat is de mensenhaai. Ze kij-ken zonder te zien, uniek en angstaanjagend.

En daar was hij weer, de bekende blik lag verscholen in de pupillen van pater Karoski.

'Indrukwekkend, hè?' knikte pater Fowler, die zijn ogen geen moment van haar afhield. 'Deze man heeft iets in zijn houding, zijn gebaren. Iets ondefinieer-baars. Zo op het eerste gezicht valt het niet op, maar als, laten we zeggen zijn hele persoonlijkheid gaat gloeien... is dat verschrikkelijk.'

'Verschrikkelijk en fascinerend, is het niet, pater?'

'Ja.'

Dicanti gaf de foto door aan Pontiero en Boi, die zich aandachtig over het por-tret bogen om zich het gezicht van de moordenaar goed in te prenten.

'Wat jaagt u de meeste angst aan, pater, het fysieke gevaar of het moment waar-op u de moordenaar recht in de ogen kijkt en u zich bekeken voelt, naakt? Alsof hij tot een superieur ras behoort dat al onze overtuigingen met de grond gelijk heeft gemaakt.'

Fowler staarde haar met open mond aan.

'Ik denk dat u het antwoord wel weet, dottoressa.'

'Sinds ik in dit vak zit, ben ik in de gelegenheid geweest gesprekken te voeren met drie seriemoordenaars. Alle drie gaven ze me het gevoel dat ik u zojuist heb beschreven, naast andere, betere gevoelens die u en ik allebei kennen. Het zijn echter valse emotie. U mag één ding nooit vergeten, eerwaarde. Deze mensen zijn losers, geen profeten. Het is menselijk afval. Ze verdienen geen greintje compassie.'

Rapport betreffende het synthetische hormoon progesteron 1789
(depotinjectie gestageen)
Handelsmerknaam: DEPO-Covetan
Classificatie van dit rapport: Vertrouwelijk/gecodeerd

Aan: Marcus.Bietghofer@beltzer-hogan.com
Van: Lorna.Berr@beltzer-hogan.com
CC: filesys@beltzer-hogan.com
Betreft: VERTROUWELIJK – Rapport #45 betreffende HPS1.789
Datum: 17 maart 1997. 11:43
Bijlage: Inf#45_HPS1789.pdf

Beste Marcus,

Hierbij de voortgang van het rapport waarom je hebt gevraagd. De tot dusver gerealiseerde onderzoeken in de ALFA-zones[1] hebben ernstige verstoringen aangetoond in de menstruatie, evenals slaapstoornissen, duizeligheid en kans op inwendige bloedingen. Er zijn gedocumenteerde gevallen van ernstige hypertensie, trombose en hartaandoeningen. De volgende complicatie van minder belang doet zich voor: bij 1,3 procent van de patiënten is fibromyalgie[2] geconstateerd, een bijwerking waarmee in de eerdere versie geen rekening is gehouden.
Vergeleken met versie 1786, die momenteel in de Verenigde Staten en Europa op de markt wordt gebracht, zijn de bijwerkingen teruggebracht naar 3,9 procent. Tenzij het risico-onderzoek de plank heeft misgeslagen, kunnen we rekenen op maximaal 53 miljoen dollar onkosten aan schade- en letselvergoedingen. Daarmee blijven we binnen de norm, dat wil zeggen, minder dan 7 procent van de winst. Nee, je hoeft me niet te bedanken... Regel maar een bonus voor me!
Niettemin wijst het laboratorium op een afwijkend effect bij gebruik van 1789 onder mannelijke patiënten, met als doel de seksuele aandrang te reduceren of

---

1 Bepaalde farmaceutische multinationals hebben hun overschotten aan anticonceptiemiddelen gedumpt bij internationale organisaties die actief zijn in derdewereldlanden als Kenia of Tanzania. In veel gevallen zagen artsen hun patiënten tot hun frustratie onder hun handen sterven bij gebrek aan chloorkinine, terwijl ze over kistenvol anticonceptiemiddelen beschikten. Op deze manier beschikt de farmaceutische industrie over duizenden onvrijwillige proefpersonen voor hun producten, die bovendien zelden in een positie verkeren om wettelijke stappen te ondernemen. Met Programma ALFA verwijst doctor Berr hiernaar.

2 Ongeneeslijke ziekte waarbij de patiënt wordt geteisterd door pijnen in het zachte weefsel. Wordt veroorzaakt door slaapstoornissen of biochemische stoornissen veroorzaakt door externe agenten. (Noot van de vertaler: het veroorzaakt spierpijn wanneer meer en meer spiervezels atrofiëren en plaatsmaken voor bindweefsel.)

te elimineren. In de praktijk brengt een afdoende dosis van het middel een chemische castratie teweeg. Uit de verslagen en onderzoeken uitgevoerd door genoemd laboratorium wordt afgeleid dat proefpersonen in voorkomende gevallen een verhoogde agressiviteit aan den dag leggen. Tevens doen zich bepaalde anomalieën in de hersenactiviteit voor. Wij adviseren het onderzoekskader uit te breiden om te bepalen in welke mate genoemde bijwerkingen zich kunnen voordoen. Het zou interessant zijn proeven op te zetten met Omega-proefpersonen,[3] zoals psychisch hopeloze gevallen of ter dood veroordeelde gevangenen. Het zou me een eer en een genoegen zijn deze onderzoeken op me te nemen. Zullen we vrijdag een hapje gaan eten? Ik heb een enig tentje ontdekt in de Village. Ze serveren verrukkelijke gestoomde vis.

Groeten,
Dr. Lorna Berr
Directeur Onderzoek

---

3 Dr. Berr verwijst naar personen die niets te verliezen hebben, mogelijk met een verleden van geweldsdelicten. De letter Omega, de laatste letter van het Griekse alfabet, wordt altijd geassocieerd met 'dood' of 'einde'.

Woensdag 6 april 2005. 01.25 uur

Na Paola's indringende woorden viel er een verslagen stilte. De lange dag en deze bewogen nacht eisten hun tol en drukten zwaar op hun schouders; hun ogen prikten en hun brein was dof. Uiteindelijk nam directeur Boi het woord.
'Zeg maar wat we moeten doen, Dicanti.'
Paola nam een halve minuut de tijd om antwoord te geven.
'Het is een zware dag geweest. We gaan eerst naar huis om een paar uur te slapen en dan zien we elkaar hier om halfnegen terug. We starten met de directe omgeving van de slachtoffers. We nemen de scenario's opnieuw door in de hoop dat de agenten die Pontiero op de zaak heeft gezet een of andere aanwijzing hebben gevonden, hoe miniem die kans ook is. O, Pontiero, bel Dante om hem op de hoogte te stellen van het tijdstip van de vergadering.'
'Het zal me een waar genoegen zijn,' reageerde Pontiero zuur.
Dicanti negeerde hem en tikte Boi op zijn schouder.
'Chef, ik wil u graag een momentje onder vier ogen spreken.'
'Kom maar mee naar de gang.'
Paola ging de doorgewinterde wetenschapper voor, die zoals gewoonlijk galant de deur voor haar openhield en hem kalm achter hen sloot. God, wat had ze een hekel aan de maniertjes van haar baas.
'Zeg het maar.'
'Wat is precies de rol van Fowler in deze zaak? Ik begrijp er niets van. Ik kan geen chocola maken van al die vage verklaringen.'
'Dicanti, hebt u wel eens van John Negroponte gehoord?'
'Die naam komt me bekend voor. Is het een Amerikaan van Italiaanse afkomst?'
'Lieve hemel, Paola, lees eens iets anders dan vakliteratuur. Het is een Amerikaan, ja, maar van Griekse afkomst. Om precies te zijn is het de recent benoemde nationale directeur van de Amerikaanse inlichtingendienst. Alle spionagediensten in de Verenigde Staten vallen onder zijn bevoegdheid: de NSA, de CIA, de DEA...[1]

---

1 De NSA (National Security Agency) of Nationale Veiligheidsdienst is de grootste inlichtingendienst ter wereld, veel en veel grootschaliger dan de alom bekende CIA (Central Intelligence Agency). De DEA (Drug Enforcement Administration) is de Amerikaanse overheidsorganisatie belast met de bestrijding van illegale drugs. Na de aanslag van 11 september op de Twin Towers schreeuwde de Amerikaanse publieke opinie om één goed geïnformeerde leider als coördinerende spil van alle inlichtingendiensten. De regering-Bush ging de uitdaging aan en stelde in februari 2005 de eerste nationale directeur van de inlichtingendienst aan, John Negroponte. Dit boek geeft een fictieve interpretatie van deze polemiek en dit omstreden personage.

en zo kan ik nog een uurtje doorgaan.

Dat betekent dat die man, die zeer zeker katholiek is, de op één na machtigste man ter wereld is, op Bush na. Goed, toen we vanmorgen bij Robayra zaten, heeft deze meneer Negroponte mij persoonlijk gebeld en we hebben langdurig en uitvoerig met elkaar gesproken. Hij vertelde me dat Fowler meteen op het vliegtuig zou stappen om zich bij het onderzoeksteam te voegen. Hij liet me geen keus. Het is niet alleen omdat Bush in hoogsteigen persoon in Rome is, en uiteraard van de kwestie op de hoogte is gebracht, maar hij is ook degene die Negroponte heeft gesommeerd in te grijpen voordat de kwestie uitlekt naar de media. Negroponte zei letterlijk: "Ik stuur u een van mijn naaste mede-werkers. We mogen van geluk spreken dat hij goed thuis is in deze zaak."'

'Hoe wisten ze dat zo snel?' Paola tuurde naar de grond. Ze stond perplex van de omvang van dit verhaal.

'Mijn beste Paola... onderschat Camilo Cirin nooit. Zodra het tweede slachtof-fer was aangetroffen, heeft hij persoonlijk Negroponte op de hoogte gesteld. Volgens Negroponte hadden ze elkaar voordien nooit gesproken en hij heeft geen flauw idee hoe hij aan zijn nummer is gekomen; het is zo vers dat hij het zelf nog niet eens uit zijn hoofd kent.'

'En hoe wist Negroponte zo snel wie hij moest sturen?'

'Dat is geen mysterie. Die vriend van Fowler bij VICAP interpreteerde Karoski's laatst gedocumenteerde woorden voordat hij uit Saint Matthew ontsnapte als een openlijke bedreiging aan het adres van de kerkelijke autoriteiten en heeft dat vijf jaar geleden als zodanig doorgegeven aan de Viglilanza Vaticana. Toen Robayra vanmorgen werd gevonden, doorbrak Cirin zijn beleid om de vuile was binnenshuis te houden. Hij pleegde enkele telefoontjes en trok hier en daar aan wat touwtjes. Die klojo heeft uitstekende relaties en contacten op het hoogste niveau. Maar ik neem aan dat dat zo langzamerhand tot u doorgedron-gen is, *cara mia.*'

'Het begint me te dagen,' antwoordde Dicanti op spottende toon.

'Volgens Negroponte stelt Bush een persoonlijk belang in deze zaak. De presi-dent vindt dat hij bij Johannes Paulus II in het krijt staat, aangezien die hem jaren geleden in de ogen keek en hem smeekte Irak niet binnen te vallen. Bush heeft tegen Negroponte gezegd dat we dit aan de nagedachtenis van Woj-tyla verplicht zijn.'

'Lieve god. Dus we kunnen geen volwaardig team op de zaak zetten?'

'Een retorische vraag, dunkt me.'

Dicanti zei niets. Als het prioriteit had de zaak geheim te houden, moest ze roeien met de riemen die ze had.

'Chef, denkt u niet dat dit te hoog gegrepen is voor mij?' Dicanti was bekaf en aardig in de war van de gebeurtenissen van deze dag. Zoiets had ze haar hele leven nog nooit meegemaakt. Nog lang nadien zou ze het betreuren dat ze deze woorden ooit hardop had uitgesproken.

Boi pakte haar met twee vingers bij de kin en dwong haar hem recht in de ogen te kijken.

'Het is voor ons allemaal te hoog gegrepen, *bambina,* maar laten we dat voor het gemak vergeten. Denk er alleen aan dat er een levensgevaarlijk monster in de stad rondwaart. Het is uw taak dat monster op te pakken.'

Paola schonk hem een dankbare glimlach. Ze verlangde naar hem en had zin om hem ter plekke te zoenen, hoewel ze wist dat het haar hart zou breken. Gelukkig was het slechts een vluchtig moment en wist ze zich te beheersen. Ze hoopte dat hij er niets van had gemerkt.

'Chef, het baart me zorgen dat Fowler tijdens het onderzoek om ons heen hangt. Ik ben bang dat hij ons voor de voeten loopt.'

'Dat kan zijn, maar het is ook zeer wel mogelijk dat hij van onschatbare waarde voor ons is. Die man heeft bij de luchtmacht gezeten en is een begaafd schutter. Dat en... andere kwaliteiten. En dan heb ik nog niets gezegd over zijn grondige kennis over onze hoofdverdachte en het feit dat hij priester is. Evenals hoofdinspecteur Dante kan hij u van pas komen om toegang te krijgen tot een wereld waar u weinig affiniteit mee hebt. Onze collega van het Vaticaan opent deuren en Fowler opent breinen.'

'Dante is een lul van het zuiverste water.'

'Ik weet het, maar hij is een noodzakelijk kwaad. Alle potentiële slachtoffers van onze verdachte bevinden zich momenteel in zijn land. Hoewel het slechts enkele meters bij ons vandaan is, is het zijn terrein.'

'En Italië is ons terrein. In de zaak-Portini hebben ze onwettig gehandeld, zonder ons er zelfs maar in te kennen. Dat is belemmering van de rechtsgang.'

De directeur haalde met een cynisch gebaar zijn schouders op.

'Wat winnen we ermee als we ze aangeven? Dat zet alleen kwaad bloed. Vergeet de politiek en dat ze geblunderd hebben. Voorlopig hebben we Dante nodig. Dus dan weet u het, dat is uw team.'

'U bent de baas.'

'En u bent mijn favoriete rechercheur. Wel, Dicanti, ik ga een uurtje slapen en morgen ben ik in mijn laboratorium om tot op de laatste vezel te onderzoeken wat ik aangeleverd krijg. Aan u de taak uw "luchtkastelen" te bouwen.'

Boi liep de gang uit, maar draaide zich plotseling om en nam haar van top tot teen op.

'Nog één ding. Negroponte heeft me verzocht die hufter op te pakken. Hij heeft het me gevraagd als een persoonlijke gunst. Snapt u wat ik bedoel? Ik kan me er als een kind op verheugen dat die man ooit bij ons in het krijt komt te staan.'

Juli 1992

Harry Bloom zette het collectemandje op de tafel achter in de sacristie. Hij keek nog een laatste maal de kerk rond. Er was niemand meer... Er kwamen op zaterdag nooit veel mensen naar de eerste mis. Als hij opschoot, was hij nog op tijd om de finale van de 100 meter te zien. Hij hoefde alleen zijn misdienaarstoog en superplie in de kast te hangen, de nette, glimmende schoenen te vervangen voor zijn eigen sportschoenen en dan kon hij naar huis hollen. Juf Mona, de juffrouw van de vierde klas, sprak hem vermanend toe als hij hardliep in de gang. Van zijn moeder mocht hij ook niet rennen in huis. Maar de halve kilometer tussen de kerk en zijn huis was hij vrij... Dan mocht hij rennen zo hard hij wilde, als hij maar goed naar links en naar rechts keek bij het oversteken. Als hij later groot was, werd hij atleet.

Hij vouwde de toog zorgvuldig op en legde hem in de kast. Daar lag zijn rugzak met zijn gympen. Hij was net bezig zijn schoenen uit te trekken toen hij voelde dat pater Karoski zijn hand op zijn schouder legde.

'Harry, Harry... ik ben diep teleurgesteld in je.'

De jongen wilde zich omdraaien, maar pater Karoski's hand hield hem stevig op zijn plaats.

'Heb ik dan iets verkeerd gedaan?'

De stem van de pater klonk ineens heel anders, alsof hij bijna geen lucht kreeg.

'Probeer je nu nog de wijsneus uit te hangen ook? Het moet niet erger worden.'

'Pater, echt, ik weet heus niet wat ik...'

'Wat een brutaliteit! Was je niet te laat om het rozenhoedje te bidden voordat de mis begon?'

'Ja pater, maar dat kwam doordat mijn broertje Leopold me de badkamer niet binnen wilde laten... Ik kon er niks aan doen.'

'Zwijg, brutale aap. Geen smoesjes. Schaamteloos onverschillig en nu nog jokken ook?'

Harry begreep niet hoe de pater dat kon weten. Het was waar dat het zijn eigen schuld was geweest. G.I. Joe was op tv en hij was veel te lang blijven treuzelen, tot hij zag hoe laat het was en de deur uit was gehold.

'Het spijt me, pater...'

'Kinderen die liegen zijn stout.'

Hij had pater Karoski nog nooit op die toon horen spreken, zo woedend. Hij begon bang te worden. Hij deed nogmaals een poging zich om te draaien, maar Karoski's hand hield hem stevig tegen de wand gedrukt. Alleen was het geen hand meer. Het was een klauw, net als van de wolfsmens in de televisieserie van de NBC. De klauw boorde zich in zijn huid en drukte zijn gezicht tegen de muur alsof hij hem erdoorheen wilde duwen.

'Nu moet je gestraft worden, Harry. Doe je broek naar beneden en denk erom dat je je niet omdraait; dan maak je het alleen maar erger.'

De jongen hoorde dat er iets met een metalig geluid op de grond viel. In blinde paniek liet hij zijn broek zakken, in de volle overtuiging dat hij een flink pak slaag zou krijgen. De vorige misdienaar, Stephen, had hem fluisterend verteld dat pater Karoski hem een keer had gestraft en dat het verschrikkelijk pijn had gedaan.

'Je moet gestraft worden, Harry,' herhaalde Karoski met een lage stem. Zijn mond hijgde in zijn nek en de rillingen liepen hem over zijn lijf. Hij rook Karoski's adem, een frisse muntgeur vermengd met een vleugje scheerlotion. In een bizarre gedachtekronkel besefte hij dat pater Karoski dezelfde scheerlotion gebruikte als zijn vader. 'Heb berouw!'

Harry voelde een hevige stoot en een brandende pijn tussen zijn billen. Hij dacht dat hij doodging. Hij had spijt dat hij te laat was gekomen, verschrikkelijk veel spijt. Maar ook al riep hij het nog zo hard, het hielp niets. De pijn werd met elk 'Heb berouw' heviger en intenser. Harry stond met zijn gezicht tegen de wand geperst en zag zijn schoenen op de vloer van de sacristie liggen. Hij wenste vurig dat hij ze aanhad en heel hard weg kon hollen, zo hard als hij kon. Hij wilde vrij zijn. Vrij en zo ver mogelijk hiervandaan.

Woensdag 6 april 2005, 1.59 uur

'Het wisselgeld mag u houden.'

'Tjonge, bedankt zeg! *Grazie tante.*'

Paola trok zich niets van het sarcasme van de taxichauffeur aan. Wat een rotstad! Sinds wanneer beklaagde een taxichauffeur zich als hij zestig cent fooi kreeg? Dat was in lires wel... Nou ja, veel in elk geval. Als toppunt ging die hufter er als een speer vandoor, zonder te wachten tot ze goed en wel binnen was. Het was twee uur 's nachts en de straat was verdorie uitgestorven.

Het was warm voor de tijd van het jaar, maar Paola had kippenvel toen ze de buitendeur opende. Was dat geen vreemde schaduw, daar aan het eind van de straat? Het zou haar verbeelding wel zijn.

Ze deed haastig de deur achter zich dicht en voelde zich enigszins belachelijk omdat ze zo bang was. Ze holde de drie houten trappen op en maakte een vreselijk kabaal, maar Paola had het niet in de gaten, want het bloed klopte in haar slapen. Ze was buiten adem toen ze bij haar voordeur aankwam en bleef stokstijf staan.

De deur stond op een kier.

Ze knoopte heel langzaam en voorzichtig haar jasje open en legde haar hand op de holster. Ze trok haar dienstwapen eruit en nam de aanvalspositie aan, de elleboog in een rechte hoek met haar lichaam. Met één hand duwde ze de deur open en sloop behoedzaam het appartement binnen. Het licht in de hal was aan. Ze deed een voorzichtige stap naar binnen, trok snel de deur dicht en richtte haar wapen op de lege ruimte.

Niets.

'Paola?'

'Mam!'

'Kom liever, ik zit in de keuken.'

Met een zucht van verlichting stopte ze haar wapen terug. Dit was de eerste maal dat ze haar pistool had getrokken buiten de FBI-academie. Deze zaak werkte haar duidelijk iets te veel op haar zenuwen.

Lucrecia Dicanti zat in de keuken biscuitjes met boter te besmeren. Toen de magnetron piepte, haalde ze er twee dampende bekers melk uit en zette ze op het formica tafeltje. Paola keek om zich heen, nog altijd enigszins aangeslagen. Alles was zoals het hoorde: het plastic varkentje met de houten lepeltjes in zijn rug, de felgekleurde verf die ze zelf hadden aangebracht en de vage oreganogeur die in de lucht hing. Haar moeder had vast en zeker *canolis* gemaakt. Ze besefte ook dat ze alles in haar eentje had opgegeten en haar daarom nu biscuitjes voorschotelde.

'Heb je hier genoeg aan? Als je wilt maak ik er nog een paar.'

'Hou op, mam. Ik ben me lam geschrokken. Mag ik alsjeblieft weten waarom je de voordeur open had staan?'

Ze schreeuwde het bijna uit. Haar moeder keek haar bezorgd aan. Ze haalde een papieren zakdoekje uit de zak van haar ochtendjas en veegde een restje boter van haar vingers.

'Lieverd, ik was wakker. Ik zat op het balkon naar het nieuws te luisteren. Heel Rome loopt uit voor de chapelle ardente van de paus, de radio heeft het nergens anders over... Ik besloot op je te wachten en zag je uit de taxi stappen. Het spijt me als ik je aan het schrikken heb gemaakt.'

Paola voelde zich onmiddellijk schuldig en bood haar excuses aan.

'Maakt niet uit, lieverd. Neem een koekje.'

'Dank je, mam.'

Paola ging bij haar moeder zitten, die haar ogen niet van haar afwendde. Lucrecia had altijd feilloos aangevoeld wanneer Paola ergens mee zat en wist meestal wel een oplossing te bedenken. Maar dit probleem was te ernstig, te ingewikkeld, te... té! Ze had er verdorie niet eens een woord voor, Santa Madonna!

'Is er iets op je werk?'

'Je weet dat ik er niet over mag praten.'

'Dat weet ik, ja. Ik weet ook dat je een gezicht trekt alsof er iemand op je eksteroog heeft getrapt, en ik ken dat gezicht; dan doe je geen oog dicht en lig je de hele nacht te woelen. Kun je me er echt niets over vertellen?'

Paola staarde in haar beker melk en probeerde antwoord te geven, terwijl ze de ene schep suiker na de andere in de melk lepelde.

'Het is gewoon... een nieuwe zaak, mam. Een waanzinnige zaak. Ik voel me net als deze stomme beker melk, waar iemand maar suiker in blijft strooien. De suiker lost niet op en uiteindelijk stroomt de beker over.'

Lucrecia legde met een begrijpend gebaar haar geopende hand op de beker, waardoor Paola de suiker in haar handpalm strooide.

'Soms helpt het om erover te praten.'

'Dat kan niet, mam. Dat kan echt niet.'

'Dat geeft niet, lieverd. Stil nou maar. Wil je nog een koekje? Je hebt vast niet gegeten.' Haar moeder veranderde wijselijk van onderwerp.

'Nee, dit is wel genoeg. Ik heb een kont als een Romeins stadion.'

'Lieverd toch, je hebt een schattig kontje.'

'Ja, vandaar dat ik nog alleen ben.'

'Nee, schat, je bent nog alleen omdat je een slecht karakter hebt. Je bent mooi, goed verzorgd en je houdt je lichaam in topconditie... Het is een kwestie van tijd. Je vindt heus wel een man die zich niet op zijn kop laat zitten door dat gegil en die slechte manieren van je.'

'Ik denk niet dat het ooit nog gaat gebeuren, mam.'

'Hoezo niet? En je baas dan, die aardige man?'

'Hij is getrouwd, mam. En bovendien zou hij mijn vader kunnen zijn.'
'Overdrijf niet zo. Breng hem maar eens mee, ik ben niet vies van hem, hoor. Het maakt trouwens vandaag de dag helemaal niets meer uit of iemand getrouwd is.'
Je moest eens weten, dacht Paola.
'Meen je dat nou, mam?'
'Jazeker. Madonna, wat heb je toch mooie handen. Als ik zulke handen had, zou ik me elke dag de koffer in laten praten!'
'Mam! Dat zeg je toch niet?'
'Je vader is al tien jaar dood en er gaat geen dag voorbij zonder dat ik aan hem denk, maar ik ben niet van plan als een Siciliaanse weduwe met een zwarte jurk aan wortel te schieten naast zijn grafsteen.'
Paola doopte nog een biscuitje in de melk en telde stiekem de calorieën. Ze voelde zich schuldig, maar dat duurde gelukkig nooit lang.

Fragmenten uit de correspondentie tussen kardinaal Francis Shaw en mevrouw Edwina Bloom

Boston, 23 februari 1999

Geachte mevrouw Bloom,

In antwoord op uw schrijven van 17-02-1999 wil ik u en uw zoon Harry mijn oprechte medeleven betuigen. Ik begrijp dat u een enorme schok te verwerken hebt gekregen en ik leef mee met uw immense verdriet. Ik kan me voorstellen dat uw geloof ernstig wordt geschaad als een dienaar van God fouten begaat zoals in dit geval pater Karoski [...] Ik moet erkennen dat ik me vergist heb. Ik had pater Karoski nooit opnieuw mogen aanstellen [...] had ik maar een andere weg gekozen na het derde incident waarop verontruste gelovigen zoals uzelf met hun klachten naar me toe kwamen [...] Tot mijn spijt heb ik ermee ingestemd pater Karoski te rehabiliteren, op advies van de psychiaters die zijn zaak onder behandeling hadden, onder wie doctor Dressler. Zijn professionele aanzien komt hiermee onder zware druk te staan [...]
Ik hoop dat de ruime schadevergoeding zoals overeengekomen met uw advocaat de zaak naar ieders tevredenheid heeft opgelost [...], aangezien het meer is dan we ons kunnen veroorloven [...] zonder uiteraard uw pijn te willen verzachten met geld, zou ik u met klem willen verzoeken uw stilzwijgen in deze kwestie te bewaren, voor het welzijn van alle betrokkenen [...] onze Heilige Moederkerk heeft meer dan genoeg geleden onder de laster van de onverlaten, de duivelse media [...] voor het welzijn van onze kleine gemeenschap, voor dat van uw zoon en voor uw eigen bestwil: laten we doen of dit nooit is voorgevallen.

Met mijn zegen,

kardinaal Francis Augustus Shaw
prelaat van het aartsbisdom Boston

Silver Spring, Maryland

November 1995

Rapport: Onderhoud nummer 45 tussen patiënt nummer 3643 en doctor Canice Conroy. Aanwezig bij het gesprek zijn doctor Fowler en Salher Fanabarzra.

Dr. Conroy	Hallo, Viktor. Mogen we binnenkomen?
#3643	Doe wat u wilt, doctor. Het is uw kliniek.
Dr. Conroy	Het is uw kamer.
#3643	Komt u binnen, komt u binnen.
Dr. Conroy	Het verheugt me dat zich sinds uw ontslag uit de ziekenboeg geen geweldsincidenten hebben voorgedaan. U neemt uw medicijnen in, u doet regelmatig mee aan de groepssessies... U gaat vooruit, Viktor.
#3643	Dank u, doctor. Ik doe mijn best.
Dr. Conroy	Goed, zoals u weet beginnen we vandaag met de regressietherapie. Dit is de heer Fanabarzra, een Hindoestaanse arts, gespecialiseerd in hypnose.
#3643	Doctor, ik vind het niet prettig om aan dit experiment mee te werken.
Dr. Conroy	Het is belangrijk, Viktor. We hebben het er vorige week over gehad, dat weet u toch wel?
#3643	Ja, dat weet ik nog.
Dr. Conroy	Dan komt het allemaal goed. Meneer Fanabarzra, waar wilt u de patiënt hebben?
Dhr. Fanabarzra	Hij kan het best op zijn bed gaan liggen. Hij moet zo ontspannen mogelijk zijn.
Dr. Conroy	Op bed dan maar. Ga liggen, Viktor.
#3643	Zoals u wilt.
Dhr. Fanabarzra	Viktor, kijk goed naar deze pendel. Wilt u de luxaflex iets laten zakken, doctor? Dat is voldoende, dank u. Viktor, kijk naar de pendel, alstublieft.

(In dit rapport ontbreekt het verslag over de hypnosetoepassing van de heer Fanabarzra. Op diens expliciete verzoek zijn tevens de pauzes weggelaten, dit ten gunste van de leesbaarheid.)

Dhr. Fanabarzra   Viktor... het is 1972. Wat weet je nog van deze periode?

#3643	Mijn vader... Hij was nooit thuis. Soms gingen we hem vrijdags met het hele gezin staan opwachten bij de fabriek. Mama zei dat hij een nietsnut was en dat dit de enige manier was om te voorkomen dat hij zijn loon naar de kroeg bracht. Het was koud buiten. Op een dag moesten we heel erg lang wachten. We stampten met onze voeten op de grond om niet te bevriezen. Emil [jongere broer van Karoski] vroeg of hij mijn sjaal mocht lenen, omdat hij het zo koud had. Maar ik gaf hem niet, want ik had het zelf ook koud. Mijn moeder gaf me een klap in mijn gezicht en zei dat ik hem mijn sjaal moest geven. Toen wilden we niet langer wachten en zijn we naar huis gegaan.
Dr. Conroy	Vraag hem waar zijn vader was.
Dhr. Fanabarzra	Weet je waar je vader was?
#3643	Hij was ontslagen. Hij kwam twee dagen later thuis, hij was ziek. Mama zei dat hij had gedronken en naar de hoeren was geweest. Hij had een cheque gekregen, maar die was zo op. We moesten naar de Sociale Dienst om papa's cheque te halen. Maar soms was papa er eerder en dan dronk hij hem op. Emil snapte niet hoe hij zo'n stukje papier kon opdrinken.
Dhr. Fanabarzra	Vroegen jullie om hulp?
#3643	We kregen kleren van de kerk. Andere kinderen kregen kleren van het Leger des Heils, die waren veel mooier. Maar mama zei dat dat ketters waren, goddeloze heidenen. We konden beter eerlijke kleren dragen van goede christenen. Beria [oudere broer van Karoski] zei altijd dat die eerlijke christelijke kleren vol gaten zaten. Ik haatte hem daarom.
Dhr. Fanabarzra	Was je blij toen Beria vertrok?
#3643	Ik lag in bed. Ik zag hem in het donker door de kamer lopen. Hij had zijn schoenen in de hand. Ik mocht zijn sleutelring hebben. Er hing een verzilverde beer aan. Hij zei dat ik er zelf sleutels aan moest hangen. Emil huilde 's morgens en gooide mijn sleutelring weg. Hij huilde de hele dag. Ik heb een sprookjesboek van hem kapotgemaakt omdat ik wilde dat hij ophield. Ik heb het in stukjes geknipt met een schaar. Mijn vader sloot me op in zijn kamer.
Dhr. Fanabarzra	Waar was je moeder?
#3643	Bingo spelen in het parochiehuis. Het was dinsdag. Op dinsdag was er altijd bingo in het parochiehuis. Dat kostte een cent per formulier.
Dhr. Fanabarzra	Wat gebeurde er in die kamer?
#3643	Niks. Ik moest wachten.
Dhr. Fanabarzra	Viktor, je moet het me vertellen.
#3643	Er gebeurde NIKS! Hoort u me, meneer? NIKS!

Dhr. Fanabarzra	Viktor, ik wil het graag weten. Je vader nam je mee naar zijn kamer en deed daar iets met je. Wat deed hij met je?
#3643	U begrijpt het niet. Ik kreeg mijn verdiende loon.
Dhr. Fanabarzra	Wat was je verdiende loon?
#3643	De straf. De straf. Ik moest heel veel straf krijgen om berouw te voelen over de stoute dingen.
Dhr. Fanabarzra	Welke stoute dingen?
#3643	Alle stoute dingen. Ik was heel stout. Van die katten. Ik stopte een kat in de vuilnisbak met kranten erbij en stak hem in de fik. Hij gilde! Hij gilde net als een kind. En van dat boek.
Dhr. Fanabarzra	Wat was je straf, Viktor?
#3643	Pijn. Hij deed me pijn. Hij vond het leuk, dat weet ik zeker. Hij zei dat het hem ook pijn deed, maar dat was gejokt. Hij zei het in het Pools. Hij kon niet jokken in het Engels, dan versprak hij zich. Hij praatte altijd in het Pools als hij me strafte.
Dhr. Fanabarzra	Raakte hij je aan?
#3643	Van achteren. Ik mocht me niet omdraaien. Hij stopte er iets in, iets heets. Dat deed heel erg zeer.
Dhr. Fanabarzra	Kreeg je vaak straf?
#3643	Elke dinsdag. Als mama weg was. Soms viel hij boven op me in slaap, net of hij dood was. Soms kon hij me niet straffen en dan sloeg hij me.
Dhr. Fanabarzra	Hoe sloeg hij je?
#3643	Met zijn hand. Hij sloeg me tot hij moe werd en soms kon hij me na het pak slaag wel straffen en soms niet.
Dhr. Fanabarzra	Strafte je vader je broers ook?
#3643	Ik geloof dat Beria wel eens straf kreeg. Emil nooit. Emil was braaf, daarom ging hij dood.
Dhr. Fanabarzra	Gaan alleen brave mensen dood, Viktor?
#3643	Alleen brave mensen. Slechte mensen nooit.

Woensdag 6 april 2005, 10.34 uur

In nerveuze afwachting van Dante versleet Paola het tapijt in de gang met korte, nerveuze passen. De dag was slecht begonnen. Ze had die nacht amper geslapen en toen ze op kantoor kwam, lagen er een hele berg papierwerk en duizenden verplichtingen op haar te wachten. De Italiaanse vertegenwoordiger van de burgerwacht, Guido Bertolano, maakte melding van een uiterst zorgwekkende situatie in de stad wegens het groeiende aantal pelgrims. Alle sportstadions, scholen en andere openbare gebouwen met een dak erop en veel ruimte zaten tot de nok toe vol. De pelgrims sliepen in portalen, op pleinen en midden op straat. Dicanti had contact met hem opgenomen met het verzoek haar te helpen een verdachte op te sporen en in de boeien te slaan. Bertolano had haar praktisch in haar gezicht uitgelachen.

'Lieve ispettore, al was het Osama bin Laden zelf, we kunnen niets voor u doen. Stel die zoektocht maar uit tot deze puinhoop voorbij is.'

'Ik ben bang dat u de ernst van de zaak...'

'Ispettore... Dicanti, zei u toch? Air Force One staat verdomme op vliegveld Fiumicino. Alle suites van elk vijfsterrenhotel in de wijde omtrek worden bezet door koningshuizen of staatshoofden. Hebt u enig idee wat een nachtmerrie het is om die lui te beveiligen? Er zijn meldingen van mogelijke terroristische aanslagen en we hebben om het kwartier een bommelding. Allemaal vals, tot dusver. Ik heb de carabinieri van elk dorp en gehucht in een straal van tweehonderd kilometer naar Rome gehaald. Geloof me, wat het ook is waar u mee bezig bent, het kan wachten. En maak nu als de donder mijn lijn vrij!' En hij hing op.

Verdraaid nog aan toe! Waarom nam niemand haar serieus? Deze zaak zorgde voor meer hoofdbrekens dan ze aankon en de opgelegde zwijgplicht maakte het er niet gemakkelijker op; ze moest zich in duizend bochten wringen en kreeg overal nul op het rekest. Ze had de hele ochtend aan de telefoon gezeten en kreeg geen poot aan de grond. Tussen de telefoontjes door gaf ze Pontiero opdracht de oude karmeliet in Santa Maria in Traspontina te ondervragen. Intussen had ze audiëntie aangevraagd bij kardinaal Samalo. En nu liep ze in kringetjes voor de deur van de kantoren van de camerlengo en gaf ze een goede imitatie weg van een gekooide tijger.

Pater Fowler had het zich gemakkelijk gemaakt op een rijk bewerkte bank van palissanderhout en zat rustig zijn brevier te lezen.

'Op dit soort momenten vind ik het jammer dat ik gestopt ben met roken, dottoressa.'

'Bent u ook nerveus, pater?'

'Nee. Maar als u zo doorgaat, word ik het wel.'

Paola pakte de hint op en stopte met rondjes lopen. Ze ging naast hem zitten. Ze deed net of ze Dantes verslag over de eerste moord doornam en peinsde over de eigenaardige blik die de hoofdinspecteur van de Vigilanza pater Fowler had toegeworpen toen hij die ochtend het hoofdkantoor van de UACV was binnengestapt. Dante had Paola apart genomen en haar een bondig 'Die vent is niet te vertrouwen' toegesist. Dicanti was er niet gerust op, maar was tegelijkertijd geïntrigeerd. Ze nam zich voor Dante zodra ze er de gelegenheid toe kreeg te vragen wat hij precies bedoelde.

Ze vestigde haar aandacht weer op zijn rapport. Wat een prutswerk. Het was zo klaar als een klontje dat Dante dit werk zelden hoefde te doen, wat mazzel betekende voor hem. Ze moesten de locatie waar kardinaal Portini was gevonden grondig onderzoeken in de hoop iets meer te vinden. Dat gingen ze vanmiddag doen. De foto's waren in elk geval redelijk. Ze sloeg het dossier met een klap dicht. Ze kon zich niet concentreren.

Met enige moeite moest ze toegeven dat ze onder de indruk was. Ze zat in het kloppend hart van het Vaticaan, in een gebouw dat iets apart van de rest midden in het centrum van de Città lag. Een gebouw met ruim vijftienhonderd kantoren, waaronder dat van de paus. Alleen de talrijke beelden en schilderijen in de gangen brachten Paola al van slag en leidden haar af. Dat effect was door de eeuwen heen door de staatkundigen van het Vaticaan geperfectioneerd; ze wisten precies welke uitwerking hun stad op bezoekers had. Paola kon zich echter geen enkele afleiding van haar werk permitteren.

'Pater Fowler?'

'Ja?'

'Mag ik u iets vragen?'

'Natuurlijk.'

'Dit is de eerste keer dat ik een kardinaal zie.'

'Dat is niet helemaal waar.'

Daar moest Paola even over nadenken.

'Ik bedoel levend.'

'Wat wilt u vragen?'

'Hoe spreek je een kardinaal aan?'

'Normaal gesproken met "eminentie".' Fowler sloeg zijn brevier dicht en keek haar vriendelijk aan. 'Rustig maar, dottoressa. Het is een mens, net als u en ik. U bent rechercheur, u hebt de leiding over het onderzoek en u bent uitermate deskundig. Wees gewoon uzelf.'

Dicanti glimlachte dankbaar. Eindelijk opende Dante de deur van de kantoorruimte. In het kantoor zaten twee jonge priesters achter de computer en de telefoon. Met een beleefd knikje liepen de bezoekers zonder verdere plichtplegingen door naar het privékantoor van de camerlengo. Het was een sober vertrek, zonder schilderijen en ongestoffeerd, met een boekenkast aan de ene kant en een bank met wat bijzettafeltjes aan de andere. Een ruwhouten crucifix was de enige versiering aan de muur.

In schril contrast met de lege wanden lag het schrijfbureau van Eduardo González Samalo, de man die de leiding van de Kerk in handen had tot er een nieuwe paus was gekozen, bezaaid met documenten. Samalo, gekleed in de vermiljoenrode soutane, stond achter de bank en kwam naar voren om hen te verwelkomen. Fowler knielde om de kardinaalsring te kussen als teken van respect en gehoorzaamheid, zoals katholieken plegen te doen wanneer ze een kardinaal begroeten. Paola bleef discreet achter hem staan. Ze gaf de kardinaal een ietwat beteuterd hoofdknikje. Ze beschouwde zichzelf al jaren niet meer als katholiek.

Samalo incasseerde de onwellevendheid van de rechercheur zonder erop te reageren; de vermoeidheid en het verdriet waren duidelijk van zijn gezicht en schouders af te lezen. Hij was voor enkele dagen de hoogste autoriteit in het Vaticaan, maar zo te zien kon hij er niet van genieten.

'Neem me niet kwalijk dat ik u moest laten wachten. Ik had zojuist de attaché van de Duitse afvaardiging aan de telefoon. Hij was zeer geagiteerd. Er is een groot tekort aan hotelkamers, het is een complete chaos in de stad. De hele wereld wil overmorgen op de begrafenis op de eerste rij staan.'

Paola knikte beleefd.

'Ik kan me voorstellen dat deze heisa aardig hinderlijk is.'

Samalo antwoordde met een mismoedige zucht.

'Bent u op de hoogte gesteld van de recente gebeurtenissen, eminentie?'

'Uiteraard. Camilo Cirin heeft me een zeer gedetailleerd beeld van de incidenten geschetst. Het is verschrikkelijk. Ik neem aan dat we onder andere omstandigheden veel heftiger gereageerd zouden hebben op deze duivelse misdaden, maar eerlijk gezegd heb ik de tijd niet gehad om het in al zijn gruwelijkheid tot me door te laten dringen.'

'Zoals u weet, is het van het grootste belang de veiligheid van de overige kardinalen te waarborgen, eminentie.'

Samalo maakte een gebaar in de richting van Dante.

'De Vigilanza heeft alles in het werk gesteld iedereen eerder dan voorzien onder te brengen in de Domus Sancta Marthae; ook de veiligheidsmaatregelen rond het gebouw zijn aangescherpt.'

'De Domus Sancta Marthae?'

'Dat gebouw is op speciaal verzoek van Johannes Paulus II geheel gerenoveerd om de kardinalen tijdens het conclaaf onderdak te bieden,' legde Dante uit.

'Een bijzondere functie voor een heel gebouw, nietwaar?'

'De rest van het jaar wordt het gebruikt om hooggeplaatste gasten in onder te brengen. Als ik het wel heb, hebt u er ook eens gelogeerd, is het niet, pater Fowler?' vroeg Samalo minzaam.

Fowler keek hem ongemakkelijk aan. Secondelang leek er een confrontatie tussen de heren plaats te vinden, alsof ze elkaars krachten maten. Fowler boog als eerste het hoofd.

'Zeker, eminentie. Ik was voor enkele dagen de gast van de Heilige Stoel.'

'Als ik me wel herinner, kampte u met problemen met het Sant' Uffizio.'[1]

'Inderdaad. Ik was gesommeerd om een verklaring af te leggen betreffende activiteiten waaraan ik had deelgenomen. Dat was alles.'

De kardinaal stelde zich tevreden met de zichtbare onrust van de priester.

'Natuurlijk, pater Fowler... U hoeft zich nergens voor te verontschuldigen. Uw reputatie is u vooruitgesneld. Zoals ik u al zei, mevrouw Dicanti, maak ik me geen enkele zorgen over de veiligheid van onze kardinalen, dankzij het goede werk van de Vigilanza. Vrijwel alle deelnemers zijn veilig gearriveerd en bevinden zich binnen het Vaticaan. Enkelen zijn nog onderweg. In principe was een verblijf in de Domus tot 15 april optioneel. Veel kardinalen waren ondergebracht in kloosters of patershuizen. Inmiddels hebben we hun laten weten dat iedereen in de Domus wordt ondergebracht.'

'Hoeveel kardinalen bevinden zich momenteel in de Domus Sancta Marthae?'

'Vierentachtig. De anderen komen binnen nu en enkele uren aan en dan zijn het er in totaal honderdvijftien. We hebben iedereen gevraagd ons zijn reisplan door te geven om de beveiliging te optimaliseren. Degenen die nu onderweg zijn baren ons de meeste zorgen. Maar zoals ik al zei: hoofdcommandant Cirin heeft alles onder controle. U hoeft zich niet ongerust te maken, lieve meid.'

'Zijn het honderdvijftien kardinalen met of zonder Robayra en Portini?' vroeg Dicanti. Ze ergerde zich mateloos aan het neerbuigende toontje van de camerlengo.

'Juist ja, in feite moet ik zeggen honderddertien kardinalen,' antwoordde Samalo bitter. Hij was een trotse man en liet zich niet graag door een vrouw corrigeren.

'Ik neem aan dat uwe eminentie wat dat betreft een plan in gedachten heeft,' kwam Fowler verzoenend tussenbeide.

'Inderdaad... We brengen het gerucht in de wereld dat Portini onwel is geworden in het buitenhuis van zijn familie op Corsica. Zijn aandoening zal een dramatisch einde krijgen, vrees ik. Wat Robayra betreft is hij verhinderd deel te nemen aan het conclaaf wegens dringende kwesties in zijn bisdom, maar hij komt wel naar Rome om zijn gehoorzaamheid aan de nieuwe paus te betuigen. Tragisch genoeg komt hij om bij een ernstig verkeersongeval, zoals de *Polizia* zal bevestigen. Deze berichten worden pas na het conclaaf bekendgemaakt aan de pers, niet daarvoor.'

Paola geloofde haar oren niet.

'Ik zie dat uwe eminentie de zaak grondig heeft voorbereid.'

De camerlengo schraapte zijn keel voordat hij antwoord gaf.

'Het is deze versie of een andere. Het kan geen kwaad.'

'Het is een leugen.'

'Dit is de katholieke kerk, ispettore. De inspiratie en het licht dat miljoenen mensen de weg wijst. We kunnen ons geen schandalen meer permitteren. Vanuit dat standpunt bezien... Wat is de waarheid?'

---

1 De officiële naam is de Heilige Congregatie voor de Geloofsleer, de moderne naam (en politiek correct) van de Heilige inquisitie.

Dicanti trok haar wenkbrauwen op, hoewel ze de impliciete logica in de woorden van de oude man begreep. Er borrelden allerlei antwoorden in haar op, maar ze realiseerde zich dat ze er niets mee zou bereiken. Ze deed er beter aan haar verhoor voort te zetten.

'Ik neem aan dat u de kardinalen nog niet op de hoogte hebt gebracht van de reden van hun premature afzondering?'

'Absoluut niet. Ze hebben het expliciete verzoek gekregen de stad niet te verlaten zonder een begeleider van de Vigilanza of de Zwitserse garde, met als reden dat een radicale groepering bedreigingen heeft geuit jegens de katholieke hiërarchie. Ik denk dat iedereen daar begrip voor heeft.'

'Hebt u de slachtoffers persoonlijk gekend?'

Het gezicht van de kardinaal betrok.

'Ja, de hemel sta me bij. Ik heb het pad van kardinaal Portini minder vaak gekruist, ondanks het feit dat hij Italiaan was; mijn bezigheden lagen gewoonlijk binnen de interne organisatie van het Vaticaan en hij wijdde zijn leven aan de doctrine. Hij schreef veel, reisde veel... een erudiete persoonlijkheid. Ik was het evenwel niet eens met zijn open, revolutionaire politiek.'

'Revolutionair?' informeerde Fowler belangstellend.

'In hoge mate, pater, in hoge mate. Hij streed voor het gebruik van voorbehoedsmiddelen, voor vrouwelijke priesters... Hij had de paus van de eenentwintigste eeuw kunnen worden. Daarnaast was hij relatief jong; hij was net negenenvijftig geworden. Als hij had plaatsgenomen in de Stoel van Petrus, had hij het Derde Vaticaanse Concilie geopend, dat velen noodzakelijk achten voor de katholieke kerk. Zijn dood is een absurde en zinloze tragedie.'

'Kon hij op uw stem rekenen?' vroeg Fowler.

De camerlengo grinnikte.

'U vraagt me toch niet serieus of ik u wil onthullen voor wie ik ga stemmen, pater?'

Paola vond dat het onderonsje lang genoeg had geduurd en kwam tussenbeide.

'Eminentie, u zei zojuist dat u weinig met Portini te maken had. Geldt dat ook voor Robayra?'

'Een groot mens. Hij wijdde zich geheel aan de armen. Hij had ook zijn zwakke kanten, natuurlijk. Hij was zeer geporteerd van het idee op een dag in een wit gewaad op het balkon boven het Sint-Pietersplein te staan. Hij liep uiteraard niet met die wens te koop. We waren goede vrinden. We schreven elkaar regelmatig. Trots was zijn enige zonde. Hij beroemde zich veelvuldig op zijn nederige afkomst en ondertekende zijn brieven met *beati pauperes*. Om hem te plagen tekende ik mijn brieven aan hem met *beati pauperes spirito*,[2] hoewel hij nooit heeft laten doorschemeren dat hij mijn kwinkslag opmerkte. Maar afgezien van deze kleine zwakheden was hij een groot staatsman en een waardig

---

2 Robayra refereert aan het citaat 'Gelukkig jullie die arm zijn, want van jullie is het koninkrijk van God' (Lucas 6:20). Samalo antwoordt met 'Gelukkig wie nederig van hart zijn, want voor hen is het koninkrijk van de hemel' (Matteüs 5:3).

kerkvoogd. Hij heeft buitengewoon veel bereikt in zijn leven. Ik heb nooit gedacht dat hij ooit de rode sandalen van de visser[3] zou dragen, maar misschien komt dat doordat hij me zo na stond.'

Sprekend over zijn vriend werd de oude kardinaal steeds kleiner en grijzer. Zijn stem klonk triest en de vermoeidheid stond in zijn achtenzeventigjarige gezicht gegrift. Hoewel Paola zich niet in zijn gedachtegoed kon vinden, had ze medelijden met hem. Achter die woorden, waardig genoeg voor een grafschrift, schemerde het verdriet van de oude Spanjaard, die de tijd niet kreeg om naar behoren om zijn goede vriend te rouwen. Verdomde waardigheid. Terwijl ze dit dacht, besefte ze dat ze plotseling verder keek dan de kardinaalshoed en het rode gewaad en de persoon zag die ze droeg. Ze moest leren geestelijken niet te zien als eendimensionale wezens; haar vooroordelen tegen de soutane mochten haar werk niet in de weg zitten.

'Wel, niemand is een profeet in eigen land. Zoals ik al zei: we hebben elkaar vaak gesproken. De goede Emilio is hier een maand of zeven geleden nog geweest. Een van mijn assistenten heeft een foto van ons genomen in mijn kantoor. Die moet ik hier nog ergens hebben.'

De kardinaal liep naar zijn bureau en haalde een envelop met foto's uit de la. Hij bladerde ze door en overhandigde zijn bezoekers een kiekje.

Paola bekeek hem aanvankelijk met beleefde belangstelling, tot ze haar ogen wijd opensperde en Dante stevig bij de arm greep.

'Wel, verdomme! Verdomme nog aan toe!'

---

3 De rode sandalen, de tiara, de vissersring en de witte soutane zijn de vier belangrijkste symbolen van het pausschap. In de loop van dit boek wordt hier herhaaldelijk naar verwezen.

Woensdag 6 april 2005, 10.41 uur

Pontiero hield zijn vinger aanhoudend op de bel bij de achterdeur van de kerk, die rechtstreeks toegang gaf tot de sacristie. Op verzoek van de politie had broeder Francesco een plakkaat op de deur geprikt, waarop in een beverig handschrift stond vermeld dat de kerk wegens onderhoudswerkzaamheden gesloten was. Behalve gehoorzaam was de broeder kennelijk ook een beetje doof, want de onderinspecteur stond al zeker vijf minuten op de bel te drukken. In de Via dei Corridori achter hem krioelde het van de pelgrims; het was er intussen nog drukker geworden dan in de Via della Conciliazione en de chaos nam met de minuut toe.

Eindelijk hoorde hij iets bewegen aan de andere kant van de deur. De sloten kraakten open en broeder Francesco stak zijn gezicht door de kier van de deur, knipperend tegen het felle zonlicht.

'Ja?'

'Broeder, ik ben onderinspecteur Pontiero. U weet wel, ik was hier gisteren ook.' De pater bewoog traag zijn hoofd op en neer.

'Wat komt u doen? Ik hoop dat u me komt zeggen dat mijn kerk weer open mag, God zij geloofd. Met al die pelgrims hier... Kijkt u toch eens aan!' wees hij op de duizenden mensen op straat.

'Nee, pater. Ik kom u enkele vragen stellen. Mag ik binnenkomen?'

'Moet dat nu? Ik ben in gebed...'

'Het duurt niet lang. Een minuutje maar, meer niet.'

Francesco schudde in een trage, trieste beweging zijn hoofd.

'Het zijn zware tijden, dat zijn het. Overal dood en verderf om ons heen en haast, haast, haast. Zelfs mijn gebed wordt me niet vergund.'

De deur schoof langzaam open en viel met een doffe klap achter Pontiero in het slot.

'Dat is een loodzware deur, pater.'

'Zeker, mijn zoon. Het kost me vaak moeite hem open te duwen, vooral als ik met mijn boodschappen terugkom van de supermarkt. Vandaag de dag steekt niemand meer een handje uit om een oude man te helpen. Wat een tijden, wat een tijden.'

'U zou zo'n karretje moeten nemen, pater.'

De onderinspecteur streek met zijn hand over de deur en keek aandachtig naar de grendel en de zware scharnieren waarmee hij aan de muur bevestigd zat.

'Ik zie dat het slot in het geheel niet beschadigd is. Deze deur is niet geforceerd.'

'Nee, mijn zoon, gezegend zij God. Het is een stevig slot en de deur is vorig jaar nog geschilderd. Dat heeft een van mijn parochianen voor me gedaan, de brave Giuseppe. Hij heeft astma, weet u. De verflucht doet hem geen goed...'

'Broeder, ik weet zeker dat Giuseppe een goed christen is.'

'Dat is hij, mijn zoon, dat is hij.'

'Ik ben hier echter voor iets anders. Ik moet weten hoe de moordenaar de kerk is binnengekomen, welke ingang hij heeft gebruikt. Ispettore Dicanti vindt het van groot belang om dat te weten.'

'Hij kan via een van de ramen gekomen zijn, als hij tenminste een ladder had. Maar dat denk ik niet, want dan had hij het glas moeten inslaan. Moeder Maria, je moet er toch niet aan denken dat hij een van de kerkramen had vernield!'

'Mag ik de ramen eens bekijken?'

'Natuurlijk, natuurlijk. Komt u maar mee.'

De pater hobbelde mank via de sacristie de kerk in, die slechts werd verlicht door de kaarsen onder de beelden van de heiligen en martelaars. Pontiero stond versteld van het grote aantal brandende kaarsen.

'Wat zijn er veel offerandes gebracht, pater.'

'Nee, mijn zoon. Ik heb zelf alle kaarsen in de kerk aangestoken en de heiligen verzocht de ziel van onze Heilige Vader Johannes Paulus II veilig in Gods handen te leggen.'

De toewijding van deze pater bracht bij Pontiero een glimlach teweeg. Ze stonden in het middenpad, vanwaar ze zicht hadden op de deur van de sacristie, de kerkpoort en de ramen aan de voorzijde, de enige die de kerk bezat. In een onwillekeurig gebaar, duizenden malen herhaald tijdens de zondagse mis, liet hij zijn hand over de leuning van een kerkbank glijden. Dit was het huis van God dat was geschonden en bezoedeld. In het flakkerende licht van de kaarsen zag de kerk er heel anders uit dan de dag tevoren. De onderinspecteur kon een huivering niet onderdrukken. Het was vochtig en fris in de kerk, in fel contrast met de hitte buiten. Hij bekeek de kerkramen. Het laagste bevond zich op een meter of vijf boven de grond. Het was een kerkraam met schitterende kleuren, geheel onbeschadigd.

'De moordenaar kan onmogelijk door het raam gekomen zijn, zeker niet met een lijk van tweeënnegentig kilo over zijn schouder. Dan had hij een hijskraan moeten hebben. Bovendien hadden die duizenden pelgrims daarbuiten dan alles gezien. Nee, dat is onmogelijk.'

De gezangen van de jongeren die buiten in de rij stonden om afscheid te nemen van paus Wojtyla drongen door tot in de kerk. Ze zongen over vrede en liefde.

'Ach, die jongeren. De hoop van de toekomst, is het niet, inspecteur?'

'Zo is het, pater.'

Pontiero krabde zich nadenkend achter de oren. Hoe was de moordenaar in vredesnaam binnengekomen als het niet via een van de deuren of ramen was? Hij nam enkele passen, die zwaar door de hoge, lege ruimte echoden.

'Heeft er behalve u nog iemand een sleutel van de kerk? Misschien degene die de boel schoonhoudt?'

'Nee, nee, absoluut niet. Op zaterdagochtend vroeg en op woensdagmiddag krijg ik hulp van enkele toegewijde parochianen om de kerk schoon te maken, maar dan zorg ik dat ik aanwezig ben. Er is maar één sleutelbos en die draag ik altijd bij me, kijkt u maar.' Hij stak zijn linkerhand in een binnenzak van zijn bruine pij en liet de sleutels rammelen.

'Ik begrijp er niets van, pater. Ik begrijp niet hoe de moordenaar ongezien binnen is gekomen.'

'Het spijt me, mijn zoon. Ik had u graag van dienst willen zijn...'

'Dank u, pater.'

Pontiero draaide zich om en liep naar de sacristie.

'Tenzij...' De karmeliet leek even na te denken en schudde toen zijn hoofd. 'Nee, dat kan niet. Onmogelijk.'

'Wat is er, pater? Zeg het maar. De kleinste aanwijzing kan van groot belang zijn.'

'Nee, nee, laat maar.'

'Ik sta erop, pater. Vertel me wat er zojuist bij u opkwam.'

De pater streek nadenkend over zijn baard.

'Welnu, er is een ondergrondse toegang. Het is een eeuwenoude geheime gang die dateert uit de tweede opbouw van de kerk.'

'De tweede opbouw?'

'Jazeker. De oorspronkelijke kerk is tijdens de plundering van Rome in 1527 vernietigd. Hij stond midden in de vuurlinie van de kanonnen die het Castel Sant' Angelo moesten verdedigen. En deze kerk verving op zijn beurt...'

'Pater, bewaart u de geschiedenisles voor een andere keer, alstublieft. Laat me die gang zien, snel.'

'Weet u het zeker? U draagt een net pak...'

'Ja, pater, ik weet het heel zeker. Ik wil ogenblikkelijk zien waar u het over hebt.'

'Zoals u wenst, inspecteur, zoals u wenst,' zei de priester nederig.

Hij schuifelde naar een plek vlak bij de kerkpoort, waar de wijwatervont stond. Hij wees Pontiero op een spleet tussen de vloertegels.

'Ziet u die kier? Als u daar uw vingers tussen steekt en heel hard trekt...'

Pontiero zakte op zijn knieën en deed wat de pater hem had gezegd. Er gebeurde niets.

'Probeert u het nog eens, u moet kracht zetten naar links.'

De onderinspecteur volgde broeder Francesco's instructies op, zonder enig resultaat. Maar hoe mager en klein van stuk hij ook was, hij was ijzersterk en vasthoudend van karakter. Bij de derde poging kreeg hij beweging in de zware vloertegel en lukte het hem deze opzij te schuiven. Het bleek een valluik te zijn dat een smalle, stenen trap verborg die nauwelijks twee meter de diepte in ging. De treden zagen er stevig uit.

'Mooi zo, eens kijken waar dit naartoe gaat.'

'Onderinspecteur, ik heb liever niet dat u alleen naar beneden gaat.'

'Rustig maar, pater. Niets aan de hand, alles is onder controle.'

Pontiero stelde zich voor wat een ogen Dante en Dicanti zouden opzetten als ze

hoorden wat hij had ontdekt. Hij kwam overeind en begon de trap af te dalen.
'Wacht even, onderinspecteur. Ik ga een kaars voor u pakken.'
'Dat is niet nodig, pater. Mijn zaklantaarn geeft voldoende licht,' riep Pontiero
hem na.

De trap leidde naar een smalle gang met vochtige muren, die op zijn beurt toegang gaf tot een ruimte van ongeveer zes vierkante meter. Pontiero liet het licht van zijn lantaarn over de wanden glijden. Daar leek de gang te eindigen. Midden in de ruimte verhieven zich twee verbrokkelde pilaren, zo te zien eeuwenoud. Hij kon niet zeggen tot welke stijl ze behoorden, want veel aandacht voor kunstgeschiedenis had hij nooit gehad. Op een van die pilaren zag hij echter restanten van iets wat er niet behoorde te zitten. Het leek wel, het was...

Duct-tape.

Dit was geen geheime gang, het was een martelkamer.

O, nee!

Pontiero draaide zich om, net op tijd om de klap die bedoeld was om zijn schedel in te slaan op te vangen met zijn rechterschouder. Hij viel kermend van pijn op de grond. De zaklantaarn was naar een hoek gerold en verlichtte ver buiten zijn bereik de voet van een van de pilaren. Hij voelde intuïtief een tweede klap aankomen en ving hem op met zijn linkerarm. Hij graaide naar het pistool in zijn schouderholster en kreeg het met zijn linkerhand te pakken, ondanks de pijn. Het woog als lood in zijn hand. In zijn andere arm had hij geen gevoel meer.

Een ijzeren staaf. Hij heeft een ijzeren staaf of zoiets.

Hij trachtte te richten, maar wist niet waarop. Hij probeerde naar de pilaar te schuiven, maar een derde klap, ditmaal op zijn rug, wierp hem opnieuw tegen de grond. Hij klampte zich stevig vast aan zijn wapen, als een drenkeling aan zijn vlot.

Totdat er een voet op zijn hand werd gezet. De voet zette kracht, steeds harder, tot hij zijn botten hoorde knappen. Tegelijkertijd hoorde hij een stem die hem vaag bekend voorkwam, maar met een volkomen ander timbre.

'Pontiero, Pontiero. Zoals ik al zei, bevond de kerk zich precies in de vuurlinie van de kanonnen die het Castel Sant' Angelo moesten verdedigen. En deze kerk verving op zijn beurt een heidense tempel van waaruit strijd werd gevoerd tegen paus Alexander VI. In de middeleeuwen dachten ze dat dit de grafkelder van Romulus zelf was.'

De ijzeren staaf kwam keer op keer neer op de rug van de onderinspecteur, die verdoofd was van pijn.

'Daar eindigt de boeiende geschiedenis van deze kerk echter niet. Aan de twee pilaren die u daar ziet hebben de Heilige Petrus en de Heilige Paulus vastgebonden gezeten, voordat ze gemarteld werden door de Romeinen. Jullie Romeinen, altijd even attent jegens onze heiligen.'

Weer kwam de ijzeren staaf op hem neer, ditmaal op zijn linkerbeen. Pontiero brulde van pijn.

'Dat had ik u allemaal boven kunnen vertellen, als u me niet onderbroken had.

Maar maakt u zich geen zorgen, u zult die pilaren goed leren kennen. U zult ze heel goed leren kennen, beter dan u ooit had kunnen denken.'

Pontiero probeerde zich te bewegen, maar ontdekte tot zijn wanhoop dat hij dat niet kon. Hij wist niet hoe zwaar hij gewond was, maar hij voelde zijn ledematen niet meer. Wel voelde hij nog dat een paar ijzersterke handen hem naar een duistere plek sleepten en was hij zich bewust van een scherpe pijn. Hij slaakte een luide kreet.

'Ik raad u aan niet te schreeuwen. Niemand kan u horen. De anderen hebben ook geschreeuwd en niemand heeft hen gehoord. Ik heb voorzorgsmaatregelen getroffen, begrijpt u. Ik hou er niet van gestoord te worden.'

Pontiero zakte weg in een diep, zwart gat, alsof hij langzaam maar zeker in slaap viel. Als in een droom hoorde hij in de verte de stemmen van de jongeren op straat, enkele meters boven hem. Hij meende hun lied te herkennen, een lied dat hem deed denken aan zijn jeugd, duizenden jaren geleden. *Ik heb een vriend die van me houdt. Zijn naam is Jezus.*

'Ik hou er niet van gestoord te worden,' herhaalde Karoski.

Woensdag 6 april 2005, 13.31 uur

Paola liet de foto van Robayra aan Dante en Fowler zien. Een haarscherpe foto, waarop de kardinaal vriendelijk glimlachte vanachter een bril met dikke glazen in een schildpadmontuur. Dante bekeek de foto zonder er iets van te begrijpen.
'De bril, Dante. De verdwenen bril.'
Paola greep haar mobiele telefoon, toetste als een razende een nummer in en holde het kantoor van de onthutste camerlengo uit.
'De bril! De bril van de karmeliet!' riep ze vanaf de gang.
Toen pas drong het tot de hoofdinspecteur door.
'Kom mee, pater.'
Hij mompelde enkele haastige woorden van excuus tegen de camerlengo en rende samen met Fowler achter Paola aan.
Paola stopte woedend haar mobieltje weg. Pontiero nam niet op. Hij had natuurlijk het geluid afgezet. Ze rende de trappen af, de straat op. Ze moest de hele Via del Governatorato door. Net op dat moment kwam er een busje met een SCV-nummerplaat[1] aangereden. Er zaten drie nonnen in. Paola gebaarde wanhopig dat ze moesten stoppen en sprong pal voor de wagen, die op enkele centimeters voor haar voeten met gierende remmen tot stilstand kwam.
'Santa Madonna! Bent u gek geworden, mevrouw?'
De criminologe stapte naar het portier aan de bestuurderskant en liet haar penning zien.
'Ik moet naar de Sint-Anna-poort, ik heb geen tijd om het uit te leggen.'
De nonnen keken haar aan of ze niet goed wijs was. Paola stapte achter in de auto.
'Daar kan ik van hieruit onmogelijk komen. U kunt beter lopend gaan, via de Cortile del Belvedere,' zei de bestuurster. 'Als u wilt, kan ik u in de buurt van de Piazza de Sant' Uffizio afzetten, dat is de snelste uitgang van de Città op dit moment. De Zwitserse garde sluit alles af in verband met het conclaaf.'
'Wat dan ook, maar snel, alstublieft.'
De non schakelde en begon te rijden, maar trapte meteen weer uit alle macht op de rem.
'Is de hele wereld soms gek geworden?' riep ze uit.
Fowler en Dante waren heftig met hun armen zwaaiend voor de auto gesprongen. De non remde af en ze sprongen haastig achterin. De nonnen sloegen een kruis.

---

1 Stato Città del Vaticano (de staat Vaticaanstad).

'Rijden zuster, in godsnaam!' zei Paola.

Het autootje deed nog geen twintig seconden over de halve kilometer die ze moesten afleggen. Het leek wel of de non zich zo snel mogelijk wilde ontdoen van dit vreemde, ongewenste en schandalige vrachtje. Ze had de auto nog niet stilgezet op de Piazza del Sant' Uffizio of Paola holde al in de richting van het zwartijzeren toegangshek dat de ingang van de Città beveiligde, met haar mobieltje in de hand. Ze toetste het nummer van het hoofdbureau in en de telefoniste nam op.

'Inspecteur Paola Dicanti, code 13.897. Politieagent in levensgevaar, ik herhaal: politieagent in levensgevaar. Onderinspecteur Pontiero bevindt zich op Via della Conciliazione nummer 14, in de kerk Santa Maria in Traspontina. Stuur alle eenheden in de buurt ernaartoe. Mogelijke verdachte van moord in de kerk. Wees voorzichtig.'

Paola holde met loshangend jasje de straat door en blafte als een bezetene bevelen in haar mobieltje, zonder er acht op te slaan dat haar vuurwapen te zien was. De twee agenten van de Zwitserse garde die de toegang bewaakten probeerden haar geschrokken tegen te houden. Paola maakte een omtrekkende beweging om hen te ontwijken, maar een van de bewakers greep haar bij haar jasje. Ze wierp haar armen naar achteren, waardoor haar telefoon bijna op de grond viel en de gardist achterbleef met haar jasje in zijn handen. Hij wilde net de achtervolging inzetten toen Dante kwam aangerend. Hij hield zijn penning van het Corpo di Vigilanza hoog in de lucht.

'Laat haar gaan! Ze hoort bij ons.'

Fowler volgde hen, met zijn koffertje tegen zich aan geklemd. Paola besloot de kortste weg te nemen. Ze wilde het Sint-Pietersplein oversteken, aangezien de mensenmenigte daar het minst chaotisch was: de politie had een enkele, vrij smalle rij gevormd, in schril contrast met het enorme gedrang in de straten die naar het plein leidden. Ze rende stevig door en hield haar penning hoog boven haar hoofd om problemen met haar eigen collega's te voorkomen. Ze passeerden zonder problemen de esplanade en de zuilenrij van Bernini, en kwamen buiten adem in de Via dei Corridori aan. Daar was de mensenmenigte inmiddels dreigend compact geworden. Paola drukte haar linkerarm tegen haar lichaam om haar wapen zo goed en zo kwaad als het ging te verbergen; ze bleef zo dicht mogelijk bij de huizen en rende zo hard ze kon. De hoofdinspecteur versnelde zijn pas om haar voor te gaan en vormde een geïmproviseerde, maar effectieve stormram, een en al ellebogen en porrende vuisten. Fowler sloot de rij.

Het kostte hun tien benauwde minuten om de deur van de sacristie te bereiken. Ze werden opgewacht door twee politieagenten die constant op de bel drukten. Badend in het zweet, met haar haar in slierten in haar gezicht, in hemdsmouwen en met de kolf van haar pistool duidelijk in het zicht was Dicanti een hele belevenis voor de twee agenten, die haar desalniettemin respectvol begroetten toen ze hen haar papieren van de UACV liet zien.

'We hebben uw oproep ontvangen. Er doet niemand open. Bij de voordeur staan nog vier collega's.'

'Mag ik godverdomme weten waarom jullie niet naar binnen zijn gegaan? Snappen jullie dan niet dat een van onze mensen daarbinnen in levensgevaar verkeert?'

De agenten lieten het hoofd hangen.

'Meneer Boi heeft gebeld. We hebben opdracht gekregen vooral discreet te handelen. Er zijn een heleboel pottenkijkers, ispettore.'

Dicanti leunde hijgend tegen de muur en dacht vijf seconden na.

'Verdomme, als het maar niet te laat is.'

'Hebben jullie de loper[2] bij jullie?'

Een van de agenten toonde haar een roestvrijstalen koevoet met twee stevige punten. Hij zat in zijn broekspijp verborgen, zorgvuldig aan het zicht onttrokken van de duizenden pelgrims op straat, die nieuwsgierige blikken wierpen op het groepje bij de deur. Paola gebaarde naar de agent met de koevoet in zijn broekspijp.

'Geef me je radio.'

De agent overhandigde haar zijn koptelefoon, die met een kabel aan een apparaat aan zijn riem zat verbonden. Paola gaf het team bij de andere deur enkele korte, duidelijke bevelen. Niemand mocht een vinger uitsteken tot zij was gearriveerd, en uiteraard mocht er niemand naar binnen of naar buiten.

'Kan iemand me eindelijk uitleggen wat er allemaal aan de hand is?' vroeg Fowler hoestend.

'We vermoeden dat de verdachte hier binnen zit, pater. Ik zal het u straks allemaal uitleggen. Voorlopig wil ik dat u hier buiten blijft wachten,' zei Paola. Ze gebaarde naar de mensenzee die hen omringde. 'Doe wat u kunt om die lui af te leiden, terwijl wij de deur openbreken. Hopelijk zijn we nog op tijd.'

Fowler knikte. Hij keek om zich heen, op zoek naar een plek om zich op te hijsen. Er stond geen enkele geparkeerde auto; de straat was afgesloten voor alle verkeer. Hij moest opschieten. Er waren alleen mensen; de enige manier om boven de massa uit te komen waren zij. In de verte zag hij een lange, stevige pelgrim staan. Hij was zeker een meter negentig. Hij stapte op hem af en vroeg of hij op zijn schouders mocht staan.

De jongeman gebaarde dat hij geen Italiaans verstond en Fowler maakte in gebarentaal duidelijk wat hij wilde. Eindelijk begreep hij het. Hij zette een knie op de grond en liet de priester glimlachend op zijn schouders klimmen. Fowler begon vanaf zijn eenzame hoogte het communiegezang van de uitvaartliturgie te reciteren:

> *'In paradisum deducant te angeli*
> *In tuo advente*
> *Suscipiant te martyres'*[3]

---

2 Loper: zo noemt de Italiaanse politie de koevoet die wordt gebruikt om deuren en ramen open te breken en zich toegang te verschaffen tot verdachte locaties.

3 De engelen mogen U geleiden naar het paradijs, de martelaren mogen U ontvangen bij Uw komst...

Iedereen in de straat draaiden zich naar hem om. Fowler gaf zijn stevige drager met gebaren te kennen hem naar het midden van de straat te brengen om zodoende de aandacht van Paola en de anderen af te leiden. Enkele gelovigen, voornamelijk nonnen en monniken, spraken de woorden samen met hem uit ter ere van de overleden paus voor wiens afscheid ze al zovele uren onderweg waren.

De agenten maakten gebruik van de afleidingsmanoeuvre om met een fikse klap de deur naar de sacristie open te breken. Ze konden onopvallend naar binnen glippen.

'Voorzichtig, heren. Een van onze maten is hierbinnen. We moeten zorgvuldig te werk gaan.'

Ze gingen een voor een naar binnen en Dicanti nam bliksemsnel het voortouw, met getrokken pistool. Ze liet de agenten achter in de sacristie en liep de kerk in. Ze wierp een haastige blik op de kapel van Sint-Thomas. Die was leeg, het rode tape van de UACV hing er nog voor. Met het pistool in de aanslag bekeek ze de kapellen aan weerszijden. Ze gaf Dante een teken en hij liep naar de andere kant van de kerk en onderwierp alle kapellen aan een haastig onderzoek. De schaduwen van de heiligen bewogen onrustig tegen de muur in het bleke, flakkerende licht van de honderden brandende kaarsen in de kerk. Ze kwamen elkaar tegen in het middenpad.

'Niets?'

Dante schudde zijn hoofd.

Toen zagen ze het, allebei tegelijk, geschreven op de vloer, vlak bij de kerkpoort, aan de voet van de wijwatervont. Met grote, rode kronkelletters stond er geschreven:

VEXILLA REGIS PRODEUNT INFERNI

'De vaandels van de hellevorst komen naderbij,' klonk een zachte stem achter hen.

Dante en Paola draaiden zich geschrokken om. Het was Fowler, die hen na het gezang achterna was gekomen en de kerk was binnengeglipt.

'Ik heb u gezegd buiten te blijven wachten.'

'Dat doet er nu niet toe.' Dante wees Paola op de opengeschoven vloertegel. 'Ik ga de anderen erbij roepen.'

Paola's gezicht was vertrokken van spanning. Haar hart gaf haar in niet langer te wachten en onmiddellijk naar beneden te gaan, maar dat durfde ze niet in het donker. Dante begaf zich naar de achteringang en haalde de deur van de grendel. Hij liet twee agenten binnen en verzocht de beide anderen vóór de deur te blijven staan. Van een van hen leende hij in de gauwigheid nog een Maglite die hij aan zijn riem droeg. Dicanti griste hem uit zijn handen en volgde hem de uitgesleten treden af, met haar spieren tot het uiterste gespannen en het pistool in de aanslag voor zich uit. Fowler bleef boven en mompelde een gebed.

Even later zag hij Paola's hoofd verschijnen; ze kwam in allerijl naar boven en rende de straat op. Dante kwam kalm achter haar aan. Hij keek Fowler aan en schudde zijn hoofd.

Paola hapte kokhalzend naar lucht. Ze ging zo ver mogelijk van de deur staan en braakte haar ontbijt uit. Een aantal jongeren met een buitenlands uiterlijk maakten zich los uit de rij en vroeg of ze iets voor haar konden doen.

Paola wuifde hen met een ongeduldig gebaar weg. Fowler kwam haar zoeken en reikte haar een zakdoek aan. Ze nam die aan en veegde het speeksel en de tranen van haar gezicht. Alleen die van de buitenkant, want de tranen vanbinnen lieten zich niet zo gemakkelijk wegvegen. Haar hoofd tolde. Het kon niet waar zijn; dat was Pontiero niet, die bloederige massa die ze bij de pilaar had aangetroffen. Hoofdinspecteur Maurizio Pontiero was een aardige man, altijd op een goedmoedige manier slechtgehumeurd. Een vader, een vriend, een maatje. Als het regende, bewoog hij zich ongemakkelijk in zijn kleding; hij was haar collega, degene die de koffie afrekende, hij was er gewoon altijd geweest. Al jaren. Het kon niet waar zijn dat hij dood was, verworden tot deze onherkenbare gedaante. Ze probeerde het beeld te verjagen en sloeg haar handen voor haar ogen.

Toen ging haar mobiele telefoon. Ze haalde hem met een van afschuw vertrokken gezicht uit haar zak en keek verdwaasd naar het scherm. Het telefoontje was afkomstig van: M. PONTIERO.

Ze nam bevend van angst op. Fowler keek geïntrigeerd toe.

'Hallo?'

'Goedemiddag, mevrouw de inspecteur. Hoe maakt u het?'

'Met wie spreek ik?'

'Mevrouwtje toch, alstublieft. U hebt me zelf verzocht u te bellen zodra ik me iets herinnerde. Ik herinner me zojuist dat ik uw collega heb moeten doden. Het spijt me oprecht. Het kwam op mijn pad.'

'We vinden je wel, Francesco. Of kan ik je beter Viktor noemen?' Paola spuwde de woorden uit in razernij, haar ogen vol tranen, maar vastbesloten haar kalmte te bewaren en te slaan waar het pijn zou doen. Hij moest en zou weten dat zijn masker was gevallen.

Er volgde een korte stilte. Uiterst kort. Hij was in het geheel niet verrast.

'Ach, natuurlijk. U weet wie ik ben. Doe vooral mijn hartelijke groeten aan pater Fowler. Hij is kaal geworden sinds ik hem voor het laatst heb gezien. En u ziet wat bleekjes, moet ik opmerken.'

Paola sperde haar ogen wagenwijd open.

'Verdomme, klootzak, waar zit je?'

'Dat lijkt me duidelijk. Pal achter u.'

Paola liet haar blik dwalen over de duizenden mensen die samendromden in de straat, mensen met hoeden en petten op hun hoofd, zwaaiend met vlaggen of flesjes water, biddend of zingend.

'Kom wat dichterbij, pater. Dan kunnen we eens babbelen.'

'Nee, Paola. Het spijt me, maar ik vrees dat ik beter een tijdje bij jullie uit de buurt kan blijven. Denk niet dat jullie ook maar een stap verder zijn gekomen nu broeder Francesco ontmaskerd is. Zijn leven was allang uitgespeeld. Goed, ik moet ophangen. U zult binnenkort weer van me horen, maakt u zich geen zorgen. Ik vergeef u uw onbeleefde gedrag van zojuist. U bent voor mij van groot belang.'

Toen hing hij op.

Dicanti dook met een sprong de menigte in. Ze maaide mensen opzij, wanhopig op zoek naar een man met een bepaald postuur; ze draaide het gezicht van mannen die er enigszins op leken naar zich toe en trok als een dolle hoeden en petten van hoofden. De mensen weken geschrokken achteruit. Met een verwezen blik in de ogen was ze vast van plan om als het nodig was alle pelgrims stuk voor stuk aan een onderzoek te onderwerpen.

Totdat Fowler naast haar opdook en haar bij de arm greep.

'Dit gaat niet werken, mevrouw Dicanti.'

'Laat me los!'

'Paola, hou ermee op. Hij is weg.'

Dicanti barstte in huilen uit. Fowler trok haar tegen zich aan. Om hen heen bewoog de menselijke slang zich gestaag vooruit, op weg naar het opgebaarde lichaam van Johannes Paulus II. Onder hen bevond zich een moordenaar.

Januari 1996

Rapport: Onderhoud nummer 72 tussen patiënt nummer 3643 en doctor Canice Conroy. Aanwezig bij het gesprek zijn doctor Fowler en Salher Fanabarzra.

Dr. Conroy	Goedemiddag, Viktor.
#3643	Nogmaals goedemiddag.
Dr. Conroy	Het is tijd voor uw regressietherapie.

*(In dit rapport ontbreekt wederom het verslag over de hypnosetoepassing van de heer
Fanabarzra, evenals in eerdere rapporten.)*

Dhr. Fanabarzra	Viktor, het is 1973. Vanaf nu hoor je alleen mijn stem en geen enkele andere, begrepen?
#3643	Ja.
Dhr. Fanabarzra	Hij kan u vanaf nu niet meer horen, heren.
Dr. Conroy	We hebben van de week een rorschachtest gedaan. Viktor heeft er vrijwillig aan meegewerkt en wees zoals gebruikelijk op vogels en bloemen. Bij twee vlekken gaf hij echter te kennen dat hij er niets in zag. Let op, pater Fowler: wanneer Viktor te kennen geeft dat hij ergens niet in geïnteresseerd is, betekent dat veelal dat hij er diep door wordt geraakt. Ik wil tijdens deze regressiesessie trachten een antwoord uit te lokken op deze vragen, om te weten waar de oorsprong van het probleem ligt.
Dr. Fowler	Ik ben het niet eens met deze methode, al lijkt het dan empirisch mogelijk te zijn. In regressieve staat beschikt de patiënt niet over de normale afweermechanismen. Er bestaat een wezenlijk gevaar dat hij een trauma oploopt.
Dr. Conroy	Dezelfde afweermechanismen blokkeren zijn hersenen. U weet dat deze patiënt een diepe afkeer heeft van bepaalde periodes in zijn leven. We moeten de blokkade slechten om de wortel van het kwaad te vinden.
Dr. Fowler	Tegen welke prijs?
Dhr. Fanabarzra	Heren, geen discussie, alstublieft. Het is in elk geval onmogelijk de patiënt afbeeldingen te laten zien, aangezien hij zijn ogen niet kan openen.

Dr. Conroy	We kunnen ze echter wel beschrijven. Gaat u door, Fanabarzra.
Dhr. Fanabarzra	Zoals u wenst. Viktor, het is 1973. We gaan naar een plaats waar je graag bent. Waar gaan we naartoe?
#3643	Naar de brandtrap.
Dhr. Fanabarzra	Zit je vaak op de brandtrap?
#3643	Ja.
Dhr. Fanabarzra	Leg eens uit waarom.
#3643	Daar is tenminste frisse lucht. Het stinkt er niet. In huis is de lucht bedorven.
Dhr. Fanabarzra	Bedorven?
#3643	Ja. Het stinkt er naar bedorven fruit. Het komt uit het bed van Emil.
Dhr. Fanabarzra	Is je broer ziek?
#3643	Ja. We weten niet wat hij heeft. Niemand zorgt voor hem. Mijn moeder zegt dat hij bezeten is. Hij kan niet tegen licht en hij lijdt aan bevingen. Hij heeft keelpijn.
Dr. Conroy	Symptomen van meningitis. Fotofobie, een gespannen keel, krampen.
Dhr. Fanabarzra	Zorgt er niemand voor je broer?
#3643	Mijn moeder, als ze eraan denkt. Ze geeft hem appelmoes. Hij heeft diarree. Mijn vader wil er niets van weten. Ik haat hem. Hij kijkt me aan en zegt dat ik hem moet wassen. Dat wil ik niet, ik moet ervan kotsen. Mijn moeder wil dat ik iets doe. Ik wil het niet en ze duwt me tegen de radiator.
Dr. Conroy	De mishandelingen zijn al gedocumenteerd. Laten we eens kijken welke gevoelens de beelden van de rorschachtest oproepen. Vooral deze baart me ernstig zorgen.
Dhr. Fanabarzra	We gaan terug naar de brandtrap. Ga zitten. Vertel me wat je voelt.
#3643	Lucht. Het ijzer onder mijn voeten. Ik ruik de etensgeuren van de joden aan de overkant.
Dhr. Fanabarzra	Nu wil ik dat je je iets voorstelt. Een grote, zwarte vlek — enorm. Hij neemt alles in beslag. Onderaan de zwarte vlek zit een klein, ovaalvormig wit aanhangsel. Doet dat je ergens aan denken?
#3643	Duisternis. Alleen in de kast.
Dr. Conroy	Luister! Ik geloof dat we iets hebben geraakt.
Dhr. Fanabarzra	Waarom zit je in de kast?
#3643	Ze hebben me opgesloten. Ik ben alleen.
Dr. Fowler	Heregod, doctor Conroy, kijk toch naar zijn gezicht. Hij lijdt diep.
Dr. Conroy	Stil, Fowler. We hebben iets geraakt. Fanabarzra, ik schrijf mijn vragen op het bord. Lees ze hardop voor, alstublieft.

Dhr. Fanabarzra	Viktor, weet je nog wat er is gebeurd voordat je in de kast werd opgesloten?
#3643	Heel veel dingen. Emil is gestorven.
Dhr. Fanabarzra	Hoe is Emil gestorven?
#3643	Ik zit opgesloten. Ik ben alleen.
Dhr. Fanabarzra	Ik weet het, Viktor. Vertel me hoe Emil is gestorven.
#3643	Hij lag in onze kamer. Papa zat tv te kijken, mama was er niet. Ik zat op de trap. Ik hoorde iets.
Dhr. Fanabarzra	Wat hoorde je?
#3643	Het geluid van een ballon die leegloopt. Ik keek om het hoekje van de deur. Emil zag heel wit. Ik ging naar de woonkamer en zei het tegen mijn vader. Hij smeet een bierblikje naar mijn hoofd.
Dhr. Fanabarzra	Raakte hij je?
#3643	Tegen mijn hoofd. Ik bloed. Ik huil. Mijn vader staat op en wil me slaan. Ik zeg het van Emil. Hij wordt heel boos. Hij zegt dat het mijn schuld is. Dat ik voor Emil moest zorgen. Dat ik gestraft moet worden. Dan begint hij weer.
Dhr. Fanabarzra	Is het de straf die je altijd krijgt? Raakt hij je daar aan?
#3643	Het doet pijn. Ik bloed uit mijn hoofd en uit mijn bips. Maar hij houdt ineens op.
Dhr. Fanabarzra	Waarom houdt hij op?
#3643	Ik hoor mama's stem. Ze schreeuwt vreselijke dingen tegen papa. Dingen die ik niet begrijp. Mijn vader zegt dat ze het allang wist. Mijn moeder krijst en gilt om Emil. Ik weet dat Emil haar niet kan horen, en dat vind ik heel fijn. Dan trekt ze me aan mijn haar en sluit ze me op in de kast. Ik ga tekeer, ik ben heel bang. Ik bons een hele tijd op de deur. Zij doet de kastdeur open en laat me een mes zien. Ze zegt dat ze me iets aandoet als ik mijn kop niet hou.
Dhr. Fanabarzra	Wat doe je dan?
#3643	Ik hou me muisstil. Ik ben alleen. Ik hoor stemmen, onbekende stemmen. Ze blijven een paar uur. Ik zit in de kast.
Dr. Conroy	Hij hoorde waarschijnlijk de stemmen van de hulpdienst. Ze zullen Emil wel zijn komen halen.
Dhr. Fanabarzra	Hoe lang heb je in de kast gezeten?
#3643	Heel lang. Ik ben alleen. Mijn moeder doet de deur open. Ze zegt dat ik heel stout ben geweest. Dat God niet van stoute kinderen houdt die hun papa's plagen. Dat ik straf krijg, een speciale straf van God voor slechteriken. Ze geeft me een oud blikje. Daar moet ik mijn behoefte in doen. 's Morgens komt ze me water, brood en kaas brengen.
Dhr. Fanabarzra	Hoeveel dagen heb je in de kast gezeten?
#3643	Het waren heel veel ochtenden.

Dhr. Fanabarzra	Had je geen horloge? Kon je de dagen niet tellen?
#3643	Dat heb ik geprobeerd, maar het duurde zo lang. Als ik mijn oor tegen de muur hou, hoor ik de transistorradio van mevrouw Berger. Ze is een beetje doof. Soms hoor ik een honkbalwedstrijd.
Dhr. Fanabarzra	Hoeveel wedstrijden heb je gehoord?
#3643	Elf.
Dr. Fowler	Mijn god, dat joch heeft bijna twee maanden opgesloten gezeten!
Dhr. Fanabarzra	Mocht je er nooit uit?
#3643	Eén keertje.
Dhr. Fanabarzra	Waarom mocht je eruit?
#3643	Ik heb iets verkeerds gedaan. Ik stoot met mijn voet het blikje om. Het stinkt verschrikkelijk in de kast. Ik moet ervan overgeven. Als mama komt, wordt ze boos. Ze duwt mijn gezicht in de viezigheid. Daarna haalt ze me uit de kast om hem schoon te maken.
Dhr. Fanabarzra	Probeer je niet te vluchten?
#3643	Waar moet ik dan naartoe? Mama doet het voor mijn eigen bestwil.
Dhr. Fanabarzra	Wanneer mocht je er eindelijk uit?
#3643	Zomaar ineens. Ze brengt me naar de badkamer. Maakt me schoon. Ze zegt dat ze hoopt dat ik mijn lesje heb geleerd. Dat de kast de hel is en dat ik er de volgende keer dat ik stout ben weer in word gestopt, maar dan mag ik er nooit meer uit. Ze trekt me haar eigen kleren aan. Ze zegt dat ik een meisje had moeten zijn en dat het nog niet te laat is om dat te regelen. Ze voelt aan me... van voren. Dan zegt ze dat het toch te laat is, dat ik hoe dan ook naar de hel ga. Voor mij is het te laat.
Dhr. Fanabarzra	En je vader?
#3643	Papa is er niet, hij is vertrokken.
Dr. Fowler	Conroy, hou hier onmiddellijk mee op. Kijk toch eens naar zijn gezicht. De patiënt is er ernstig aan toe.
#3643	Hij is vertrokken, vertrokken, vertrokken...
Dr. Fowler	Conroy!
Dr. Conroy	Vooruit dan maar. Fanabarzra, zet de band stop en haal hem uit zijn trance.

KERK VAN SANTA MARIA IN TRASPONTINA
Via della Conciliazione 14

Woensdag 6 april 2005, 15.21 uur

Voor de tweede maal die week stapten de technici van de analysedienst Moordzaken de drempel van Santa Maria in Traspontina over. Ze gingen uiterst discreet te werk en droegen daagse kleding in plaats van hun gebruikelijke overalls
om onopgemerkt langs de pelgrims te komen. Binnen in de kerk blafte de ispet-
tore afwisselend bevelen via de mobiele telefoon en de walkietalkie. Pater Fow-
ler sprak een van de technici van de UACV aan.
'Bent u klaar op de plaats delict?'
'Ja, pater. We halen het stoffelijk overschot weg en gaan verder met ons onder-
zoek in de sacristie.'
Fowler keek Dicanti vragend aan.
'Ik wil met u mee naar beneden.'
'Zou u dat wel doen?'
'Ik wil niet dat er ook maar iets over het hoofd wordt gezien. Wat is dat?'
De pater hield een kleine, zwarte koker in zijn hand.
'De heilige olie. Ik wil hem het heilige oliesel toedienen.'
'Heeft dat nog zin?'
'Niet voor het onderzoek, wel voor hem. Hij was praktiserend katholiek, heb ik
gehoord.'
'Ja, klopt. Dat heeft hem weinig geholpen.'
'Wel, dottoressa, met alle respect... dat kunt u niet weten.'
Ze daalden voorzichtig de trap af en letten erop dat ze niet op de tekst stapten
die bij de ingang van de crypte stond geschreven. Ze liepen de korte gang door
naar de grotere ruimte achterin. De technische dienst van de UACV had twee sterke aggregaten neergezet en de ruimte werd hel verlicht.
Pontiero hing levenloos tussen de twee gebroken pilaren in het midden van de
ruimte. Zijn bovenlichaam was naakt. Karoski had zijn armen met duct-tape
aan de pilaren gebonden, kennelijk van dezelfde rol die hij voor Robayra had
gebruikt. Pontiero's tong en ogen waren uitgerukt. Zijn gezicht was afgrijselijk
verminkt en langs zijn borst hingen bloederige repen huid als macabere verjaar-
dagsslingers.
Paola boog haar hoofd terwijl de pater hem de laatste sacramenten toediende.
De pater stond met zijn zwarte, keurig gepoetste schoenen in een plas geronnen
bloed. De inspecteur slikte moeizaam en sloot haar ogen.
'Dicanti.'
Ze deed ze weer open. Dante had zich bij hen gevoegd. Fowler was klaar en

maakte beleefd aanstalten om naar boven te gaan.

'Waar gaat u naartoe, pater?'

'Naar buiten. Ik wil u niet tot last zijn.'

'U bent ons niet tot last. Als de helft van wat ze over u vertellen waar is, bent u superintelligent. Hebben ze u niet gestuurd om ons te helpen? Wel, doet u dat dan ook.'

'Met alle genoegen, ispettore.'

Paola slikte en nam het woord.

'Zo te zien is Pontiero via de achterdeur binnengekomen. Hij heeft waarschijnlijk aangebeld en de zogenaamde kloosterling heeft gewoon opengedaan. Hij heeft met Karoski gesproken en is vervolgens door hem aangevallen.'

'Maar waar?'

'Dat moet beneden zijn geweest. Als dat niet zo was, zou boven ook bloed moeten liggen.'

'Waarom is hij zo ver gegaan? Was Pontiero iets op het spoor?'

'Dat betwijfel ik,' zei Fowler. 'Ik denk eerder dat Karoski zijn kans schoon zag en van de gelegenheid gebruik heeft gemaakt. Ik zou zeggen dat hij hem de toegang tot de crypte heeft laten zien en dat Pontiero in zijn eentje naar beneden is gegaan, waarmee hij Karoski de rug toekeerde.'

'Dat klinkt aannemelijk. Hij had broeder Francesco waarschijnlijk vanaf het begin uitgesloten. Niet alleen omdat hij eruitzag als een oude, gehandicapte man...'

'... maar vooral omdat het een pater was. Pontiero stelde een blind vertrouwen in paters, is het niet? Arme sukkel,' verzuchtte Dante.

'Alstublieft, hoofdinspecteur.'

Fowler maakte een verwijtend gebaar. Dante sloeg zijn ogen neer.

'Neem me niet kwalijk. Ga door, Dicanti.'

'Toen hij eenmaal beneden was, sloeg Karoski hem met een zwaar voorwerp. We denken dat het een bronzen kandelaar was. De jongens van de UACV hebben hem meegenomen voor nader onderzoek. Daarna heeft hij hem vastgebonden en deed hij... dat. Hij moet verschrikkelijk geleden hebben.'

Haar stem brak. De anderen deden of ze het moment van zwakte van de criminologe niet opmerkten. Ze hoestte om het te verbergen en vond haar stem terug.

'Een duistere plek, het is hier aardedonker. Keert hij hiermee terug naar zijn jeugd, naar het trauma van de periode waarin hij opgesloten zat in een kast?'

'Dat zou kunnen. Zijn er nog andere met opzet aangebrachte aanwijzingen aangetroffen?'

'Het lijkt erop dat de boodschap bij de wijwatervont de enige is: *Vexilla regis prodeunt inferni.*'

'De vaandels van de hellevorst komen naderbij,' vertaalde pater Fowler nogmaals.

'Wat betekent dat, Fowler?' vroeg Dante.

'Dat zou u toch moeten weten.'

'Als u me belachelijk wilt maken, moet u van beteren huize komen, pater.'
Fowler liet een droevige glimlach zien.
'Dat ligt geenszins in mijn bedoeling. Het is een citaat van een van uw voorvaderen, Dante Alighieri.'
'Dat is geen voorvader van me. Ik heet Dante van mijn achternaam, de zijne was een voornaam. We hebben niets met elkaar gemeen.'
'Ach, neem me niet kwalijk. Aangezien alle Italianen schijnen af te stammen van Dante of anders van Julius Caesar...'
'Wij weten tenminste van wie we afstammen.'
Ze bleven elkaar strak aankijken, tot Paola ingreep.
'Als jullie klaar zijn met die chauvinistische babbels, kunnen we doorgaan.'
Fowler schraapte zijn keel.
'Zoals ik al zei, is *Vexilla regis prodeunt inferni* een citaat uit *De goddelijke komedie*, op het punt waarop Dante en Vergilius afdalen naar de hel. Het is een parafrase op een gebed uit de christelijke liturgie, in dit geval gewijd aan de duivel in plaats van God. Deze zin wordt veelal als blasfemisch beschouwd, maar zo heeft Dante het niet bedoeld. Hij wilde zijn lezers slechts schrik aanjagen.'
'Is dat wat hij wil: ons bang maken?'
'Hij laat ons weten dat de hel nabij is. Ik denk niet dat Karoski's interpretatie verdergaat dan dat. Hij is geen geleerd man, al doet hij zich als zodanig voor. Waren er werkelijk geen andere boodschappen?'
'Niet op het lichaam,' antwoordde Paola. 'Hij wist dat we onderweg waren, dat moet hem afgeschrikt hebben. En het is mijn schuld dat hij het wist, want ik heb constant naar Pontiero's mobiel gebeld.'
'Is die mobiele telefoon al gevonden?' vroeg Dante.
'De telefoonmaatschappij is gebeld. Het registratiesysteem geeft aan dat deze telefoon uitstaat of buiten bereik is. De laatste signalen komen van het dak van Hotel Atlante, driehonderd meter verderop,' antwoordde Dicanti.
'Daar logeer ik,' zei Fowler.
'Tjonge, ik dacht dat u wel in een pension voor priesters zou zitten. Iets eenvoudigs, je kent dat wel.'
Fowler liet zich niet op de kast jagen.
'Beste Dante, op mijn leeftijd weet je te genieten van de goede dingen in het leven. Vooral als Uncle Sam betaalt. Ik heb vaak genoeg in een negorij geslapen.'
'Daar kan ik me alles bij voorstellen, pater.'
'Wat insinueert u precies?'
'Ik insinueer niets. Ik ben er alleen van overtuigd dat u op minder luxueuze plekken hebt geslapen, gezien uw... ambt.'
Dante gedroeg zich nog een graadje agressiever dan normaal en zo te horen was zijn agressie ditmaal uitsluitend op pater Fowler gericht. De criminologe begreep niet wat er aan de hand was, maar ze wist wel dat ze dit alleen moesten uitvechten, één op één.
'Afgelopen nu. We gaan naar buiten, we hebben lucht nodig.'
De twee mannen volgden Dicanti de kerk in. De ispettore gebaarde naar de zie-

kenbroeders dat ze het stoffelijk overschot konden meenemen. Een van de technici van de UACV kwam naar haar toe met enkele gegevens van het zojuist afgeronde onderzoek. Toen draaide ze zich om naar Fowler.

'Kunnen we ons op de zaak richten, pater?'

'Uiteraard, dottoressa.'

'Dante?'

'Wat dacht u dan?'

'Oké. We hebben het volgende ontdekt: in de pastorie is een professionele schminkdoos aangetroffen en er lag as op tafel, mogelijk afkomstig van een verbrand paspoort. Hij heeft een flinke dosis alcohol gebruikt om het te verbranden, dus veel is er niet van over. De mensen van de UACV hebben de asresten meegenomen voor onderzoek. De enige vingerafdrukken die zijn aangetroffen in de pastorie zijn niet afkomstig van Karoski, dus moeten we op zoek naar de rechtmatige eigenaar. Dante, u hebt vanmiddag iets te doen. Ik wil weten wie pater Francesco was en hoe lang hij hier heeft gezeten. Maak maar een rondje langs de parochianen van deze kerk.'

'Komt in orde, ispettore. Ik zal me onderdompelen in de derde leeftijd.'

'Geen grapjes, alstublieft. Karoski heeft ons belazerd, maar hij moet nerveus zijn geworden. Hij is op de vlucht geslagen om een schuilplaats te zoeken en we zullen enige tijd niets meer van hem horen. Als we er in de komende uren achter komen waar hij heeft gezeten, kunnen we misschien raden waar hij nu zit.'

In de zak van haar jasje hield Paola heimelijk haar vingers gekruist, in de hoop dat ze zelf zou geloven wat ze beweerde. De anderen trokken een stalen gezicht en deden net als zij of deze kans meer was dan een verre droom.

Dante kwam twee uur later terug in gezelschap van een vrouw van middelbare leeftijd, die Dicanti haar verhaal kwam doen. Na de dood van de vorige parochiepriester, broeder Darío, verscheen broeder Francesco ten tonele. Dat was drie jaar geleden. Sindsdien hielp de vrouw bij het schoonhouden van de kerk en de pastorie. De vrouw zag in broeder Francesco Toma een voorbeeld van nederigheid en christelijk geloof. Hij had de parochie met vaste hand geleid en er was niets op hem aan te merken.

Alles bij elkaar was het een frustrerende verklaring, maar nu hadden ze in elk geval een datum. Broeder Darío Basano was in november 2001 overleden, zodat ze nu wisten wanneer Karoski naar Italië was gekomen.

'Dante, doe me een plezier. Ik wil dat u navraag doet naar Francesco Toma onder de karmelieten,' vroeg Dicanti.

'Ik zal een paar telefoontjes plegen. Ik vrees echter dat we weinig zullen horen.'

Dante liep via het voorportaal de kerk uit, op weg naar zijn kantoor in de Vigilanza Vaticana. Ook Fowler nam afscheid van de rechercheur.

'Ik ga naar het hotel om me te verkleden. Ik zie u straks weer.'

'Ik ben in het mortuarium.'

'Dat hoeft u niet te doen, ispettore.'

'Jawel.'

Er viel een ongemakkelijke stilte, die werd benadrukt door een religieus gezang, ingezet door een van de pelgrims. Honderden gelovigen vielen in. De zon zakte achter de heuvels en Rome maakte zich op voor de nacht, ondanks de drukte in de straten.

'Ik denk dat de onderinspecteur gestorven is met het geluid van een van deze gezangen.'

Paola bleef zwijgen. Fowler was vaker dan hem lief was getuige geweest van het proces dat de criminologe nu doormaakte, het proces dat volgt op de dood van een vriend. Allereerst woede en de roep om wraak. Als de ergste schok voorbij was en ze het gebeurde begon te verwerken, zou dat langzaam maar zeker omslaan in gelatenheid en verdriet. Uiteindelijk zou er een dof gevoel overblijven, een mengeling van woede, schuld en wrok, dat pas zou verdwijnen als Karoski achter de tralies zat of dood was. Of misschien zelfs dan nog niet.

De priester wilde zijn hand op Dicanti's schouder leggen, maar wist zich bijtijds te beheersen. Ze stond met haar rug naar hem toe en kon het ingehouden gebaar niet gezien hebben, maar ze moest het hebben aangevoeld. Ze draaide zich om en keek Fowler ongerust aan.

'Wees voorzichtig, pater. Hij weet dat u hier bent en dat kan alles veranderen. Bovendien weten we nog steeds niet hoe hij er nu precies uitziet. Hij heeft bewezen zich uiterst kundig te kunnen vermommen.'

'Zou hij in vijf jaar zo veranderd kunnen zijn?'

'Pater, ik heb de foto van Karoski goed bekeken en ik heb broeder Francesco ontmoet. Ze leken in niets op elkaar.'

'Het was halfdonker in de kerk en u hebt weinig aandacht geschonken aan de oude karmeliet.'

'Geloof me, pater. Ik vergeet nooit een gezicht. Hij mag dan bakkebaarden hebben en een baard die zijn hele gezicht bedekt, maar hij kwam echt over als een oud mannetje. Hij weet zich goed te vermommen en we kunnen alleen maar gissen welke identiteit hij zich nu weer heeft aangemeten.'

'Ik heb hem in de ogen gekeken, dottoressa. Als hij mijn pad kruist, herken ik hem. Die ogen kan hij niet vermommen.'

'Vanaf nu hoeft hij het niet meer alleen van zijn vermomming te hebben. Hij heeft een 9mm en dertig kogels. Pontiero's dienstwapen en reservemagazijn zijn weg.'

Donderdag 7 april 2005, 01.32 uur

Met een gezicht van steen had ze de autopsie bijgewoond. De adrenaline van de eerste uren was inmiddels opgelost en ze werd met de minuut depressiever. Toe-kijken hoe het operatiemes van de forensisch patholoog haar vriend ontleedde ging haar krachten vrijwel te boven, maar ze wist het te doorstaan. De patholoog meldde dat Pontiero drieënveertigmaal met een stomp voorwerp was geslagen, waarschijnlijk met de bloederige kandelaar die later was aangetroffen op de plaats delict. Waarmee de vele snijwonden in zijn lichaam waren toegebracht, waaronder de diepe snee in zijn keel, werd later uitgezocht, als het laboratorium de mallen van de sneden had gebracht.

Paola beleefde het allemaal door een dicht waas, hoewel dat haar leed op geen enkele manier verzachtte. Ze bleef al die uren toekijken, waarmee ze zichzelf een onmenselijke straf oplegde. Dante stak heel even zijn neus om de hoek van de autopsiezaal, stelde enkele vragen en verdween weer. Ook Boi gaf acte de pré-sence, louter en alleen voor de vorm. Hij was diep geschokt en maakte zich zo snel mogelijk uit de voeten, waarbij hij hoofdschuddend beweerde dat hij hem een paar uur voor zijn dood nog gesproken had.

Nadat hij zijn werk had afgerond, liet de forensisch patholoog het stoffelijk overschot op de metalen snijtafel liggen en pakte hij een doek om zijn gezicht te bedekken, maar Paola hield hem tegen.

'Nee.'

Hij begreep het en verliet de ruimte zonder een woord te zeggen.

Het lichaam was gewassen, maar wasemde een geur van bloed uit. In het kille witte licht boven de snijtafel leek de onderinspecteur nog kleiner dan hij al was. Zijn lichaam was overdekt met blauwe plekken, medailles van pijn, en uit de open wonden, als obsceen grijnzende monden, kwam de droge kopergeur van geronnen bloed.

Paola opende de envelop met de inhoud van Pontiero's zakken. Een rozenkrans, een sleutelbos, zijn portefeuille. Een balpen, een zakmes, een pas gekocht pakje sigaretten. Toen ze bedacht dat er niemand meer was om die op te roken, sloegen het verdriet en de eenzaamheid toe. Eindelijk begon het tot haar door te dringen dat haar collega, haar vriend, echt dood was. Met een gebaar van woedende ont-kenning haalde ze een sigaret uit het nog volle pakje. De klik van de aansteker galmde door de stilte en de vlam zette de ruimte in een ander, warmer licht.

Paola was na de dood van haar vader gestopt met roken. Ze onderdrukte de nei-ging te gaan hoesten en zoog de rook diep naar binnen. Ze blies hem weer uit in

de richting van het bordje VERBODEN TE ROKEN, zoals Pontiero ook altijd met veel genoegen had gedaan.
En zo nam ze afscheid.

Verdomme, Pontiero, klootzak. Kut, kut, kut. Hoe kon je nou zo stom zijn? Het is allemaal je eigen schuld. Moet je jezelf nou eens zien liggen. Je vrouw mocht niet eens afscheid van je nemen. Je ziet er niet meer uit, man, zoals hij je te grazen heeft genomen. Dat had ze nooit aangekund, ze was gaan gillen als ze je zo had gezien. Verdomme nog aan toe. Vind jij het normaal dat ik de laatste ben die jou in je blootje ziet? Ik kan je wel vertellen dat ik nooit van plan ben geweest zo intiem met je te worden. Van alle politiemannen ter wereld was jij wel de laatste kandidaat voor een gesloten kist, maar jij krijgt hem. Helemaal alleen voor jou. Pontiero, idioot, lul, hoezo had je dat niet door? Waarom ben je verdomme die tunnel in gegaan? Ik kan er met mijn pet niet bij. Jij stond hoog op de lijst voor longkanker, net als die klojo van een vader van mij. God nog aan toe, je kunt je niet voorstellen wat er allemaal door mijn hoofd schoot als je weer zo'n smerige sigaret opstak. Dan zag ik steeds mijn vader in dat ziekenhuis liggen, zijn longen uit zijn lijf hoestend in de lakens. Ik zat elke middag naast zijn bed te leren. 's Morgens moest ik naar college en 's middags zat ik te blokken naast die hoestende man. Ik heb me altijd voorgesteld dat ik op een dag ook aan jouw bed zou zitten, dat ik je hand zou vasthouden als je tussen de Weesgegroetjes en Ave Maria's het hoekje om ging, met je ogen op de kont van de verpleegsters gericht. Zo had het moeten zijn, maar niet dit. Idioot, had je me niet kunnen bellen? Verdomme, het lijkt net of je naar me glimlacht om je te verontschuldigen. Vind je soms dat het míjn schuld is? Je vrouw en kinderen zien dat nu nog niet zo, maar dat komt nog wel als ze het hele verhaal hebben gehoord. Nee, Pontiero, echt niet, het is mijn schuld niet. Het is helemaal alleen jouw eigen schuld, lul, stomme lul die je bent. Waarom ben je verdomme die tunnel in gegaan? Weet je waarom? Alleen omdat jij altijd zo'n idioot vertrouwen stelt in iedere boerenhondenlul met een soutane. Die Karoski heeft ons mooi te pakken gehad. Nee, hij heeft mij te pakken gehad en jou te grazen genomen. Die baard, die neus... Hij had die bril alleen opgezet om ons te zieken, om ons voor gek te zetten. De hufter. Hij keek me recht in mijn gezicht, maar ik kon zijn ogen niet goed zien achter die jampotglazen. En dan die baard en die neus. Wil je geloven dat ik niet eens weet of ik hem zou herkennen als ik hem op straat tegenkom? Ik weet wat je denkt. Ik moet de foto's van de plaats delict van Robayra bekijken om te zien of hij ergens op staat, al is het maar op de achtergrond. En dat ga ik doen ook, nou en of ik dat ga doen, verdomme. Maar je hoeft hier niet de slimme jongen uit te hangen. En niet lachen. Hou verdomme op met lachen. Het is de rigor mortis maar, godvergeten eikel. Zelfs nu je dood bent, bezorg je me nog een schuldgevoel. Je moet nooit iemand geloven, zei je altijd. Wees voorzichtig, zei je. Mag ik verdomme weten waarom je me dag in dag uit aan mijn kop zat te zeuren met adviezen en waarschuwingen, terwijl je zelf zulke stomme trucs uithaalt? God nog aan toe, Pontiero. Nu zit ik pas echt in de shit. Alleen omdat jij zo stom bent geweest, kan ik nu in mijn eentje op zoek naar die griezel. Idioot, we waren op zoek naar een priester, weet je nog? Dan kun je toch op je klompen aanvoelen dat elke soutane verdacht is? Kom me niet met onzin aan, Pontiero. Veeg je straatje niet schoon met dat verhaal dat pater Francesco eruitzag als een broze, manke oude man. God, wat heeft die vent je een loer gedraaid. Shit, man. Ik haat je, Pontiero. Weet je wat je vrouw zei toen ze hoorde dat je dood was? Ze zei: 'Dat kan niet. Hij kan niet dood zijn, want hij houdt van jazz.' Ze zei niet: 'Hij heeft twee kinderen,' of: 'Het is mijn man.' Nee, ze zei dat je van jazz houdt. Alsof Duke Ellington en Diana Krall met z'n tweetjes een kogelvrij vest vormen. Verdomme, voor haar ben je er nog, voor haar leef je nog, ze hoort je rauwe stem en de muziek waar je van houdt. Ze ruikt de sigaretten die je rookt. Rookte. Ik haat je. Kut, man... waar was al dat bidden nou goed voor? Ze hebben je allemaal laten stikken. Ja, ja, ik weet het nog wel, die middag dat we broodjes pastrami zaten te eten op de Piazza Colonna. Toen zei je zelf dat priesters gewone kerels zijn. Kerels met een bepaalde verantwoordelijkheid, maar geen engelen. Dat de Kerk dat niet weet. Ik zweer je dat ik het recht in het gezicht zeg van de volgende die het balkon van de Sint-Pieter op wandelt, ik zweer het je. Ik schrijf het op een metersgroot bord en ik zorg dat hij het kan lezen, al is hij zo blind als een mol. Pontiero, halvegare. Dit was onze strijd niet. Ik ben bang, verdomme, ik ben hartstikke bang. Ik wil niet eindigen zoals jij. Die ijzeren tafel ligt niet lekker, je hebt het ijskoud. Stel dat Karoski me naar huis volgt? Pontiero, verdomme, dit is onze strijd niet. Het is een strijd van priesters en de Kerk. Zeg nou niet dat het ook de mijne is. Ik geloof allang niet meer in God. Nou ja, ik geloof wel, maar ik vind het geen goeie vent. Mijn liefde voor Hem bracht me aan de voeten van een dode die nog dertig jaar had moeten leven. Hij was sneller verdwenen dan een goedkope deodorant, Pontiero. En nu is alleen de geur van de doden nog over, van alle doden die we de afgelopen jaren hebben gezien. Lichamen die lang voor hun tijd naar verderf ruiken omdat God een zootje heeft gemaakt van een paar van zijn stervelingen. Jouw lijk stinkt het ergst van allemaal. Kijk me niet zo aan. Hou je bek met die onzin dat God in mij gelooft. Als God goed was, zou Hij dit soort dingen nooit toestaan, dan zou Hij zo'n wolf in schaapskleren geen kans geven. Jij hebt ook gehoord wat pater Fowler allemaal heeft verteld. Ze hebben die hufter netjes gecastreerd en nu kan hij geen kleine jongetjes meer verkrachten en moet hij op zoek naar een andere kick. En wat vind je van jezelf? Wat is dat voor God die zomaar toelaat dat ze zo'n heilig boontje als jij in de ijskast leggen, vol met steekwonden waar je collega haar hele hand in zou kunnen steken als ze daar zin in had? Het was verdomme mijn zaak niet, het ging me er alleen om die klojo van een Boi te laten zien dat ik die griezel met één hand op mijn rug te pakken kon krijgen. Nu is het wel duidelijk dat ik nergens voor deug. Hou je kop. Ik wil je niet meer horen. Hou op me in bescherming te nemen. Ik ben geen klein kind meer. Ik zeg je dat ik niet deug. Ik kan het maar beter onder ogen zien. Ik heb niet helder nagedacht. Het ging me boven mijn pet, dat zie ik nu wel in. Het is afgelopen. Verdomme, het was mijn strijd niet, maar nu wel. Ik maak er een persoonlijke strijd van, Pontiero. Ze kunnen allemaal de pot op, het Vaticaan, Cirin, Boi en al die andere hoerenzonen. Ik ga er voor de volle honderd procent in en als er koppen moeten rollen, dan rollen ze maar. Ik zorg dat ik hem te pakken krijg, Pontiero. Ik pak hem, voor jou en voor mij. Voor je vrouw die op je zit te wachten en voor je twee kleintjes. Maar vooral voor jou, omdat je half bevroren bent en je gezicht helemaal verbouwd is. Shit, wat heeft die hufter met je gedaan? Wat heeft die hufter met je gedaan? Waarom heb je me alleen gelaten? Ik haat je, Pontiero. Ik zal je vreselijk missen.

Paola liep de gang in. Fowler zat op een houten bank naar de muur te staren. Hij sprong op toen hij haar naar buiten zag komen.
'Dottoressa, ik...'
'Het is in orde, pater.'
'Nee, het is niet in orde. Ik weet wat u doormaakt. Het gaat niet goed met u.'
'Nee, natuurlijk gaat het niet goed met me. Verdomme, Fowler, denk nou niet dat ik me kapot van verdriet in uw armen stort. Dat gebeurt alleen in de film.'
Ze wilde net weglopen toen Boi ineens opdook.
'Dicanti, we moeten praten. Ik maak me zorgen over u.'
'U ook al? Weer wat nieuws. Het spijt me, maar ik heb geen tijd voor kletspraat.'
Doctor Boi ging pal voor haar staan om haar tegen te houden. Haar hoofd reikte tot de borst van de wetenschapper.
'U begrijpt het niet, Dicanti. Ik haal u van deze zaak af. De inzet is te hoog.'
Paola hief haar hoofd. Ze keek hem strak in de ogen en zei uiterst langzaam, op kille, vlakke toon: 'Nou moet je even goed naar me luisteren, Carlo, want ik zeg het je maar één keer. Ik grijp die vent die dit met Pontiero heeft gedaan in zijn nekvel. Daar heb jij niks over te zeggen, jij niet en niemand niet. Ben ik duidelijk geweest?'
'Bent u vergeten wie hier de baas is, Dicanti?'
'Kan zijn. Maar ik weet precies wat me te doen staat. Ga opzij, alsjeblieft.'
Boi opende zijn mond om haar van repliek te dienen, maar bedacht zich en ging opzij. Paola beende met boze passen naar de uitgang.
Fowler keek haar glimlachend na.
'Wat valt er te lachen, pater?'
'U, natuurlijk. Mij houdt u niet voor de gek. U bent geen moment van plan geweest haar van de zaak te halen.'
De directeur van de UACV trok quasiverbaasd zijn wenkbrauwen op.
'Paola is een sterke, zelfstandige vrouw, maar ze moet leren zich te focussen. Met al die woede die ze nu in zich heeft, staat ze op scherp. Concentratie, daar gaat het om.'
'Meneer Boi... Ik hoor loze woorden, geen waarheden.'
'Oké dan, ik geef het toe. Ik maak me zorgen om haar. Ik moest weten of ze over de innerlijke kracht beschikt om hiermee door te gaan. Als ze me een ander ant-

woord had gegeven dan dit, had ik haar er zonder pardon af gehaald. We hebben hier niet met een normale moordenaar te maken.'

'Nu klinkt u oprecht.'

Fowler voelde dat er achter deze cynische politicus en zakenman een waarachtig menselijk wezen schuilging. Op deze vroege ochtend zag hij hem zoals hij was: een man in een keurig geperst kostuum, met een ziel die werd verscheurd door de dood van een van zijn ondergeschikten. Boi mocht zichzelf graag op de voorgrond stellen, maar hij had Paola altijd door dik en dun gesteund. Het was duidelijk dat hij zich nog steeds tot haar aangetrokken voelde.

'Pater Fowler, mag ik u om een gunst vragen?'

'Eigenlijk niet, nee.'

'Pardon?' reageerde Boi, uit het veld geslagen.

'U hoeft het me niet te vragen. Ik hou de dottoressa wel in de gaten. Goedschiks of kwaadschiks, we staan er nu nog maar met z'n drieën voor. Dante, Dicanti en ik. We zijn op elkaar aangewezen.'

Donderdag 7 april 2005, 08.15 uur

'Fowler is niet te vertrouwen, Dicanti. Het is een moordenaar.'
Paola keek met een vermoeide blik op van het Karoski-dossier. Ze had die nacht nauwelijks geslapen en was 's ochtends in alle vroegte teruggegaan naar kantoor. Dat kwam zelden voor; Paola nam het liefst uitgebreid de tijd voor het ontbijt en kwam 's morgens traag op gang, om vervolgens tot laat in de avond door te werken. Pontiero had altijd gezegd dat het zonde was, de zonsopgang was juist zo mooi in Rome. Paola kon er die ochtend niet van genieten omdat ze haar vriend op een geheel andere manier eer betoonde, maar ze moest toegeven dat de zonsopgang die ochtend inderdaad schitterend was. De zon streek loom over de heuvels van Rome en liet zijn stralenpracht langzaam over de gebouwen glijden om op elke kroonlijst tot rust te komen, als een groet aan de kunst en de schoonheid van de Eeuwige Stad. De vormen en kleuren van de dag kwamen traag in perspectief, alsof ze aan de deur klopten om toestemming te vragen. Maar degene die zonder kloppen binnenkwam, en nog wel met een flagrante beschuldiging, was Dante. De hoofdinspecteur kwam een halfuur eerder dan was afgesproken. Hij had een envelop in zijn handen en gifslangen in zijn mond.
'Dante, hebt u gedronken?'
'Natuurlijk niet. Ik zeg u dat hij een moordenaar is. Weet u nog dat ik zei dat hij niet te vertrouwen was? Ergens kwam die naam me bekend voor. Het maakte de een of andere herinnering bij me los, u kent dat wel. Daarom heb ik maar eens navraag gedaan naar die zogenaamde militair van u.'
'Is hij dan geen militair?'
'Dat wel, ja. Aalmoezenier. Maar niet bij de luchtmacht. Bij de CIA.'
'De CIA? U maakt een geintje.'
'Nee, Dicanti. Fowler is geen man om geintjes mee uit te halen. Luister maar: hij is geboren in 1951, met een gouden lepel in zijn mond. Zijn vader zat in de farmaceutische industrie of zoiets. Hij ging naar Princeton en studeerde op zijn twintigste af in de psychologie, magna cum laude, welteverstaan.'
'Magna cum laude. De allerhoogste onderscheiding. Dan heeft hij tegen me gelogen. Hij zei dat hij nooit een goede leerling is geweest.'
'Dat is niet het enige waar hij over heeft gelogen. Hij heeft zijn bul nooit opgehaald. Het schijnt dat hij na een slaande ruzie met zijn vader in dienst is gegaan. Dat was in 1971... Hij meldde zich op het heetst van de oorlog met Vietnam als vrijwilliger aan. Hij heeft vijf maanden een militaire opleiding gevolgd in Virginia en zat vervolgens tien maanden in Vietnam, als luitenant.'

'Was hij niet te jong voor die rang?'

'Bent u er wel helemaal bij? Een universitair geschoolde vrijwilliger! Ze hadden hem het liefst meteen tot generaal gebombardeerd. We weten niet wat er allemaal door zijn hoofd ging in die jaren, maar hij is na de oorlog niet teruggekeerd naar de Verenigde Staten. Hij ging naar een seminarie in Duitsland en werd in 1977 tot priester gewijd. Daarna volgen we zijn spoor over de hele wereld – Cambodja, Afghanistan, Roemenië. We weten dat hij in China is geweest, maar in allerijl moest vluchten.'

'Dat wil nog niet zeggen dat hij een CIA-agent is.'

'Ik heb de bewijzen hier, Dicanti.' Hij liet Paola foto's zien, de meeste in zwartwit. Foto's van een piepjonge Fowler, die naarmate ze recenter werden steeds kaler werd. Fowler boven op een muur van zandzakken in de jungle, omringd door soldaten. Hij droeg de epauletten van luitenant. Fowler in een ziekenboeg, samen met een lachende soldaat. Fowler op de dag van zijn inwijding in Rome op het moment waarop hij de sacramenten ontving, van paus Paulus VI nog wel. Fowler in clergyman op een groot terrein met vliegtuigen op de achtergrond, omringd door een groepje soldaten, een stuk jonger dan hij...

'Van wanneer is deze foto?'

Dante bladerde zijn aantekeningen door.

'Van 1977. Na zijn inwijding keerde Fowler terug naar Duitsland, naar de vliegbasis in Spangdahlem. Als aalmoezenier.'

'Dan klopt zijn verhaal dus.'

'In grote lijnen, ja... Maar niet helemaal. In een dossier dat ik niet zou mogen hebben, maar wel heb, staat dat "John Abernathy Fowler, zoon van Marcus en Daphne Fowler, luitenant van de USAF, wordt bevorderd tot een hogere rang en hogere soldij nadat hij met succes een gespecialiseerde contraspionagetraining heeft afgerond". In Duitsland. Midden in de Koude Oorlog.'

Paola trok haar wenkbrauwen op. Het was haar nog niet duidelijk.

'Maar dat is nog niet alles, Dicanti. Zoals ik al zei, heeft hij de hele wereld afgereisd. In 1983 verdwijnt hij een paar maanden. De laatste die iets van hem had gehoord was een priester in Virginia.'

Daarmee was Paola overtuigd. Een militair die een paar maanden verdwijnt in Virginia kan maar op één plaats zijn: het hoofdkwartier van de CIA in Langley.

'Ga door, Dante.'

'In 1984 duikt Fowler voor korte tijd op in Boston. In juli komen zijn ouders om bij een verkeersongeval. Hij verschijnt op het notariskantoor met het verzoek al zijn geld en bezittingen onder de armen te verdelen. Hij ondertekent de nodige papieren en verdwijnt opnieuw. Volgens de notaris lag de waarde van de bezittingen en het bedrijf van zijn ouders rond de tachtig miljoen dollar.'

Dicanti liet van pure verbazing een luide fluittoon horen.

'Wat een bedrag, zeg. En dat in 1984.'

'Hij heeft alles weggegeven. Jammer dat u hem toen nog niet kende, hè?'

'Wat bedoelt u daarmee, Dante?'

'Niks, helemaal niks. Maar het wordt nog gekker. Fowler vertrekt naar Mexico en van daaruit naar Honduras. Hij wordt benoemd tot aalmoezenier op de basis van El Aguacate, inmiddels met de rang van majoor. En daar verandert hij in een moordenaar.'

Het volgende mapje foto's deed Paola verstijven. Rijen lijken in stoffige massagraven. Werklieden met schoppen en maskers voor hun gezicht, waarop desondanks de afschuw duidelijk af te lezen valt. Opgegraven lijken, rottend in de zon. Mannen, vrouwen en kinderen.

'God nog aan toe, wat is dit?'

'Hoe zit het met uw kennis van de geschiedenis? Met de mijne is het bar slecht gesteld. Ik moest internet op om uit te zoeken wat deze ellende betekent. Het schijnt dat er in Nicaragua een sandinistische revolutie heeft plaatsgevonden. De contrarevolutie, de Nicaraguaanse Contra genaamd, streed om een rechts bewind aan de macht te krijgen. De regering van Ronald Reagan verleende in het diepste geheim steun aan de guerrillastrijders, opstandelingen die eerder de naam terroristen verdienden. Raad eens wie in die tijd ambassadeur van Honduras was?'

Paola telde als een razende een en een bij elkaar op.

'John Negroponte.'

'U gaat door naar de volgende ronde. Oprichter van de militaire basis El Aguacate, pal aan de grens met Nicaragua, de basis waar duizenden contraguerrillastrijders werden opgeleid. Volgens *The Washington Post* was El Aguacate "een clandestiene gevangenis en martelkamer, die meer weg had van een concentratiekamp dan van een militaire basis van een democratisch land". Deze prachtige, niets aan de verbeelding overlatende foto's dateren van tien jaar geleden. Er zijn 185.000 lijken aangetroffen in die massagraven, mannen, vrouwen en kinderen. Men vermoedt dat er ergens in de bergen nog eens 300.000 moeten liggen.'

'Lieve hemel, wat vreselijk.' De afschuw bij de aanblik van de foto's verhinderde Paola echter niet een poging te doen Fowler het voordeel van de twijfel te geven. 'Maar het bewijst niets.'

'Hij was daar. Hij was verdomme aalmoezenier in een martelkamp. Tot wie denkt u dat de gevangenen zich wendden voordat ze de dood in werden gejaagd? Het bestaat niet dat hij er niet van op de hoogte was.'

Dicanti keek hem zwijgend aan.

'Oké dan, ispettore, bent u nog niet overtuigd? Er is materiaal in overvloed. Een dossier van de Congregatie voor de geloofsleer. In 1993 is hij naar Rome geroepen om een verklaring af te leggen over de moord op tweeëndertig nonnen, zeven jaar daarvoor. De nonnen vluchtten Nicaragua uit en belandden in El Aguacate. Ze werden verkracht, kregen een tochtje in de helikopter aangeboden en *pief paf poef* dag nonnen. Toen hij toch bezig was, legde hij meteen een verklaring af over twaalf verdwenen missionarissen. De beschuldiging luidde dat hij op de hoogte was van de verschrikkingen en geen aanklacht heeft ingediend tegen deze flagrante schendingen van de mensenrechten. In de praktijk was hij zo schuldig alsof hij die helikopter zelf had bestuurd.'

'Wat was het vonnis van de Congregatie voor de geloofsleer?'

'Tja, er was niet genoeg bewijs om hem te veroordelen. Hij is er op het nippertje mee weggekomen. Maar ja, hij kon aan beide kanten geen goed meer doen. Ik geloof dat hij op eigen verzoek uit de CIA is ontslagen. Daarna heeft hij wat gezworven, om uiteindelijk bij het Instituut Saint Matthew te belanden.'

Paola nam de tijd om de foto's te bestuderen.

'Dante, ik wil u een belangrijke vraag stellen en ik hoop dat u me een eerlijk antwoord geeft. Vindt u, als onderdaan van het Vaticaan, de Congregatie voor de geloofsleer een instantie die onzorgvuldig te werk gaat?'

'Nee, inspecteur.'

'Zou je kunnen stellen dat deze instantie zich door niets of niemand laat beïnvloeden?'

Dante knikte knarsetandend. Hij begreep waar Paola naartoe wilde.

'Dus als ik het wel heb, hoofdinspecteur Dante, was het meest prestigieuze instituut van uw land, het Vaticaan, niet in staat voldoende bewijsmateriaal aan te voeren om Fowler schuldig te verklaren? Desalniettemin waagt u het mijn kantoor binnen te stappen en te roepen dat Fowler een moordenaar is en voor geen cent te vertrouwen.'

De aangesprokene sprong woedend overeind en boog zich over het bureau naar Paola toe.

'Luister goed, schoonheid. Denk niet dat ik niet heb gezien hoe je naar die neppriester zit te lonken. Dankzij een lullige speling van het lot moeten we onder zijn leiding op jacht naar dat klotemonster, en het zit me niet lekker dat jij je zinnen op die priester hebt gezet. We zijn al een maatje kwijt en ik moet er niet aan denken dat die Amerikaan me in de rug moet dekken als ik oog in oog met Karoski kom te staan. Wie weet hoe hij dan reageert. Hij schijnt nogal vaderlandslievend te zijn... De kans is groot dat hij de kant van zijn landgenoot kiest.'

Paola stond op en gaf hem in alle kalmte twee klappen in zijn gezicht. *Pets, pats.* Het waren wereldklappen, van die klinkende klappen waar je van suizebolt. Dante was zo geschrokken en vernederd dat hij niet wist wat hij moest doen. Hij stond als aan de grond genageld, met open mond en knalrode wangen naar haar te kijken.

'Luister goed, hoofdinspecteur Dante. Het feit dat we maar met z'n drieën op deze klotezaak zitten, is volledig en uitsluitend te wijten aan uw Kerk, die vooral in de doofpot wil houden dat er een monster op vrije voeten rondloopt dat in naam van diezelfde Kerk tientallen kinderen heeft verkracht, in een van uw luxe klinieken gecastreerd is en nu in Rome kardinalen neersabelt op de vooravond van de verkiezingen van het grote opperhoofd. Dat en dat alleen is de oorzaak van Pontiero's dood. Ik wil u er met klem aan herinneren dat u bij ons bent gekomen om hulp, niet andersom. Zo te zien functioneert uw organisatie uitstekend als het erom gaat informatie in te winnen over de activiteiten van een priester in een jungle in de derde wereld, maar het is kennelijk lastiger een seksueel gestoorde delinquent in toom te houden die in tien jaar tijd tientallen keren in recidive is getreden, onder de welwillende blikken van zijn superieuren in een democratisch land. Dus maak dat u uit mijn ogen komt met uw smerige roddels, voordat ik op het idee kom dat uw hele miezerige probleempje wordt gevoed door jaloezie op Fowler. U hoeft niet terug te komen, tenzij u bereid bent als volwaardig lid van het team met Fowler en mij samen te werken. Begrepen?'

Dante had zich voldoende hersteld om diep in te ademen en rechtsomkeert te maken. Op dat moment kwam Fowler het kantoor binnen. Dat werd de hoofdinspecteur te veel; hij kon zich niet beheersen en smeet de foto's die hij nog steeds in zijn handen had in Fowlers gezicht. Dante was zo kwaad dat hij ervandoor ging zonder er zelfs maar aan te denken de deur met een klap achter zich dicht te gooien.

Paola voelde zich om twee redenen ontzettend opgelucht: ten eerste omdat ze de kans had gekregen te doen waar ze al dagen zin in had gehad, en ten tweede omdat ze het onder vier ogen had kunnen doen. Als deze situatie zich had voorgedaan wanneer er iemand bij was geweest, of midden op straat, in het openbaar, zou Dante haar nooit van zijn leven vergeven dat ze hem had geslagen. Zoiets vergeet een man niet. Nu zat er nog een kansje in dat ze de situatie in goede banen kon leiden om de vrede enigszins te herstellen. Ze wierp een tersluikse blik op Fowler. Hij stond nog steeds als een zoutpilaar bij de deur, met een strakke blik op de foto's die nu over de vloer van het kantoor lagen verspreid.

Paola ging zitten, nam een slok koffie en zei zonder haar blik van het Karoskidossier af te wenden: 'Ik geloof dat u me het een en ander hebt uit te leggen, pater.'

April 1997

Rapport: Onderhoud nummer 11 tussen patiënt nummer 3643 en doctor Fowler.

Dr. Fowler	Goedemiddag, pater Karoski.
#3643	Komt u binnen, komt u binnen.
Dr. Fowler	Ik kom even bij u kijken, omdat u weigert met pater Conroy te praten.
#3643	Dat klopt. Hij gedroeg zich uiterst beledigend, daarom heb ik hem verzocht mijn kamer te verlaten.
Dr. Fowler	Wat vond u precies beledigend in zijn gedrag?
#3643	Pater Conroy stelt vraagtekens bij rotsvaste waarheden in ons geloof.
Dr. Fowler	Kunt u me een voorbeeld geven?
#3643	Hij beweert dat de duivel een overgewaardeerd concept is. Het lijkt me interessant om te zien hoe dat overgewaardeerde concept zijn drietand in zijn buik steekt.
Dr. Fowler	Denkt u dat u een kans maakt daarbij aanwezig te zijn?
#3643	Het was maar bij wijze van spreken.
Dr. Fowler	U gelooft stellig in de hel, nietwaar?
#3643	Met hart en ziel.
Dr. Fowler	Denkt u dat u de hel verdient?
#3643	Ik ben een soldaat van Christus.
Dr. Fowler	Dat zegt niets.
#3643	Sinds wanneer niet?
Dr. Fowler	Een soldaat van Christus kan net zomin aanspraak maken op de hemel of op de hel als wie dan ook, pater Karoski.
#3643	Als hij een goed soldaat is wel.
Dr. Fowler	Pater, ik zal u een boek geven waar u volgens mij veel aan zult hebben. Het is geschreven door Sint-Augustinus. Het boek handelt over nederigheid en de innerlijke strijd van iedere mens.
#3643	Dat wil ik graag lezen.
Dr. Fowler	Denkt u dat u na uw dood naar de hemel gaat?
#3643	Dat is zeker.
Dr. Fowler	Dan weet u meer dan ik.

#3643	...
Dr. Fowler	Ik wil een hypothetische vraag bij u neerleggen. Stel dat u voor de hemelpoort staat. God weegt uw goede en uw slechte daden en de weegschaal is precies in evenwicht. Daarom mag u iemand laten roepen om te helpen de twijfel weg te nemen. Wie roept u op?
#3643	Dat zou ik zo snel niet weten.
Dr. Fowler	Laat ik wat namen noemen om u op weg te helpen: Leopold, Jamie, Lewis, Arthur...
#3643	Die namen zeggen me niets.
Dr. Fowler	... Harry, Michael, Johnnie, Grant...
#3643	Zwijg!
Dr. Fowler	... Paul, Sammy, Patrick...
#3643	Ik zeg u dat u moet zwijgen!
Dr. Fowler	... Jonathan, Aaron, Samuel...
#3643	Hou op!

(Op de achtergrond klinken chaotische geluiden van een korte worsteling.)

Dr. Fowler	Wat ik hier tussen mijn duim en wijsvinger heb, pater Karoski, is uw luchtpijp. Het lijkt me overbodig u te zeggen dat het pijnlijker wordt naarmate u harder tegenstribbelt. Maak een gebaar met een linkerhand als u me begrepen hebt. Goed. Herhaal die beweging zodra u tot bedaren bent gekomen. Ik heb alle tijd. Bent u zover? Mooi zo. Alstublieft, neem een slokje water.
#3643	Dank u.
Dr. Fowler	Gaat u zitten, alstublieft.
#3643	Het gaat wel weer. Ik weet niet wat me bezielde.
Dr. Fowler	We weten allebei precies wat u bezielde. Net zoals we allebei weten dat de kinderen die ik zojuist opnoemde niet direct voor u zullen pleiten als u voor de Almachtige komt te staan, pater.
#3643	...
Dr. Fowler	Hebt u hier niets op te zeggen?
#3643	U weet niets van de hel.
Dr. Fowler	Denkt u dat? U vergist zich, ik heb de hel met eigen ogen aanschouwd. Ik zet nu de band stop en dan ga ik u iets vertellen dat u zeer zeker zal interesseren.

Donderdag 7 april 2005, 08.32 uur

Fowler wendde zijn blik af van de foto's die verspreid op de vloer lagen. Hij deed geen enkele poging ze op te rapen en stapte er elegant overheen. Paola vroeg zich af of dat zijn expliciete antwoord was op Dantes beschuldigingen. In de daaropvolgende dagen zou Paola regelmatig het gevoel krijgen dat ze met een ondoorgrondelijke, maar beschaafde man te maken had, een intelligente man, maar wel iemand met een dubbele bodem. Fowler was een vat vol tegenstrijdigheden en een compleet raadsel. Ditmaal ging dat gevoel gepaard met een doffe woede, die zich in de vorm van een lichte trilling rond haar mond manifesteerde.

De priester ging voor Paola's bureau zitten en zette zijn versleten zwarte koffertje naast zijn stoel. In zijn linkerhand hield hij een bruinpapieren zak met drie bekers koffie. Hij bood Dicanti er een aan.

'Cappuccino?'

'Ik hou niet van cappuccino. Het is net hondenkots,' vond Paola. Maar ze nam er toch een aan.

Fowler bleef enkele minuten zwijgend tegenover haar zitten. Ten slotte hield Paola op met net te doen of ze het Karoski-dossier zat te lezen en ze besloot het de priester op de man af te vragen. Ze moest het weten.

'Wel? Vindt u niet dat het...'

De woorden bleven in haar keel steken. Sinds Fowler haar kantoor was binnengestapt, had ze hem nog niet aangekeken. Nu ze dat eindelijk deed, constateerde ze dat hij mijlenver weg was. Met trillende handen bracht hij onzeker de koffiebeker naar zijn mond. Er parelden zweetdruppeltjes op zijn kale schedel, hoewel het nog frisjes was. In zijn groene ogen stond te lezen dat hij de onbeschrijflijke verschrikkingen waarvan hij getuige was geweest op dit moment opnieuw beleefde.

Paola zweeg in het besef dat de elegantie waarmee hij over de foto's was gestapt slechts een pose was geweest. Ze wachtte af. Het kostte de pater nog enkele minuten om zich te herstellen en toen het eindelijk zover was, klonk zijn stem dof en afstandelijk.

'Het is moeilijk. Je denkt dat je het hebt verwerkt, maar dan komt alles weer boven, als een kurk die je vruchteloos onder water probeert te duwen. Hij glipt uit je handen en drijft naar de oppervlakte. Dan duikt hij weer op...'

'Praten helpt, pater.'

'Geloof me, dottoressa... dat is niet het geval. Dat is nooit zo geweest. Niet alle problemen verdwijnen door erover te praten.'

'Een vreemde reactie voor een priester. En voor een psycholoog. Minder vreemd voor een agent van de CIA, opgeleid om te doden.'

Fowler onderdrukte een droevige grimas.

'Ik ben niet opgeleid om te doden, althans niet meer dan een gewone soldaat. Ik ben getraind in contraspionagetactieken. God heeft me begenadigd met een feilloos schietvermogen, dat wel, maar dat is een gave waar ik niet om heb gevraagd. En, om uw volgende vraag voor te zijn, ik heb sinds 1972 niemand meer gedood. Ik heb voor zover ik weet elf Vietcongsoldaten gedood, maar dat was tijdens de oorlog.'

'U hebt zich vrijwillig aangemeld.'

'Dottoressa, voordat u een oordeel over me velt, wil ik u graag mijn verhaal doen. U bent de eerste aan wie ik dit vertel, dus alstublieft, luister naar me. Ik zal u niet vragen me te geloven of me te vertrouwen, dat zou te veel gevraagd zijn. Ik wil alleen dat u naar me luistert.'

Paola knikte traag.

'Ik denk dat de hoofdinspecteur zo vriendelijk is geweest u van de nodige informatie te voorzien. Als dat het dossier van de Congregatie voor de geloofsleer is, bent u in grote lijnen op de hoogte van mijn verleden. Ik heb in 1971 vrijwillig dienst genomen, als een direct gevolg van enkele... onenigheden met mijn vader. Ik wil niet te diep ingaan op de verschrikkingen van die oorlog, want er zijn geen woorden voor om die te beschrijven. Hebt u *Apocalypse Now* gezien, mevrouw Dicanti?'

'Ja, lang geleden. Nogal cru, vond ik.'

'Een klucht, meer niet. Een flauwe afspiegeling van wat zich daar werkelijk afspeelde. Ik heb genoeg pijn en wreedheden gezien voor een heel leger, maar juist daar werd duidelijk dat ik een roeping had. Niet midden in de nacht in de jungle, terwijl de kogels van de vijand me om de oren floten. Niet toen ik die tienjarige kinderen zag met lange kettingen van menselijke oren om hun hals. Het was op een rustige avond in de achterhoede tijdens een gesprek met de aalmoezenier. Die nacht begreep ik dat ik mijn leven in dienst wilde stellen van God en Zijn schepselen. En dat heb ik gedaan.'

'Hoe zit het dan met de CIA?'

'Laten we niet op de zaken vooruitlopen. Ik wilde niet terug naar Amerika. Mijn ouders woonden er nog steeds. Ik wilde zo ver mogelijk weg en dat lukte, ik kwam op een steenworp afstand van het IJzeren Gordijn terecht. Daar heb ik heel veel geleerd, maar ik ben bang dat veel van die dingen uw begripsvermogen ver te boven gaan. U bent pas vierendertig jaar jong. Om werkelijk te begrijpen wat het communisme inhield voor een katholieke Duitser in de jaren zeventig moet je het aan den lijve ondervonden hebben. De dreiging van een atoomoorlog hing als een duistere wolk boven het land. De haat tussen Oost en West was een religie. We leefden met de angst dat iemand, zij of wij, elk moment de sprong over de Muur kon wagen. Dan was alles afgelopen, dat kan ik u verzekeren. Vroeg of laat had iemand die knop ingedrukt.'

Fowler nam een korte adempauze om een slok van zijn koffie te nemen. Paola stak een van Pontiero's sigaretten op. Fowler stak vragend zijn hand naar het pakje uit, maar Paola schudde van nee.

'Ze zijn van mij, pater. Ik moet ze zelf oproken.'

'Maakt u zich geen zorgen, ik was niet van plan er een te pakken. Ik vroeg me alleen af waarom u weer begonnen bent.'

'Ik wil er niet over praten. Als u het niet erg vindt, wil ik liever dat u verdergaat met uw verhaal.'

De pater bespeurde een diep verdriet achter haar woorden en deed wat ze vroeg.

'Natuurlijk. Ik wilde betrokken blijven bij het leger. Ik hou van de kameraadschappelijkheid, de discipline en het militaire leven. Als je erover nadenkt, verschilt het niet veel van het priesterschap: je zet je leven in voor anderen. Het leger op zich is niet slecht; wat slecht is, is de oorlog. Ik verzocht om een post als aalmoezenier op een Amerikaanse basis en aangezien ik diocesaan priester was, verleende de bisschop zijn toestemming.'

'Wat wil dat zeggen, diocesaan priester?'

'Min of meer dat ik vrij ben om te gaan of staan waar ik wil. Ik ben niet verbonden aan een congregatie. Als ik wil, kan ik de bisschop verzoeken me een parochie toe te wijzen. Maar naar eigen goeddunken kan ik mijn pastoraal werk uitvoeren waar ik zelf wil, uiteraard met goedvinden van de bisschop, hoewel toestemming vragen vooral een kwestie van beleefdheid is.'

'Ik begrijp het.'

'Daar, op die Amerikaanse basis, werd ik ingekwartierd met enkele leden van de Agency die deelnamen aan een trainingsprogramma contraspionage voor militairen in actieve dienst die geen CIA-agent waren. Ze nodigden me uit het programma te volgen, vier uur per dag, vijf dagen in de week gedurende twee jaar. Aangezien het goed te combineren was met mijn aalmoezierstaken en het me alleen een paar uur slaap zou kosten, ging ik op de uitnodiging in. Ik bleek een uitstekende leerling te zijn. Op een avond na de training kwam een van de instructeurs naar me toe met de vraag of ik me aan de Company wilde verbinden. Zo wordt de Agency genoemd door ingewijden. Ik antwoordde dat ik dat onmogelijk kon doen, gezien mijn priesterschap. Ik had een enorme klus aan de honderden jonge katholieken op de basis. Hun superieuren leerden hen de communisten te haten, dat werd er uren achtereen in gehamerd. Ik had één uur per week om hun te laten zien dat we allemaal kinderen Gods zijn.'

'Een verloren strijd.'

'In vrijwel alle gevallen. Maar het priesterschap is een langeafstandsrace.'

'Ik meen dat ik dat woord ben tegengekomen in een van uw gesprekken met Karoski.'

'Dat kan kloppen. We beperken ons ertoe kleine overwinningen te behalen. Lichte vooruitgang. Af en toe lukt het iets groots te bereiken, maar dat komt mondjesmaat voor. We zaaien piepkleine zaadjes, in de hoop dat een deel ervan wortel zal schieten. Het frustrerende is dat je meestal niet zelf degene bent die de oogst binnenhaalt.'

'Dat lijkt me behoorlijk balen, pater.'

'Op een dag reed de koning door het bos, waar hij halt hield bij een oude man die zwetend een geul stond te graven. Hij vroeg wat hij aan het doen was en de oude man vertelde dat hij notenbomen plantte. "Waarom doe je dat?" vroeg de koning. De oude man antwoordde: "Omdat ik verzot ben op walnoten." De koning zei: "Beste man, je hoeft je rug niet te breken op die diepe geul. Zie je dan niet dat de bomen pas vrucht zullen dragen als jij er allang niet meer bent?" De oude man antwoordde: "Als mijn voorvaderen net zo hadden gedacht als u, majesteit, had ik nooit een noot geproefd."'

Paola glimlachte, verbaasd over de absolute waarheid van deze parabel.

'Weet u wat deze anekdote ons leert, dottoressa?' vervolgde Fowler. 'Dat je altijd verder kunt met wilskracht, liefde voor God en een slokje Johnnie Walker.'

Paola stond met haar ogen te knipperen. Ze kon zich die stijve, beschaafde priester niet voorstellen met een fles whisky in de hand, maar het was haar wel duidelijk dat hij een eenzaam leven had geleid.

'Toen de instructeur opmerkte dat de jongeren op de basis evengoed door een andere priester geholpen konden worden, maar dat de duizenden jongeren achter het IJzeren Gordijn van elke hulp verstoken waren, besefte ik dat hij voor een groot deel gelijk had. Duizenden christenen kwijnden weg onder het communisme; ze zeiden hun gebeden in het geheim en lazen de mis in donkere kelders. Door hen te helpen kon ik zowel de belangen van mijn land als die van mijn Kerk dienen, op de punten waar deze samenvielen. Eerlijk gezegd dacht ik indertijd dat er meer overeenkomsten waren dan later het geval bleek te zijn.'

'Hoe staat u daar nu tegenover, nu u weer in actieve dienst bent?'

'Ik zal uw vraag zo meteen beantwoorden. Ze boden me aan vrij agent te worden, wat inhield dat ik alleen opdrachten hoefde aan te nemen die ik als rechtvaardig beschouwde. Ik heb de hele wereld rondgereisd. Op sommige plaatsen was ik priester, op andere burger. Ik heb herhaaldelijk mijn leven gewaagd, maar dat was in de meeste gevallen het risico waard. Ik hielp mensen die me nodig hadden, op welke manier dan ook. Soms bestond mijn hulp uit goede raad op het juiste moment, een brief of een kaart. Een andere keer ging het om het opzetten van een informatienetwerk. Of ik moest iemand uit de ellende halen. Ik heb diverse talen geleerd en op een bepaald moment voelde ik me goed genoeg om terug te keren naar Amerika. Tot Honduras...'

'Momentje, pater, u vergeet iets. De begrafenis van uw ouders.'

Fowler maakte een geïrriteerd gebaar.

'Daar ben ik nooit geweest. Ik heb alleen wat onbeduidende juridische kwesties afgewikkeld.'

'Neem me niet kwalijk, pater Fowler, maar tachtig miljoen is geen onbeduidende juridische kwestie.'

'Kijk eens aan, er is niets wat u niet weet. Oké, ik heb dat geld afgestaan. Maar ik heb het niet weggegeven, zoals iedereen schijnt te denken. Ik heb het geïnvesteerd in een stichting zonder winstoogmerk die actieve steun verleent aan diverse sociale instanties, zowel binnen als buiten de Verenigde Staten. De stichting is vernoemd naar Howard Eisner, de aalmoezenier die mijn grote voorbeeld was in Vietnam.'

'Bent u de oprichter van de Eisner Foundation?' Paola keek hem stomverbaasd aan. 'Maar dan bent u stokoud.'

'Ik heb hem niet opgericht, ik heb hem alleen een steuntje in de rug en een financiële injectie gegeven. Hij is opgericht door het advocatenkantoor van mijn ouders. Tegen hun zin, moet ik eraan toevoegen.'

'Goed, vertel me dan nu maar wat er in Honduras is gebeurd. Neem alle tijd die u nodig hebt.'

De priester keek Dicanti onderzoekend aan. Haar houding tegenover hem was plotseling veranderd, een subtiele verandering, maar duidelijk merkbaar. Ze was bereid hem te geloven. Hij vroeg zich af wat deze verandering teweeg had gebracht.

'Ik wil u niet vervelen met de details, dottoressa. Er kan een hele bibliotheek volgeschreven worden over El Aguacate, maar ik zal me tot de essentie beperken. Het doel van de CIA was een gunstig klimaat voor een revolutie te creëren. Mijn doel was hulp bieden aan de katholieken die leden onder het juk van het sandinistische regime. Er werd een leger vrijwilligers gevormd en opgeleid om een guerrillaoorlog te beginnen met als doel de regering te ondermijnen. De soldaten werden gerekruteerd onder de armste mensen in Nicaragua. De wapens werden geleverd door een oude vriend van de regering, van wie indertijd niemand ook maar enigszins kon vermoeden wat er van hem zou worden: Osama bin Laden. De leiding van de Contra lag in handen van een leraar, Bernie Salazar, een fanaticus, zoals later zou blijken. In de opleidingsweken vergezelde ik Salazar naar de andere kant van de grens, tochten die elke dag gevaarlijker werden. Ik hielp monniken die in de problemen zaten te vluchten, maar ik had mijn handen vol aan Salazar en dat werd elke dag erger. Hij zag overal communisten. Volgens hem zat er onder elke steen een communist verscholen.'

'Ik heb ooit eens in een handboek psychiatrie gelezen dat fanatieke leiders in rap tempo paranoia kunnen ontwikkelen.'

'Salazar is daar een schoolvoorbeeld van. Ik kreeg een ongeluk. Pas veel later hoorde ik dat het geen ongeluk was geweest. Ik brak een been en moest mijn tochten over de grens staken. De guerrillastrijders keerden elke dag later terug van hun marsen. Ze sliepen niet meer in hun barakken, maar bivakkeerden op open plekken in het oerwoud. 's Nachts hielden ze zogenaamd schietoefeningen, die later willekeurige executies bleken te zijn. Ik lag machteloos in bed, maar de nacht waarin Salazar de nonnen aanviel en beschuldigde van communistische sympathieën ben ik door iemand gewaarschuwd. Het was een goeie jongen, net als zoveel van de aanhangers van Salazar, maar hij was net iets minder bang voor hem dan de anderen. Ietsje minder maar, want hij vertelde me het onder biechtgeheim. Hij wist dat ik het als biechtvader aan niemand kon vertellen, maar dat ik alles zou doen om de nonnen te helpen. We deden wat we konden...'

Fowler zag doodsbleek. Hij moest een paar keer slikken voordat hij verder kon praten en hield zijn blik strak op een punt buiten het raam gericht.

'... maar het was niet genoeg. Feit is dat zowel Salazar als die jongen is gedood en dat de hele wereld weet dat de guerrillastrijders een helikopter hebben gekaapt en de nonnen boven een van de sandinistische dorpen hebben uitgegooid. Dat kon niet in één keer, ze zijn driemaal teruggegaan.'

'Waarom deed hij dat?'

'De boodschap liet geen ruimte voor twijfel: we doden iedereen die verdacht wordt van banden met de sandinisten. Zonder aanzien des persoons.'

Paola zweeg, diep in gedachten verzonken over hetgeen ze zojuist had gehoord.

'U voelt zich schuldig, is het niet?'

'Hoe kan ik anders? Ik heb die vrouwen niet kunnen redden. Ik heb niet goed op die arme jongens gelet, die uiteindelijk hun eigen mensen doodschoten. Ik ben ernaartoe gegaan om goed te doen, maar ik heb niets kunnen uitrichten. Ik was slechts een extra radertje in de monsterfabriek. Mijn land is er zo aan ge- wend dat iemand die we hebben opgeleid, geholpen en beschermd zich tegen ons keert dat het niemand meer verbaast.'

Hoewel het zonlicht pal in zijn gezicht scheen, knipperde Fowler niet met zijn ogen. Hij kneep ze alleen tot groenglanzende spleetjes en bleef over de daken staren.

'De eerste keer dat ik die foto's van massagraven onder ogen kreeg,' vervolgde de priester, 'dacht ik ineens weer aan de verre geluiden van die zogenaamde schiet- oefeningen in de tropische nacht. Ik was aan dat geluid gewend geraakt. Ik vond het zo gewoon dat ik niet eens opschrok als ze gepaard gingen met kreten van pijn of angst. Overmand door slaap liet ik me wegzakken en overtuigde mezelf er de volgende ochtend van dat ik had gedroomd. Als ik toen beter had opgelet en met de commandant had gesproken, als we Salazar beter in de gaten waren gaan houden, hadden we heel wat levens gered. Daarom ben ik schuldig aan al die doden, daarom ben ik uit de CIA gestapt en daarom moest ik een verklaring afleggen voor de Congregatie.'

'Pater... ik geloof allang niet meer in God. Ik weet dat er na de dood niets meer is. Ik denk dat we allemaal tot stof zullen wederkeren, via de maag van een stel wormen. Maar als u echt absolutie nodig hebt, schenk ik u de mijne. U hebt zoveel monniken gered als u kon, voordat u in de val liep.'

Fowler stond zichzelf een halve glimlach toe.

'Dank u, dottoressa. U weet niet half wat uw woorden voor mij betekenen, hoe- wel het me spijt dat een katholieke vrouw als u zo van haar geloof is gevallen.'

'U hebt me nog steeds niet verteld waarom u teruggekomen bent.'

'Simpelweg op verzoek van een vriend. Ik laat mijn vrienden nooit vallen.'

'Dus nu bent u... een spion van God.'

Fowler glimlachte.

'Zo zou je het kunnen noemen, ja.'

Dicanti stond op en liep naar de boekenkast.

'Pater, dit druist geheel tegen mijn principes in, maar zoals mijn moeder zegt: je leeft maar één keer.'

Ze haalde een dik boek over forensisch onderzoek van de plank en wierp het

Fowler toe. Hij opende het. De uitgeholde bladzijden boden precies genoeg ruimte voor een heupfles Dewar's en twee glaasjes.

'Het is nog niet eens negen uur, dottoressa.'

'Schenkt u in of moeten we wachten tot vanavond, pater? Het is me een eer te drinken met de man die de Eisner Foundation groot heeft gemaakt. Niet in het minst, pater, omdat de Eisner Foundation zo vriendelijk is geweest mij een beurs te verlenen voor mijn studie in Quantico.'

Toen was het Fowlers beurt om een verbaasd gezicht te trekken, hoewel hij niets zei. Hij schonk twee maatjes whisky in en hief zijn glas.

'Op wie drinken we?'

'Op vrienden die zijn heengegaan.'

'Op vrienden die zijn heengegaan dan.'

Ze sloegen de whisky in één teug achterover. Het vocht gleed door hun keel en Paola, die nooit dronk, had het gevoel dat ze spijkers gedrenkt in ammoniak naar binnen kreeg. Ze wist dat ze de hele dag het zuur zou hebben, maar ze was trots op zichzelf, trots op de dronk die ze samen met deze man had uitgebracht. Sommige dingen moest je gewoon gedaan hebben.

'Nu wordt het tijd dat we ons erop gaan beraden hoe we onze hoofdinspecteur terug aan boord krijgen. U had het goed begrepen, Dante was de gulle gever van dit geschenk,' zei Paola, terwijl ze op de foto's wees. 'Ik vraag me af waarom. Koestert hij een oude wrok jegens u?'

Fowler barstte in lachen uit. Zijn vrolijkheid verbaasde Paola; nooit in haar leven had ze zo'n vrolijke lach gehoord, die tegelijkertijd zo rauw en droevig klonk.

'Ga me nou niet vertellen dat u niets hebt gemerkt.'

'Sorry pater, wat bedoelt u?'

'Dottoressa, hoe bedreven u ook bent in het analyseren van het doen en laten van bepaalde lieden, in dit geval laat uw wijsheid u heel erg in de steek. Het is overduidelijk dat Dante een oogje op u heeft. En om de een of andere bizarre reden ziet hij mij als zijn rivaal.'

Paola's mond viel open en ze bleef als versteend zitten. Ze voelde de kleur naar haar wangen stijgen en dat kwam niet van de whisky. Dit was de tweede keer dat die man haar aan het blozen bracht. Ze wist niet precies hoe hij dat gevoel in haar teweegbracht, maar ze wilde het vaker voelen, net als een kind met een zwakke maag dat toch nog een keer in de achtbaan wil.

Ze werden uit deze ongemakkelijke situatie gered door de telefoon. Dicanti nam meteen op. Haar ogen schitterden van emotie.

'Ik kom naar beneden.'

Fowler keek haar nieuwsgierig aan.

'Snel, pater. Tussen de foto's van de technische analysedienst van de UACV op de plaats delict van de moord op Robayra zit er een waarop broeder Francesco staat. Wie weet hebben we iets gevonden.'

Donderdag 7 april 2005, 09.15 uur

Op het beeldscherm was een onscherpe foto te zien. De fotograaf had een over-zichtsfoto genomen vanuit de kapel en op de achtergrond was Karoski te zien, in de hoedanigheid van broeder Francesco. De technicus had dat stukje van de foto vergroot met zestienhonderd procent, wat het resultaat er niet beter op maakte.

'Er is niet veel te zien,' waagde Fowler.

'Kalm, kalm, pater.' Boi kwam met een hele stapel papieren in zijn handen de ruimte binnen. 'Angelo is onze forensisch beeldhouwer. Hij is een expert in het optimaliseren van afbeeldingen en ik weet zeker dat hij zo meteen met een heel ander plaatje op de proppen komt. Nietwaar, Angelo?'

Angelo Biffi, een van de leden van de technische dienst van de UACV, kwam zel-den achter zijn computer vandaan. Hij droeg een bril met dikke glazen, had vet-tig haar en was om en nabij de dertig. Hij had de beschikking over een groot, maar slecht verlicht kantoor, waar het stonk naar pizzaresten, goedkope after-shave en verbrand plastic. Een tiental geavanceerde beeldschermen nam de plaats in van ramen. Fowler keek om zich heen en maakte uit zijn omgeving op dat Angelo liever hier sliep dan thuis. Hij zag eruit als het prototype van een nerd, maar hij had een vriendelijk gezicht met een scheef, verlegen lachje.

'Kijk, pater, wij, ik bedoel de afdeling, of eigenlijk ikzelf...'

'Blijf er niet in, Angelo. Neem een kop koffie.' Dicanti overhandigde hem de beker koffie die Fowler voor Dante had meegenomen.

'Dank u, dottoressa. Hé, hij is koud!'

'Niet zeuren, het wordt een bloedhete dag. Als je later groot bent, zul je altijd blijven zeggen: "Het is warm voor de maand april, maar niet zo warm als het jaar waarin paus Wojtyla stierf." Let op mijn woorden.'

Fowler wierp een verbaasde blik op Dicanti, die ontspannen haar hand op An-gelo's schouder liet rusten. Ze probeerde grapjes te maken, ondanks de storm die zoals hij wist in haar binnenste woedde. Ze had nauwelijks geslapen, had grotere wallen onder haar ogen dan een wasbeer, en gevoelens van verwarring, verdriet en woede streden om voorrang. Je hoefde geen psycholoog of priester te zijn om dat te begrijpen. En toch deed ze haar best deze jongen op zijn gemak te stellen, die een beetje zenuwachtig werd van die onbekende priester. Op dat moment hield hij van haar, hoewel hij de gedachte snel uit zijn geheugen bande. Hij was nog niet vergeten hoe ongemakkelijk ze had gekeken daarnet in haar kantoor.

'Leg je methode maar aan pater Fowler uit,' vroeg Paola. 'Ik weet zeker dat hij het interessant zal vinden.'

Daar kikkerde de jongen zichtbaar van op.

'Kijk goed naar het scherm. We hebben, nou ja ík heb speciale software ontworpen om beelden te interpoleren. Zoals u weet, is elke afbeelding opgebouwd uit gekleurde puntjes, pixels genaamd. Als een normale afbeelding bijvoorbeeld laten we zeggen 2500 x 1750 pixels heeft en wij willen alleen een hoekje van die foto zien, krijg je uiteindelijk een paar gekleurde vlekken op je beeldscherm waar je weinig aan hebt. Als je zoiets vergroot, krijg je zo'n onscherp beeld als nu op het scherm staat. Kijk, als je met een gewoon programma een afbeelding vergroot, gebeurt dat met de methode-Bicubisch, die een gemiddelde maakt van de kleuren van de acht aangrenzende pixels, de buren, en dat vermenigvuldigt. Dan krijg je dezelfde vlek, alleen groter. Maar met mijn programma...'

Paola keek met een schuin oog naar Fowler, die geboeid over het beeldscherm gebogen stond. De priester deed zijn best Angelo zijn volle aandacht te schenken, ondanks zijn diepe verdriet van nog geen tien minuten geleden. De confrontatie met de foto's was een zware beproeving voor hem geweest en had hem diep geraakt. Je hoefde geen psychologe of criminologe te zijn om dat te begrijpen. En toch spande hij zich in om aardig te zijn tegen een verlegen jongen die hij waarschijnlijk nooit van zijn leven meer zou zien. Op dat moment hield ze van hem, hoewel ze de gedachte snel uit haar geheugen bande. Ze was nog niet vergeten hoe ongemakkelijk hij had gekeken daarnet in haar kantoor.

'... en rekening houdend met de variabelen van de lichtresolutie, voer je dat in in het driedimensionale informaticaprogramma. Het is gebaseerd op een ingewikkeld logaritme en het duurt een paar uur voor je resultaat hebt.'

'Verdomme, Angelo, moesten we daarvoor naar beneden komen?'

'Ja, nou, kijk...'

'Laat maar, Angelo. Dottoressa, ik vermoed dat deze slimme jongeman ons probeert te zeggen dat het programma al een paar uur aan het werk is geweest en dat hij ons nu graag het resultaat wil laten zien.'

'Dat klopt, pater. Het komt nu uit de printer.'

De laserprinter naast Dicanti spuwde zoemend een blad papier uit met een afbeelding van een oud gezicht en ogen die in de schaduw lagen, maar vele malen scherper dan het beeld op het scherm.

'Goed werk, Angelo. Hij is nog niet scherp genoeg om hem te kunnen identificeren, maar het is een begin. Kijkt u er eens naar, pater.'

Fowler bekeek de foto aandachtig. Boi, Dicanti en Angelo keken verwachtingsvol toe.

'Ik zou durven zweren dat hij het is, maar het is lastig te zien zonder een duidelijk beeld van de ogen. De vorm van de oogkassen en iets wat ik niet kan definiëren, vertellen me echter dat hij het is. Maar als ik hem op straat tegenkwam, zou ik hem geen tweede blik waardig keuren.'

'Zitten we nu dan weer op een dood spoor?'

'Dat hoeft niet,' kwam Angelo tussenbeide. 'Ik heb een programma waarmee ik een driedimensionaal beeld kan krijgen, uitgaande van bepaalde data. Ik denk dat we genoeg kunnen afleiden uit wat we hebben. Ik heb een beetje met die foto van de ingenieur zitten spelen.'

'Welke ingenieur?' vroeg Paola verbaasd.

'Ingenieur Karoski, die zich voordoet als karmeliet. Waar zit u met uw hoofd, Dicanti?'

Doctor Boi sperde zijn ogen wijd open en maakte achter Angelo's rug hevige gebaren naar Dicanti. Pas toen begreep ze dat Angelo niet alle details van de zaak had gekregen. Ze wist dat de directeur de vier leden van de technische dienst van de UACV die de plaatsen delict van Robayra en Pontiero hadden onderzocht niet naar huis liet gaan. Hij had ze opdracht gegeven naar huis te bellen om de situatie uit te leggen en hield ze in een van de ontspanningsruimten in het gebouw 'in quarantaine'. Boi kon keihard zijn als hij het nodig vond, maar hij was ook rechtvaardig: hij betaalde deze overuren driedubbel uit.

'O, ja. Sorry, ik was er even niet bij. Ga door, Angelo.'

Boi legde natuurlijk overal een plukje informatie neer, om te zorgen dat niemand behalve hij alle stukjes van de puzzel in handen kreeg. Niemand mocht weten dat ze onderzoek deden naar de moord op twee kardinalen. Dat maakte Paola's werk extra gecompliceerd en ze begon zich ernstig af te vragen of zij dan wel alle stukjes in handen had.

'Zoals ik al zei, heb ik de foto van de ingenieur bewerkt. Ik denk dat we over een halfuurtje een driedimensionaal beeld krijgen van zijn foto uit 1995. Dat vergelijken we vervolgens met het driedimensionale beeld dat ik uit de foto van 2005 haal. Als jullie over drie kwartier terugkomen, heb ik meer.'

'Uitstekend. Pater, ispettore... ik zou graag het een en ander met u willen bespreken in de vergaderzaal. Tot straks, Angelo.'

'Tot straks, meneer Boi.'

Ze begaven zich gedrieën naar de vergaderzaal, twee verdiepingen hoger. Toen ze naar binnen liep, werd Paola overspoeld door de gedachte dat ze hier voor het laatst samen met Pontiero had gezeten.

'Mag ik misschien weten wat u met hoofdinspecteur Dante hebt uitgehaald?'

Paola en Fowler wierpen elkaar een snelle blik toe en schudden toen gelijktijdig hun hoofd.

'Helemaal niets.'

'Gelukkig. Ik mag hopen dat hij niet liep te stampvoeten van woede omdat u hem problemen hebt bezorgd. Ik hoop dat hij zo uit zijn hum was over dat gelazer van aanstaande zondag, want ik zit er niet op te wachten dat Cirin of de minister van Binnenlandse Zaken me op het matje roept.'

'U hoeft zich geen zorgen te maken. Dante is een volwaardig lid van het team,' loog Paola.

'Gek dat ik dat niet geloof, hè? Vannacht had u weinig goeds over die vent te melden, Dicanti. Kunt u me misschien vertellen waar Dante uithangt?'

Paola zweeg. Ze kon Boi niets vertellen over de problemen binnen het team. Ze deed net haar mond open om iets te zeggen toen een bekende stem het van haar overnam.

'Ik was even sigaretten gaan halen, meneer Boi.'

In de deuropening van de vergaderzaal stond Dante, compleet met zijn eeuwige leren jasje en ironische grijns. Boi nam hem met een ongelovig gezicht van top tot teen op.

'Dat is een afschuwelijke gewoonte, Dante.'

'We moeten toch ergens aan doodgaan?'

Paola bleef Dante strak aankijken terwijl hij naast Fowler plaatsnam alsof er geen vuiltje aan de lucht was. Eén enkele blik tussen de beide mannen was echter voldoende om haar te laten zien dat het niet zo goed ging als ze wilden laten geloven. Als het hun lukte een paar dagen beleefd tegen elkaar te zijn, zou het zich misschien vanzelf oplossen. Ze begreep alleen niet hoe haar collega uit het Vaticaan erin was geslaagd zijn woede zo snel te laten varen. Er moest iets gebeurd zijn.

'Goed,' zei Boi. 'Deze verdomde zaak wordt elke minuut gecompliceerder. Gisteren is op klaarlichte dag een van onze beste politieagenten in het harnas gestorven, een man die ik al jaren kende, en niemand weet dat hij in de ijskast is beland. We kunnen hem niet eens een officiële begrafenis geven, want we mogen de doodsoorzaak niet vrijgeven. Ik wil dat we onze krachten bundelen. Vertel me wat u weet, Dicanti.'

'Vanaf welk moment?'

'Vanaf het begin. Een beknopte samenvatting van de zaak.'

Paola stond op en liep naar het bord. Ze kon beter nadenken als ze stond en iets in haar handen had.

'Oké: Viktor Karoski, een priester met een achtergrond van seksueel misbruik, is ontsnapt uit een licht beveiligde privé-instelling waar hij is blootgesteld aan overdoses van een farmaceutisch product dat een chemische castratie teweeg heeft gebracht en zijn agressie heeft verhoogd. Tussen juni 2000 en eind 2001 zijn er geen gegevens over zijn handel en wandel. In 2001 neemt hij onrechtmatig en onder een valse naam de plaats in van een ongeschoeide karmeliet in de kerk Santa Maria in Traspontina, op enkele meters van het Sint-Pietersplein.'

Paola trok enkele lijnen op het bord om een kalender te improviseren.

'Vrijdag 1 april, vierentwintig uur voor de dood van Johannes Paulus II: Karoski ontvoert de Italiaanse kardinaal Enrico Portini uit residentie Madri Pie. Zijn er bloedsporen van de twee kardinalen aangetroffen in de crypte?' Boi knikte bevestigend. 'Karoski neemt Portini mee naar de Santa Maria, martelt hem en brengt hem terug naar de laatste plek waar hij levend is gezien: de kapel van de residentie. Zaterdag 2 april: het stoffelijk overschot van Portini wordt op de avond van het overlijden van de paus gevonden, maar de Vigilanza Vaticana besluit alle sporen "uit te wissen", in de veronderstelling dat dit een op zichzelf staande actie van een gek is geweest. Het is puur geluk dat de zaak niet uitlekt, in hoge mate dankzij de leiding van de residentie. Zondag 3 april: de Argentijnse kardinaal Emilio Robayra arriveert in Rome met een vliegticket enkele reis. We denken dat hij op het vliegveld of ergens onderweg naar het patershuis Santi Ambrogio door iemand is onderschept, want hij zou daar de nacht doorbrengen, maar is er nooit aangekomen. Is er iets gevonden op de videobanden van de camera's op het vliegveld?'

'Dat is niet gecheckt. We zitten met een personeelstekort,' verexcuseerde Boi zich.

'We hebben mensen genoeg.'

'Ik kan er niet nog meer rechercheurs in betrekken. Het is van het grootste belang de zaak stil te houden, op uitdrukkelijke wens van de Heilige Stoel. We moeten het binnenskamers houden, Paola. Ik zal de banden persoonlijk opvragen.'

Dicanti trok een geërgerd gezicht, maar ze had geen ander antwoord verwacht.

'We gaan door. Zondag 3 april: Karoski ontvoert Robayra en brengt hem naar de crypte. Hij martelt hem gedurende een hele dag en laat zelfs boodschappen achter op zijn lichaam en de plaats delict. De boodschap op het lichaam luidt: "MT 16, Undeviginti". Dankzij pater Fowler weten we dat de boodschap verwijst naar een zin uit het evangelie: "En ik zal u geven de sleutelen van het Koninkrijk der hemelen", dat verwijst naar het moment waarop de eerste Pontifex Maximus van de katholieke kerk werd gekozen. Dat, de boodschap die met bloed op de vloer geschreven staat en de ernstige verminkingen van het stoffelijk overschot doen vermoeden dat de moordenaar het op het conclaaf heeft gemunt. Dinsdag 5 april: de verdachte brengt het lichaam over naar een van de kapellen in de kerk en belt vervolgens kalmpjes de politie in zijn rol van broeder Francesco Toma. Om de spot verder op te drijven draagt hij vanaf dat moment de bril van het tweede slachtoffer, kardinaal Robayra. De politie belt de UACV en directeur Boi belt Camilo Cirin.'

Paola staakte haar betoog en keek directeur Boi recht in de ogen.

'Op het moment dat u hem belt, kent Cirin de naam van de moordenaar al, hoewel hij niet kan vermoeden dat het hier een seriemoordenaar betreft. Ik heb er lang over nagedacht en ik denk dat de naam van Portini's moordenaar Cirin zondagavond al bekend was. Het is zeer aannemelijk dat hij toegang heeft tot de database van het VICAP en als je "afgehakte handen" invoert, krijg je maar enkele hits. Vervolgens hoest zijn invloedrijke netwerk de naam van majoor Fowler op, die op de avond van 5 april arriveert. Ik vermoed dat het oorspronkelijke plan was ons erbuiten te houden, directeur Boi. Karoski is degene die ons er willens en wetens in betrokken heeft. Daarom is hij een van de grootste vraagtekens in deze zaak.'

Paola trok nog een lijn op het bord.

'Woensdag 6 april: terwijl Dante, Fowler en ik in het Vaticaan trachten meer gegevens over de slachtoffers te verzamelen, slaat Karoski onderinspecteur Maurizio Pontiero dood in de crypte van Santa Maria in Traspontina.'

'Zijn we in het bezit van het moordwapen?' informeerde Dante.

'Er staan geen vingerafdrukken op, maar we hebben het wel,' antwoordde Boi. 'Karoski heeft hem diverse snijwonden toegebracht met iets wat een vlijmscherp keukenmes kan zijn geweest en hem herhaaldelijk op het hoofd geslagen met een kandelaar, het voorwerp dat we hebben aangetroffen op de plaats delict. Ik verwacht overigens weinig van het onderzoek naar het moordwapen.'

'Hoezo?'

'Dat voert ons te ver van onze normale methoden, Dante. Wij houden ons bezig met vaststellen wie de dader is. Normaal gesproken eindigt onze taak op het moment dat we weten wie de dader is. In dit geval moeten we onze kennis inzetten om te bepalen wáár de dader zit. Daarom is het werk van de dottoressa belangrijker dan ooit.'

'Ik wil dit moment aangrijpen om de dottoressa te feliciteren. Ze is een briljante chronologe,' merkte Fowler op.

'Topklasse,' spotte Dante.

Paola voelde de weerstand achter zijn opmerking, maar besloot dit onderwerp voorlopig te negeren.

'Een uitstekende samenvatting, Dicanti,' prees Boi. 'Wat is de volgende stap? Bent u Karoski's hoofd al binnengedrongen? Hebt u verbanden ontdekt?'

De criminologe dacht even na voordat ze antwoord gaf.

'Alle mensen lijken op elkaar als ze bij hun volle verstand zijn, maar iedere gestoorde klootzak is op zijn eigen manier gestoord.'

'Wat wilt u daarmee zeggen, dottoressa, behalve dat u Tolstoi hebt gelezen?'[1] informeerde Boi.

'Dat het een vergissing zou zijn als we ervan uit zouden gaan dat de ene seriemoordenaar vergelijkbaar is met de andere. Je kunt op zoek gaan naar een houvast, naar verbanden, conclusies trekken uit vergelijkbare waarden, maar als het uur van de waarheid aanbreekt, is ieder van die zwijnen een solitair opererend brein dat duizenden lichtjaren van de rest van de mensheid af staat. Het is leeg. Deze lieden zijn niet menselijk. Ze kennen geen empathie. Ze zijn gevoelloos. Datgene wat hen aanzet tot doden, wat hun doet geloven dat zij en hun egoïsme boven iedere mens verheven zijn, de redenen waarmee ze hun onredelijkheid goedpraten, dat alles heeft voor mij geen waarde. Ik wil hem niet beter begrijpen dan strikt noodzakelijk is om hem op te pakken.'

'Daarom moeten we weten wat de volgende stap is.'

'Hij zal uiteraard nog een moord plegen. Hij neemt waarschijnlijk opnieuw een andere identiteit aan, misschien had hij er al een klaarliggen. De nieuwe persoonlijkheid kan echter nooit zo goed uitgewerkt zijn als die van broeder Francesco, waar hij jaren aan heeft kunnen schaven. Misschien kan pater Fowler ons op dit punt een eindje op weg helpen.'

De priester schudde met een zorgelijke blik zijn hoofd.

'Alles wat ik weet, staat in het dossier dat ik u heb gegeven, dottoressa. Ik wil u echter wel iets laten zien.'

---

1 Directeur Boi begrijpt dat Dicanti verwijst naar het begin van *Anna Karenina* van Tolstoi: 'Alle gelukkige gezinnen lijken op elkaar, elk ongelukkig gezin is op haar eigen manier ongelukkig.'

Op een bijzettafeltje stonden een karaf water en enkele glazen. Fowler vulde een van de glazen tot de helft met water en zette er vervolgens een vulpen in.
'Het kost me de grootste moeite om zijn gedachtegang te volgen. Kijk goed naar dat glas. Het is helder als water, maar als ik er een pen in zet, waarvan we weten dat hij kaarsrecht is, ziet hij eruit alsof hij geknakt is. Op dezelfde manier verandert Karoski's gedragspatroon op fundamentele punten, als een rechte lijn die onderbroken wordt en op een onbekende plaats eindigt.'
'Het breekpunt is de sleutel.'
'Kan zijn. Ik benijd u niet, dottoressa. Karoski is een man die het ene moment een afschuw heeft van elk onrecht, om het volgende moment anderen het grootst mogelijke onrecht aan te doen. Van één ding ben ik echter overtuigd: we moeten hem zoeken in de buurt van de kardinalen. Hij zal opnieuw een poging tot moord doen en daar zal hij niet lang mee wachten. Het conclaaf nadert met rasse schreden.'

Ze keerden ietwat verslagen terug naar Angelo's computerdomein. De jonge informaticus stelde zich aan Dante voor, die hem amper een blik waardig keurde. Paola kon haar ergernis over die grove bejegening nauwelijks onderdrukken. Aantrekkelijk of niet, het was een akelige man. Zijn bittere humor liet niets te raden over, met als gevolg dat dat het beste was wat de hoofdinspecteur te bieden had.
Angelo zat al op hen te wachten met het beloofde resultaat. Hij drukte hier en daar wat toetsen in tot er op de twee schermen voor hem driedimensionale afbeeldingen tevoorschijn kwamen, samengesteld uit smalle, groene lijnen tegen een zwarte achtergrond.
'Kun je ze ook van huid voorzien?'
'Jazeker, komt eraan. Rudimentair, maar huid en niets anders.'
Op het linkerscherm verscheen een driedimensionale afbeelding van het hoofd van Karoski, afgeleid van de foto uit 1995. Op het rechterscherm was de bovenste helft van zijn gezicht te zien, zoals hij zich had vertoond in de Santa Maria in Traspontina.
'Ik heb de onderste gezichtshelft niet bewerkt, vanwege de baard. Ook de ogen waren niet duidelijk te zien. Op de foto die u me hebt gegeven, liep hij met gebogen schouders.'
'Kunt u de kaak van het eerste model kopiëren en op het huidige model plakken?'
Angelo bewoog zijn vingers razendsnel over het toetsenbord en binnen twee minuten had hij gedaan wat Fowler hem vroeg.
'Angelo, in hoeverre is dit tweede model volgens u betrouwbaar?' informeerde de priester.
De jonge informaticus voelde zich zichtbaar opgelaten.
'Tja, kijk... Niet dat ik een oordeel wil vellen over de belichting ter plaatse...'
'Uitgesloten, Angelo. Daar hebben we het al over gehad,' interrumpeerde Boi.
Paola trachtte de jongen gerust te stellen. 'Hoor eens, Angelo. Je hebt een ge-

weldig model tevoorschijn geroepen. Het gaat ons er alleen om in hoeverre we ons erop kunnen verlaten.'

'Tja... tussen de vijfenzeventig en de vijfentachtig procent, meer niet.'

Fowler hield zijn blik aandachtig op het scherm gevestigd. De twee gezichten waren totaal verschillend. Veel te verschillend. De neus was breder, de jukbeenderen scherper. Maar waren dat de natuurlijke trekken van het personage of was het make-up?

'Angelo, zou u beide beelden horizontaal kunnen leggen om de wangen op te meten, alstublieft? Zo ja, dank u. Precies waar ik bang voor was.'

De andere vier keken hem afwachtend aan.

'Wat is er, pater? Zeg het nou, verdorie.'

'Dat is niet het gezicht van Viktor Karoski. Dergelijke verschillen in lengte en breedte zijn niet na te maken door een amateur. Wie weet krijgt een visagist uit Hollywood dat voor elkaar met flink wat latex, maar zelfs dan zou het duidelijk zichtbaar zijn geweest voor iedereen die met hem te maken had. Dan had hij die farce nooit zo lang vol kunnen houden.'

'En dus?'

'Ik kan het maar op één manier verklaren. Karoski is bij een plastisch chirurg geweest en heeft zich een nieuw gezicht laten aanmeten. Nu zijn we werkelijk op zoek naar een fantoom.'

INSTITUUT SAINT MATTHEW
Silver Spring, Maryland

Mei 1998

Rapport: Onderhoud nummer 14 tussen patiënt nummer 3643 en doctor Fowler.

Dr. Fowler	Hallo, pater Karoski. Mag ik binnenkomen?
#3643	Komt u verder, pater Fowler.
Dr. Fowler	Wat vond u van het boek dat ik u heb geleend? Vond u het mooi?
#3643	Ach, natuurlijk. *De belijdenissen* van de heilige Augustinus. Ik heb het net uit. Zeer interessant. Het is ongelooflijk waartoe het optimisme van de mens kan leiden.
Dr. Fowler	Dat begrijp ik niet, pater.
#3643	U bent juist de enige hier die me zou kunnen begrijpen, pater Fowler. De enige die me niet bij de voornaam noemt en mij onnodig vulgair en familiair bejegent, waarmee de waardigheid van beide gesprekspartners door het slijk wordt gehaald.
Dr. Fowler	U doelt op pater Conroy.
#3643	Ach, die man. Hij houdt bij hoog en bij laag vol dat ik een normale patiënt ben die genezing behoeft. Ik ben priester, net als hij, maar hij wuift onze gelijkwaardigheid weg en staat erop dat ik hem aanspreek met 'doctor'.
Dr. Fowler	Ik dacht dat deze kwestie vorige week al was opgelost, pater Karoski. Het is goed dat de relatie tussen u en Conroy zich beperkt tot die van arts en patiënt. U hebt hulp nodig om enkele deficiënties in uw mishandelde psyche te corrigeren.
#3643	Mishandeld? Mishandeld door wie? Wilt u soms ook mijn liefde voor mijn dierbare moeder op de proef stellen? Ik smeek u niet dezelfde weg te bewandelen als pater Conroy. Hij beweert zelfs dat hij me banden zal laten horen die al mijn twijfels wegnemen.
Dr. Fowler	Banden?
#3643	Dat zei hij.
Dr. Fowler	Ik denk niet dat het goed is als u die banden beluistert, pater Karoski. Dat lijkt me niet heilzaam. Ik zal het met pater Conroy bespreken.

#3643	Wat u wilt. Ik ben er niet bang voor.
Dr. Fowler	Pater, ik wil deze sessie graag maximaal benutten en u hebt zojuist iets gezegd wat me intrigeert. U noemde het optimisme van Augustinus in *De belijdenissen*. Wat bedoelde u daarmee?
#3643	'Hoewel ik in uw ogen wellicht lachwekkend schijn, zult u vol erbarmen bij mij terugkeren.'
Dr. Fowler	Ik begrijp niet goed wat u zo optimistisch vindt aan dit citaat. Gelooft u dan niet in de oneindige goedheid en het erbarmen van God?
#3643	De oneindige goedheid van God is een verzinsel van de twintigste eeuw, pater Fowler.
Dr. Fowler	Augustinus leefde in de vierde eeuw.
#3643	Sint-Augustinus was vol afschuw over zijn eigen zondige verleden en zette zich aan het schrijven van een lange reeks optimistische leugens.
Dr. Fowler	Maar pater, dat is de grondslag van ons geloof. De vergiffenis van God.
#3643	Niet altijd. Niet voor degenen die elke zaterdag komen biechten, net zoals ze elke zaterdag hun auto wassen. Bah! Daar kots ik van.
Dr. Fowler	Is dat wat u voelt als u de biecht afneemt — weerzin?
#3643	Walging. Ik heb er vaak van moeten overgeven in de biechtstoel, zo misselijk werd ik van degene aan de andere kant van het traliewerk. De leugens. De ontucht. Het overspel. De pornografie. Het geweld. De diefstal. Al die mensen die met hun vunzigheid dat kleine hokje binnenkomen. En al die smerigheid werpen ze mij toe, smijten ze over míj heen!
Dr. Fowler	Maar pater, ze vertellen het toch niet aan ons? Ze vertellen het aan God. Wij fungeren slechts als tussenpersoon. Zodra we de stool omdoen, veranderen we in Christus.
#3643	Ze laten alles los. Ze komen smerig binnen en denken schoon naar buiten te gaan. 'Zegen mij, vader, want ik heb gezondigd. Ik heb tienduizend dollar van mijn zakenpartner gestolen.' 'Zegen mij vader, want ik heb gezondigd. Ik heb mijn kleine zusje verkracht.' 'Zegen mij vader, want ik heb gezondigd. Ik heb bleekwater door het eten van mijn man gedaan, want ik heb geen zin meer het bed met hem te delen omdat ik zijn uien- en zweetlucht beu ben.' Zo gaat het maar door, dag in dag uit.
Dr. Fowler	Toch kan de biecht wonderbaarlijk zijn, wanneer er sprake is van oprechte spijt en een diepe wens het leven te beteren.
#3643	Dat komt nooit voor. Ze leggen voortdurend al hun zonden op mijn schouders. Dan gaan ze weg en laten me alleen ach-

	ter, voor het ondoorgrondelijke aanschijn van God. Ik ben de enige die tussen hun onrechtmatigheden en de wraak van de Almachtige in staat.
Dr. Fowler	Ziet u God dan werkelijk als een wraakzuchtig wezen?
#3643	'Zijn hart is hard als een rots en hard als de onderste maalsteen. Komt hij overeind, dan deinzen stortzeeën terug en wijken brekers. Geen tegen hem getrokken zwaard houdt stand, geen speer, geen lans, geen pijl. Op al wat hoog is kijkt hij neer, Want hij is de koning van alle trotse dieren.'
Dr. Fowler	Ik moet toegeven, pater Karoski dat uw kennis van de Bijbel en in het bijzonder van het Oude Testament mij verbaast. Maar het Boek Job valt weg tegen de waarheid in het Evangelie van Jezus Christus.
#3643	Jezus Christus is slechts de Zoon, maar het is de Vader die het Oordeel velt. De Vader heeft een gezicht van steen.
Dr. Fowler	Het spijt me dat u zo hoog in de toren van uw eigen overtuigingen bent geklommen, pater Karoski. Vanaf die plek kan uw val niet anders dan dodelijk aflopen. En als u de banden van pater Conroy beluistert, zal de val onvermijdelijk zijn.

Donderdag 7 april 2005. 14.25 uur

'Residentie Santo Ambrogio.'
'Goedemiddag. Ik zou graag kardinaal Robayra willen spreken,' verzocht de jonge verslaggeefster in bedroevend Italiaans.
Degene aan de andere kant hield hoorbaar zijn adem in.
'Mag ik vragen met wie ik spreek?'
Het was niet veel, het scheelde hooguit een octaaf. Dat was echter voldoende om de verslaggeefster op scherp te zetten.
Andrea Otero werkte sinds vier jaar voor *El Globo*. Vier jaar waarin ze derdeklas perszaaltjes had afgedraafd, derdeklas mensen had geïnterviewd en derdeklas persberichten had geschreven. Ze was vijfentwintig toen ze via een kruiwagen aan haar baantje bij deze krant was gekomen. Ze was begonnen op Cultuur, waar de redacteur haar geen seconde serieus had genomen. Ze stapte over naar Society, waar de redacteur geen enkel vertrouwen in haar stelde. Nu zat ze bij Buitenland, waar de redacteur vond dat ze te weinig in haar mars had. Maar dat had ze wel. Het ging heus niet alleen om hoge cijfers of een goed cv. Het ging vooral om gezond verstand, intuïtie en een goede neus voor nieuws. En als Andrea Otero maar tien procent van die kwaliteiten bezat die ze zelf dacht te hebben, was ze een verslaggeefster die de Pulitzerprijs verdiende. Aan zelfvertrouwen ontbrak het haar niet, met haar een meter zeventig, haar engelengezichtje, bruine haar en blauwe ogen. Daarachter ging een intelligente vrouw schuil, een doorzetster. Dus toen de collega die het overlijden van de paus moest verslaan onderweg naar het vliegveld betrokken raakte bij een verkeersongeval en beide benen brak, greep Andrea het aarzelende voorstel van haar chef om haar te vervangen met beide handen aan. Ze haalde het vliegtuig op het nippertje, met haar laptop als enige bagage.
Gelukkig waren er vlak bij de Piazza Navona, op dertig meter van haar hotel, genoeg leuke boetieks, waar Andrea Otero enkele praktische outfits, wat ondergoed en een mobiele telefoon kocht, alles op kosten van de krant, natuurlijk. Met dat mobieltje had ze zojuist residentie Santo Ambrogio gebeld, om een interview te regelen met kardinaal Robayra, een van de kanshebbers op de troon. Maar...
'U spreekt met Andrea Otero van *El Globo*. De kardinaal heeft me een interview beloofd. Dat zou vandaag, donderdag, plaatsvinden, maar hij beantwoordt zijn mobiele telefoon niet. Kunt u me misschien doorverbinden met zijn kamer, alstublieft?'

'Mevrouw Otero, het spijt me, maar dat zal niet gaan. Kardinaal Robayra is nog niet gearriveerd.'
'Wanneer verwacht u hem?'
'Tja, ik weet niet zeker of hij nog komt.'
'Bedoelt u dat hij helemaal niet komt?'
'Ik vrees van niet, mevrouw.'
'Logeert hij misschien ergens anders?'
'Nee. Of ja, misschien ook wel.'
'Met wie spreek ik?'
'Ik moet ophangen.'
En toen de zoemtoon. De verbinding was verbroken. Maar Andrea wist genoeg. Degene die ze gesproken had, was uiterst nerveus geweest. En had gelogen. Ze was zelf een te gepatenteerde leugenaarster om dat niet te herkennen.
Er was geen tijd te verliezen. Binnen tien minuten had ze het telefoonnummer achterhaald van het kantoor van de kardinaal in Buenos Aires. Het zou daar ongeveer kwart voor tien in de ochtend zijn, een christelijk tijdstip om te bellen. Ze verkneuterde zich bij voorbaat over de telefoonrekening die de krant tegemoet kon zien. Met dat schijntje aan salaris dat zij ontving, konden ze mooi voor de kosten opdraaien.
De telefoon bleef een paar minuten overgaan en vervolgens werd de verbinding verbroken.
Wat gek dat er niemand was. Ze probeerde het nog een keer.
Niets.
Dan het centrale nummer maar. Nu werd er meteen opgenomen en klonk er een vrouwenstem:
'Aartsbisdom, goedemorgen.'
'Kunt u mij doorverbinden met kardinaal Robayra, alstublieft?' vroeg ze in het Spaans.
'Helaas, mevrouw, hij is niet aanwezig.'
'Waar kan ik hem bereiken?'
'Hij is naar het conclaaf, mevrouw. In Rome.'
'Weet u misschien waar hij logeert?'
'Nee, mevrouw. Maar ik zal u doorverbinden met zijn secretaris, pater Serafín.'
'Dank u wel.'
Muziek van de Beatles terwijl ze in de wacht werd gezet. Wat toepasselijk. Andrea besloot voor de verandering eens te liegen. De kardinaal had familie in Spanje. Eens zien of ze er intrapten.
'Hallo?'
'Goedemorgen. Ik zou graag de kardinaal willen spreken. U spreekt met zijn nichtje, Asunción. Uit Spanje.'
'Asunción, aangenaam. U spreekt met pater Serafín, de secretaris van de kardinaal. Zijne eminentie heeft nooit over u gesproken. Bent u de dochter van Angustias of van Remedios?'
Dat klonk als een valstrik. Andrea hield haar vingers gekruist. Vijftig procent

kans om door de mand te vallen. Andrea was ook kampioen miskleunen. Haar lijst van blunders was langer dan haar eigen benen, die trouwens best mooi waren.

'Van Remedios.'

'Ach, natuurlijk, als ik me wel herinner, heeft Angustias geen kinderen. Helaas, Asunción, de kardinaal is niet aanwezig.'

'Wanneer denkt u dat ik hem kan spreken?'

Er viel een stilte. Andrea kon zich levendig voorstellen hoe hij aan de andere kant van de lijn de hoorn in zijn hand geklemd hield en de telefoondraad om zijn wijsvinger draaide. De stem van de priester klonk plotseling argwanend.

'Waarover wilt u hem spreken?'

'Ik woon al jaren in Rome en hij heeft beloofd dat hij me zou komen opzoeken als hij naar Rome kwam.'

De priester klonk steeds behoedzamer. Hij sprak uiterst langzaam, alsof hij bang was zich te verspreken.

'Hij is naar Córdoba om enkele belangrijke zaken af te handelen, waardoor hij niet aan het conclaaf kan deelnemen.'

'Maar bij de centrale zeiden ze dat de kardinaal was afgereisd naar Rome!'

Pater Serafin gaf net iets te haastig antwoord en loog dat hij zwart zag: 'Ach ja, er zit een nieuw meisje bij de receptie, ze weet nog niet precies wat er allemaal gaande is in het aartsbisdom. Neemt u het ons niet kwalijk.'

'Dat kan gebeuren. Wilt u mijn oom zeggen dat ik heb gebeld?'

'Natuurlijk. Als u wilt kunt u uw telefoonnummer bij mij achterlaten, Asunción, dan noteer ik het in de agenda van de kardinaal voor het geval we contact met u willen opnemen...'

'Dat is niet nodig, hij heeft mijn nummer. Neem me niet kwalijk, ik krijg een wisselgesprek van mijn man. Dank u voor de moeite.'

Ze hing zonder pardon op. Nu wist ze zeker dat er iets niet in de haak was. Ze moest het alleen nog bewijzen. Gelukkig had het hotel een internetverbinding. Het kostte haar nog geen vijf minuten om de nummers van de drie grootste Argentijnse luchtvaartmaatschappijen op te zoeken. Het was meteen bij de eerste raak.

'Aerolíneas Argentinas.'

Ze deed haar best haar Madrileense accent te veranderen in een Argentijnse tongval en dat ging haar redelijk af. Beter dan haar Italiaans, in elk geval.

'Goedemorgen, ik bel namens het aartsbisdom. Met wie spreek ik?'

'Met Verona.'

'Goedemorgen Verona, u spreekt met Asunción. Ik bel even om de retourvlucht van kardinaal Robayra te bevestigen.'

'Op welke datum?'

'De 19e van de komende maand.'

'Op welke naam?'

'Emilio Robayra.'

'Momentje, ik kijk het na.'

Andrea kauwde gespannen op een balpen, keek in de spiegel of haar haar wel goed zat, plofte op het bed en wiebelde zenuwachtig met haar tenen.

'Hallo? Ik hoor net van mijn collega dat u alleen een open vliegticket enkele reis hebt gekocht. De kardinaal is al afgereisd, maar we hebben deze maand een actie waarmee u het retourbiljet met tien procent korting kunt aankopen. Hebt u het *frequent flyer*-nummer bij de hand?'

'Momentje, ik zoek het op.'

Giechelend hing ze op. Haar hilariteit maakte echter al snel plaats voor een euforisch gevoel van triomf. Kardinaal Robayra was op een vliegtuig gestapt met bestemming Rome. Hij was echter niet te vinden. Misschien had hij besloten een ander hotel te nemen. Maar als dat zo was, waarom zouden ze daar dan over liegen, zowel bij de residentie als op het kantoor van de kardinaal?

'Of ik ben gek, of er zit een goed verhaal in. Een dijk van een verhaal,' knikte ze tegen haar spiegelbeeld.

Over een paar dagen zouden ze beslissen wie er op de troon van Petrus kwam te zitten. En de grote kandidaat van de Kerk die zich inzette voor de armen, de voorvechter van rechten voor de derdewereldlanden, de man die ongegeneerd koketteerde met de Theologie van de Bevrijding,[1]

---

1 Een stroming die verkondigt dat Jezus Christus een symbool van de mensheid was in de klassenstrijd en de bevrijding van de 'onderdrukkers'. Ondanks de goede gedachte achter het idee, waarin immers de zwakkeren in bescherming worden genomen, werd de stroming in de jaren tachtig door de Kerk afgewezen als een marxistische interpretatie van de Heilige Schrift.

Donderdag 7 april 2005, 16.14 uur

Voordat ze het gebouw binnenging, wierp Paola een verbaasde blik op de rijen wachtende auto's voor het benzinestation aan de overkant. Dante legde uit dat de benzine hier dertig procent goedkoper was dan in Italië, aangezien het Vaticaan geen belastingen heft. Je moest in het bezit zijn van een speciale kaart om bij een van de zeven benzinestations in de stad te kunnen tanken, maar toch stonden er altijd lange rijen voor. De Zwitserse gardist die de wacht hield voor de poort van de Domus Sancta Marthae verzocht hun buiten te wachten en stuurde iemand naar binnen om hun komst aan te kondigen, wat Paola de tijd gaf om de gebeurtenissen van die ochtend te overdenken. Nog geen twee uur daarvoor had ze Dante apart genomen op de gang van de UACV, zodra Boi naar zijn eigen kantoor was vertrokken.

'Hoofdinspecteur, kan ik u even spreken?'

Dante vermeed het Paola aan te kijken, maar volgde de criminologe naar haar kantoor.

'Ik weet wat u wilt zeggen, Dicanti. Het is niet anders, we moeten het samen oplossen, is het niet?'

'Daar ben ik me van bewust, ja. Daarbij is het me opgevallen dat u me systematisch aanspreekt met "ispettore" in plaats van met "dottoressa", net als directeur Boi. Dat doet u omdat een ispettore lager in rang is dan een hoofdinspecteur. Uw minderwaardigheidscomplex is voor mij van geen enkel belang, zolang het niet botst met mijn capaciteiten. Dat geldt eveneens voor die scène van vanmorgen met die foto's.'

Het bloed steeg Dante naar de wangen.

'Ik wilde u alleen maar op de hoogte brengen. Het was niet persoonlijk bedoeld.'

'Wilde u me waarschuwen voor Fowler? Heel goed, dat hebt u gedaan. Ben ik duidelijk geweest of hebt u verdere uitleg nodig?'

'U bent duidelijk genoeg geweest, ispettore,' zei hij op een treiterig toontje, terwijl hij over zijn wangen wreef. Mijn vullingen zijn er verdomme uit gesprongen. Ik snap niet dat u uw hand niet hebt gebroken.'

'Ik ook niet. U hebt kennelijk een kop van beton, Dante.'

'Ik ben in meerdere opzichten hard als staal.'

'Ik ben niet geïnteresseerd in verdere ontboezemingen, Dante. Ik hoop dat ook dat duidelijk is.'

'Is dat het nee van een vrouw, ispettore?'

Paola kreeg de kriebels van die vent.

'Wat bedoelt u met het nee van een vrouw?'

'Dat spel je als volgt: J-A.'

'Mijn nee spel je als N-E-E, eikel van een macho.'

'Rustig nou maar, je hoeft je niet zo op te winden, snoes.'

De criminologe vervloekte zichzelf inwendig. Dante stuurde erop aan dat ze haar geduld verloor en ze liep met open ogen in de val. Over en uit nu. Ze zou hem beleefd en afstandelijk haar minachting laten blijken. Ze besloot Boi te imiteren; dit soort confrontaties ging hem altijd gemakkelijk af.

'Goed. Nu dat is opgelost, wil ik u zeggen dat ik onze Amerikaanse vriend, pater Fowler, uitgebreid heb gesproken. Ik heb hem deelgenoot gemaakt van mijn twijfels omtrent zijn verleden, waarop pater Fowler mij overtuigende argumenten heeft overlegd die naar mijn mening voldoende zijn om hem te kunnen vertrouwen. Ik wil u danken voor de moeite die u hebt genomen de nodige informatie over pater Fowler op te vragen. Dat was zeer attent van u.'

Dante had niet terug van Paola's ijskoude arrogantie en accepteerde zwijgend dat hij deze ronde verloren had.

'Als hoofd van het onderzoeksteam zie ik het als mijn plicht u officieel te vragen of u bereid bent ons uw volledige steun te verlenen in onze klopjacht op Viktor Karoski.'

'Uiteraard, ispettore.' Dante kloof zijn woorden tot op het bot af.

'Dan rest me alleen nog de vraag waarom u zo snel bent teruggekomen.'

'Ik heb mijn superieuren gebeld om me te beklagen, maar ze gaven me geen keus. Ik heb opdracht gekregen eventuele persoonlijke meningsverschillen opzij te zetten.'

Die laatste zin knoopte Paola goed in haar oren. Fowler had ontkend dat Dante iets tegen hem had, maar uit de woorden van de hoofdinspecteur bleek het tegenovergestelde. Het was de criminologe al een paar keer opgevallen dat ze reageerden alsof ze elkaar kenden, hoewel ze tot dusver deden alsof dat niet het geval was.

'Hebt u pater Anthony Fowler eerder ontmoet?'

'Nee, ispettore,' antwoordde Dante ferm.

Paola besloot het hierbij te laten. Vlak voordat hij haar kantoor verliet, draaide Dante zich om en wierp haar drie zinnen voor de voeten die haar enorme voldoening schonken.

'Nog één ding, ispettore. Als u nogmaals de behoefte voelt mij tot de orde te roepen, geef ik de voorkeur aan een klap in mijn gezicht. Ik ben geen man voor formaliteiten.'

Paola verzocht Dante of ze persoonlijk een kijkje kon nemen in het gebouw waar de kardinalen tijdens het conclaaf werden ondergebracht. En daar stonden ze dan, in de Domus Sancta Marthae, oftewel Huize Santa Marta. Het lag aan de westzijde van de Sint-Pietersbasiliek, net binnen de muren van het Vaticaan. Vanbuiten oogde het gebouw sober. Strakke, elegante lijnen, zonder lijstwerk, versieringen of beelden. In vergelijking met de pracht en praal in de omgeving viel de Domus net zomin op als een golfbal in een emmer sneeuw. Een willekeurige toerist (in deze zone van het Vaticaan kwamen ze nauwelijks, de toegang was strikt beperkt) zou het geen tweede blik waardig keuren.

Toen ze echter toestemming kregen het gebouw te betreden en de Zwitserse Gardist de deuren voor hen opende, bleek het gebouw vanbinnen heel anders te zijn dan de buitenkant beloofde. Het zag eruit als een gloednieuw vijfsterrenhotel, met marmeren vloeren en hardhouten kozijnen. Er hing een lichte lavendelgeur. Terwijl ze in de ruime hal stonden te wachten, gaf de criminologe haar ogen goed de kost. Er hingen schilderijen aan de muren waarin Paola grote Hollandse en Italiaanse meesters uit de zestiende eeuw meende te herkennen. Ze zagen er niet uit als reproducties.

'Allemachtig!' verbaasde Paola zich, die haar uiterste best deed haar grove taalgebruik ietwat in te perken. Dat lukte alleen als ze kalm was.

'Ik ken het effect,' zei Fowler nadenkend.

Paola herinnerde zich dat Fowler ooit onder akelige persoonlijke omstandigheden zijn intrek in de Domus had genomen.

'Het is heel anders dan de andere gebouwen in het Vaticaan – de gebouwen die ík ken, althans. Oud in een gloednieuw jasje.'

'Kent u het verhaal van deze residentie, dottoressa? Zoals u weet, zijn er in 1978 twee conclaven geweest, met nog geen twee maanden ertussen.'

'Ik was toen heel jong, maar ik heb nog wel wat herinneringen aan die periode.' Paola keerde in gedachten terug naar het verleden.

Een ijsje op het Sint-Pietersplein. Papa en mama citroen, Paola chocola en aardbei. De bedevaartgangers zingen, er hangt een vrolijke sfeer. Papa's hand, sterk en ruw. Ik vind het heerlijk hem bij de hand te houden en rond te lopen tot de avond valt. We kijken omhoog naar de schoorsteen en zien de witte rook opstijgen. Papa tilt me lachend hoog boven zijn hoofd, zijn lach is het mooiste geluid van de wereld. Mijn ijsje is gevallen en ik moet huilen, maar papa blijft lachen en belooft me een nieuwe. 'Dat nemen we op de gezondheid van de bisschop van Rome,' zegt hij.

'Er moesten in korte tijd twee pausen gekozen worden, aangezien de opvolger van Paulus VI, Johannes Paulus I, plotseling kwam te overlijden, drieëndertig dagen na zijn benoeming. Er werd een tweede conclaaf uitgeroepen, waarin Johannes Paulus II werd gekozen. In die tijd werden de kardinalen ondergebracht in minuscule monnikencellen rond de Sixtijnse Kapel. Zonder enig comfort of zelfs maar airconditioning beleefden sommigen van hen, geen van allen piepjong natuurlijk, de hel op aarde in die hete Romeinse zomer. Een van hen heeft zelfs eerste hulp nodig gehad. Toen Wojtyla de vissersring eenmaal aan zijn vinger had, nam hij zich voor dat dergelijke spartaanse omstandigheden tegen de tijd dat hij stierf verleden tijd zouden zijn. Dit is het resultaat. Dottoressa, luistert u wel?'

Paola keerde met een schuldbewust gezicht terug uit haar mijmeringen.
'Het spijt me, ik droomde weg. Het zal niet weer gebeuren.'
Op dat moment kwam Dante aangelopen, die vooruit was gegaan om de directrice van de Domus te halen. Paola merkte dat hij de pater ontweek, waarschijnlijk om een openlijke confrontatie te vermijden. Ze deden allebei hun best normaal te doen, maar nu begon Paola zich ernstig af te vragen of Fowler de waarheid had gesproken toen hij zei dat hun rivaliteit toe te schrijven was aan Dantes jaloezie. Hoewel het team als los zand aan elkaar hing, leek het haar voorlopig verstandig het spel mee te spelen en dit probleem te negeren, iets waar Paola nooit erg goed in was geweest.

De hoofdinspecteur kwam terug met een glimlachende, verhitte non, klein van stuk en gehuld in een zwart habijt. Ze stelde zich voor als zuster Helena Tobina, afkomstig uit Polen. De directrice van de residentie deed verslag van de verbouwingswerkzaamheden die het huis had ondergaan. De verbouwing had plaatsgevonden in drie fasen, waarvan de laatste in 2003 was afgerond. Ze bestegen een brede trap met glanzend gewreven treden. De kamers lagen aan weerszijden van brede gangen, voorzien van hoogpolig tapijt.

'Er zijn in totaal honderdzes suites en tweeëntwintig eenpersoonskamers,' vertelde de non op de eerste verdieping. 'Al het meubilair is eeuwenoud en zeer waardevol, met name geschonken door Italiaanse en Duitse families.'

De non opende een van de kamerdeuren. Het was een ruime kamer van zo'n twintig vierkante meter, voorzien van een parketvloer met een fraai vloerkleed erop. Het houten bed had een schitterend bewerkt hoofdeinde. Een ingebouwde kast, een schrijftafel en een badkamer maakten de kamer compleet.

'Deze kamer is bestemd voor een van de zes kardinalen die nog niet zijn gearriveerd. De overige honderdnegen hebben hun kamer inmiddels betrokken,' verklaarde de non.

Paola bedacht dat ten minste twee van de afwezigen lang op zich zouden laten wachten.

'Zijn de kardinalen hier veilig, zuster Helena?' informeerde Paola behoedzaam. Ze wist niet in hoeverre de non op de hoogte was van de gevaren die op de loer lagen voor de Prinsen van de Kerk.

'Zo veilig als maar kan, lieve meid. Het gebouw heeft maar één ingang, die permanent wordt bewaakt door twee leden van de Zwitserse garde. We hebben zowel de telefoons als de televisietoestellen uit de kamers laten verwijderen.'

Deze maatregel verbaasde Paola.

'Tijdens het conclaaf mogen de kardinalen geen contact hebben met de buitenwereld. Geen telefoon, geen radio, geen televisie, geen kranten, geen internet. Geen enkel contact met de buitenwereld, op straffe van excommunicatie,' lichtte Fowler toe. 'Dat heeft Johannes Paulus II voor zijn dood bepaald.'

'Het lijkt me niet gemakkelijk om hen te isoleren, of valt dat mee, Dante?'

De hoofdinspecteur zette een hoge borst op. Hij deed niets liever dan pronken met de enorme risico's waarmee zijn organisatie te kampen had, alsof hij ze persoonlijk oploste.

'Kijk, ispettore, we beschikken over de nieuwste snufjes op het gebied van signaalbeveiliging.'

'Ik ben niet bekend met dat spionagejargon. Kunt u wat specifieker zijn?'

'We beschikken over elektronische apparatuur met twee elektromagnetische velden. Een hier en een in de Sixtijnse Kapel. In de praktijk komt het erop neer dat het twee onzichtbare paraplu's zijn. Onder die paraplu functioneert niet één apparaat dat werkt op signalen van buitenaf. Op afstand bestuurde microfoons en andere spionageapparatuur werken hier niet. Probeer uw mobieltje maar eens.'

Paola keek en zag dat ze inderdaad geen bereik had. Ze liep naar de gang. Niets, geen signaal.

'Hoe gaat het met het eten?'

'Alles wordt hier gekookt, in onze eigen keukens,' antwoordde zuster Helena trots. 'Het personeel bestaat uit tien nonnen, die in ploegen werken en alles doen wat nodig is in de Domus Sancta Marthae. 's Nachts is alleen de receptie bemand, voor eventuele noodgevallen. Niemand mag de Domus binnen, behalve de kardinalen.'

Paola opende haar mond voor haar volgende vraag, maar de woorden bleven in haar keel steken. Een verdieping hoger klonk een ijselijke, onmenselijke kreet.

Donderdag 7 april 2005, 16.31 uur

Het was helemaal niet moeilijk geweest om zijn vertrouwen te winnen en de kamer binnen te komen. Nu had de kardinaal alle tijd om die vergissing te betreuren; zijn spijt stond met grote letters op zijn gezicht te lezen. Karoski trok zijn mes nogmaals over de ontblote borstkas.

'Kalmeer, eminentie. Het duurt niet lang meer.'

Het slachtoffer vocht voor zijn leven, maar zijn bewegingen werden steeds zwakker. De beddensprei was doordrenkt van zijn bloed, dat nu gestaag op het Perzische tapijt druppelde. Zijn krachten namen af, maar hij verloor geen moment het bewustzijn. Hij voelde elke snee, elke klap.

Karoski beëindigde het werk aan zijn borstkas. Met de trots van een kunstenaar bekeek hij wat hij had geschreven. Hij pakte zijn camera en legde het moment met zekere hand vast. Hij moest een souvenir hebben. Spijtig genoeg kon hij hier zijn digitale videocamera niet gebruiken, maar deze wegwerpcamera werkte uitstekend. Hij draaide met zijn duim het fotorolletje door, terwijl hij kardinaal Cardoso spottend toesprak.

'Zeg eens dag tegen het vogeltje, eminentie. O nee, dat gaat niet. Wacht, ik zal de prop uit uw mond verwijderen, ik heb uw tong nodig.'

Karoski grinnikte in zichzelf om zijn macabere grapje. Hij legde de camera weg en liet de kardinaal het mes zien, waarbij hij spottend zijn tong naar hem uitstak. Toen beging hij zijn eerste fout. Hij begon de prop uit de mond te verwijderen. De kardinaal was verlamd van schrik, maar minder verdoofd dan de andere slachtoffers. Hij verzamelde alle krachten die hem restten en stootte een ijselijke gil uit.

Donderdag 7 april 2005, 16.31 uur

Bij het horen van die gil kwam Paola onmiddellijk in actie. Ze gebaarde naar de non dat ze moest blijven waar ze was en vloog met haar pistool in de aanslag met drie treden tegelijk de trap op. Fowler en Dante volgden haar op de hielen en hun benen raakten elkaar bijna in hun haast om zo snel mogelijk boven te zijn. Boven aan de trap bleven ze staan en keken zoekend de lange gang in, waar een groot aantal deuren op uitkwam.

'Welke was het?' vroeg Fowler.

'Verdomme, wist ik het maar. Bij elkaar blijven, jongens,' zei Paola. 'Het kan Karoski zijn, en dat is een levensgevaarlijk sujet.'

Rechts was de lift en Paola koos voor links. Ze meende iets te horen in kamer 56. Ze legde haar oor tegen de deur, maar Dante gaf met een handbeweging te kennen dat ze opzij moest gaan. De forse hoofdinspecteur wierp een blik op Fowler en gezamenlijk zetten ze hun schouders tegen de deur, die moeiteloos openging. De twee politieagenten stormden naar binnen, Dante met zijn pistool naar voren gericht en Dicanti in de achterhoede. Fowler bleef in de deuropening staan, met zijn handen tegen zijn borst.

Op het bed lag een kardinaal. Hij was doodsbleek en verstijfd van angst, maar ongedeerd. Hij keek hen geschrokken aan en stak zijn handen in de lucht.

'Doe me geen kwaad, alstublieft!'

Dante keek om zich heen en liet haar pistool zakken.

'Waar was het?'

'Hiernaast, geloof ik,' wees hij, zonder zijn armen te laten zakken.

Ze stoven de gang weer op. Paola stelde zich naast de deur van kamer 57 op en Dante en Fowler herhaalden hun stormramtruc van daarnet. De eerste keer kwamen hun schouders met een flinke klap tegen de deur aan, maar het slot gaf niet mee. Bij de tweede poging schoot hij onder luid gekraak open.

Op het bed lag een kardinaal. Hij was doodsbleek en zo dood als een pier, maar verder was de kamer leeg. Dante liep in twee passen door naar de badkamer. Hij schudde zijn hoofd. Op dat moment klonk er opnieuw een luide kreet.

'Help! Help!'

Ze renden de kamer uit. Naast de lift aan het eind van de gang lag een kardinaal op de vloer, met zijn soutane in verwarde plooien om hem heen. Ze holden op hem af. Paola was als eerste bij hem en knielde naast hem neer, maar de kardinaal krabbelde alweer op.

'Kardinaal Shaw!' riep Fowler uit toen hij zijn landgenoot herkende.

'Ik ben ongedeerd, ik werd alleen omvergeduwd. Hij ging daardoorheen.' Hij wees op een ijzeren deur, smaller dan de kamerdeuren.

'U blijft bij hem, pater.'

'Nee, nee, ik ben in orde. Zorg liever dat u die zogenaamde broeder te pakken krijgt.'

'Ga terug naar uw kamer en doe de deur op slot!' riep Fowler.

Ze gingen met z'n drieën de ijzeren deur door en kwamen uit bij de diensttrap. Er kwam een vochtige, bedorven lucht onder de muurverf vandaan. Het trappenhuis was slecht verlicht.

Perfect voor een hinderlaag, schoot het door Paola heen. Karoski heeft Pontiero's dienstwapen. Hij kan ons in elke nis opwachten en heeft er al twee van ons door het hoofd geschoten voor we au kunnen roepen.

Toch renden ze struikelend en wel de trappen af, helemaal tot in de kelder, onder het straatniveau, maar daar was de deur afgesloten met een stevig hangslot.

'Hier kan hij niet door ontsnapt zijn.'

Ze keerden zich op hun schreden om, smeten een deur open en kwamen in de keuken terecht. Dante stapte vooruit en ging voor de criminologe naar binnen, met zijn vinger aan de trekker en het wapen naar voren gericht. Drie nonnen staakten het roeren in de pannen en keken met ogen als schoteltjes toe.

'Hebt u iemand voorbij zien komen?' riep Paola.

Niemand reageerde. Ze staarden haar alleen met wijdopen ogen aan. Een van de vrouwen ging verder met erwtjes doppen en negeerde haar.

'Ik vraag of u iemand voorbij hebt zien komen. Een monnik...' herhaalde Paola. De nonnen haalden hun schouders op. Fowler legde zijn hand op haar arm.

'Laat maar. Ze spreken geen Italiaans.'

Dante liep de hele keuken door tot hij uitkwam bij een metalen schuifdeur van een meter of twee breed. Die zag er solide uit. Hij probeerde hem zonder succes open te trekken. Hij wees een van de nonnen op de deur en liet haar tegelijkertijd zijn identiteitsbewijs van het Vaticaan zien. De non knikte hem toe en stak een sleutel in een sponning die verborgen zat in de muur. De deur schoof zoemend open. Hij kwam uit op een zijstraat van het Santa Marta-plein. Voor hen rees het San Carlo-paleis op.

'Verdomme! Die non zei toch dat de Domus maar één ingang had?'

'U ziet het, ispettore, het zijn er twee,' sneerde Dante.

'We gaan terug.'

Ze holden weer naar boven, via de hal naar de bovenste verdieping. Daar stuitten ze op een steile trap die naar de vliering leidde. Ook die deur zat echter stevig op slot.

'Zou hij zich in een van de kamers verstopt hebben?' vroeg Fowler zich af.

'Nee, dat denk ik niet. Hij is ons ontglipt,' verzuchtte Dante.

'Maar hoe dan?'

'Via de keuken, denk ik. Er is geen andere verklaring voor. Alle andere deuren zijn voorzien van hangsloten of anderszins afgesloten of beveiligd, net als de hoofdingang. Via de ramen kan hij ook niet ontsnapt zijn, dat is te gevaarlijk.

De agenten van de Vigilanza patrouilleren in de zone en komen om de paar minuten langs. Het is verdomme klaarlichte dag, god zal me bewaren!'

Paola was ziedend. Als ze niet zo moe was na dat heen-en-weergeren in het trappenhuis zou ze uit pure frustratie tegen de muur schoppen.

'Dante, roep versterking in. Het plein moet afgezet worden.'

De hoofdinspecteur schudde in een wanhopig gebaar zijn hoofd. Het zweet
stond op zijn voorhoofd en drupte traag op de kraag van zijn eeuwige leren jasje.
Zijn anders zo keurig gekamde haar was nu vochtig en in de war.

'Hoe wil je dat ik dat doe, schat? Niets doet het in dit rotgebouw. Er hangen
geen camera's in de gangen, de telefoons werken niet, mobieltjes kun je helemaal vergeten en zelfs een simpele ouderwetse walkietalkie kun je godbetert
schudden. Helemaal niks doet het, behalve een paar stomme simpele gloeilampen, niets waar je frequenties of nullen en enen voor nodig hebt. Dus als je verdomme misschien een postduif voor me hebt!'

'Als hij eenmaal beneden is, is Karoski al mijlenver. Een monnik valt niet op in
het Vaticaan,' verzuchtte Fowler.

'Kan iemand me verdomme uitleggen hoe hij uit die kamer is ontsnapt? Het was
op de derde verdieping, de ramen waren afgesloten en we moesten de deur forceren. Alle in- en uitgangen van dit klotegebouw worden bewaakt of zijn afgesloten...' Ze zette haar woorden kracht bij door keer op keer met haar vlakke
hand op de zolderdeur te slaan, wat een dof geluid gaf en wolken stof deed op-
waaien.

'We waren er zo dichtbij,' mompelde Dante.

'Verdomme! Verdomme, verdomme, verdomme! We hadden hem!'

Fowler was degene die als eerste de verschrikkelijke realiteit onder ogen zag.
Zijn woorden klonken Paola als geweerschoten in de oren.

'We hebben opnieuw een dode, dottoressa.'

Donderdag 7 april 2005, 17.15 uur

'Denk eraan dat we uiterst discreet te werk moeten gaan,' waarschuwde Dante. Paola was buiten zichzelf van woede. Als Cirin op dat moment in de buurt was geweest, was ze hem aangevlogen. Ze bedacht dat dit de derde keer was dat ze zin had om die hufter zijn tanden uit zijn bek te slaan, al was het maar om te zien wat er dan nog overbleef van zijn onverstoorbare houding en eentonige stem. Nadat ze bijna letterlijk tegen de zolderdeur op waren gelopen, daalden ze terneergeslagen de trappen weer af. Dante moest helemaal naar de overkant van het plein voordat zijn mobiele telefoon weer bereik had en vroeg Cirin om versterking en een team om de plaats delict te analyseren. Het antwoord van de hoofdcommissaris van de Vigilanza luidde dat hij uitsluitend instemde met iemand van de technische analysedienst van de UACV en dat deze zijn werk moest doen in burger. Hij moest het benodigde instrumentarium meenemen in een onopvallend reiskoffertje.

'We moeten voorkomen dat de zaak uitlekt, Dicanti. Begrijp dat toch.'

'Ik begrijp er geen fuck van! We moeten een moordenaar oppakken! Het gebouw moet ontruimd worden, we moeten uitzoeken hoe hij binnen is gekomen, bewijsmateriaal verzamelen...'

Dante keek haar aan of ze gek geworden was. Fowler zat er hoofdschuddend bij en hield zich er wijselijk buiten. Paola besefte dat ze toestond dat deze zaak haar ziel binnendrong en haar langzaam vergiftigde. Ze deed altijd haar uiterste best rationeel te blijven, omdat ze maar al te goed wist hoe gevoelig ze was. Als iets haar werkelijk raakte, veranderde haar doorzettingsvermogen in een obsessie. Op dat moment begreep ze dat de woede haar geest kapotmaakte als zuur dat gestaag op een stuk rauw vlees druppelt.

Ze bevonden zich op de gang van de derde verdieping, waar alles was begonnen. Kamer 56 was al ontruimd. De bewoner, de man die hen naar kamer 57 had verwezen, was de Belgische kardinaal Petfried Haneels, drieënzeventig jaar oud. Hij was nogal van streek door het gebeurde en de arts van de residentie had hem laten overplaatsen naar een hogere verdieping, waar hij enige tijd zou blijven.

'Gelukkig bevonden de meeste kardinalen zich in de kapel voor de eucharistieviering. Slechts vijf van hen hebben iemand horen gillen. We hebben gezegd dat er een gek was binnengedrongen die schreeuwend door de gangen dwaalde,' zei Dante.

'Is dat alles wat we doen om de schade binnen de perken te houden?' Dicanti was buiten zichzelf van woede. 'Zorgen dat zelfs de kardinalen zelf niet te weten komen dat een van de hunnen is vermoord?'

'Simpel genoeg. We zeggen dat hij onwel is geworden en is overgebracht naar het Gemelli-ziekenhuis met een maag-darmontsteking.'

'En daarmee is de kous af,' reageerde ze sarcastisch.

'Tja, er is nog één ding. U mag zonder mijn toestemming geen van de kardinalen te woord staan en de plaats delict blijft beperkt tot de kamer.'

'Dat kunt u toch niet menen! We moeten naar vingerafdrukken zoeken op de deuren, alle toegangswegen, de gangen... Dat meent u niet.'

'Wat wil je dan, bambina? Een hele colonne politiewagens voor de deur? Hordes fotografen? Misschien is dat de beste manier om dat monster op te pakken: we bazuinen het overal rond.' Dante nam een dominante houding aan. 'Of hebt u misschien zin voor de camera te zwaaien met uw mooie diploma van Quantico? In dat geval lijkt het me beter dat u eens laat zien wat u kunt.'

Paola liet zich niet op de kast jagen. Dante stond volledig achter het bevel dat geheimhouding de hoogste prioriteit had. Ze moest kiezen: of ze verloor kostbare tijd door constant tegen die duizend jaar oude granieten muur op te lopen, of ze kwam zo snel mogelijk in actie om maximaal profijt te trekken van de schaarse middelen waarover ze beschikte.

'Bel Cirin. Zeg hem dat Boi zijn beste technicus stuurt. En vraag hem zijn mannen te laten uitkijken naar een karmeliet in het Vaticaan.'

Fowler kuchte om Paola's aandacht te trekken. Hij nam haar apart en begon zachtjes in haar oor te fluisteren. Paola kreeg er kippenvel van toen zijn adem langs haar oorlelletje streek en was blij dat ze een pakje droeg met een jasje met lange mouwen, zodat het niemand opviel. De aanraking van zijn gespierde, sterke armen van de dag daarvoor lag haar nog vers in het geheugen, toen ze zich als een dolle in de menigte had gestort en hij haar had vastgegrepen om haar weer bij zinnen te brengen. Ze snakte ernaar zijn armen om haar heen te voelen, maar zoals de zaken er nu voor stonden was dit niet bepaald het moment. Het was allemaal al ingewikkeld genoeg.

'De orders zijn al uitgevaardigd en worden op ditzelfde moment uitgevoerd, dottoressa. Vergeet een standaardpolitieonderzoek, dat zal het Vaticaan nooit toestaan. We moeten roeien met de riemen die het lot ons heeft gegeven, hoe krakkemikkig die ook zijn. Er is een oud Amerikaans spreekwoord dat in deze situatie goed van pas komt: "In het land der blinden is eenoog koning."'[1]

Paola begreep meteen wat hij bedoelde.

'Dat spreekwoord hebben wij hier in Rome ook. U hebt gelijk, pater... Ditmaal hebben we in elk geval een getuige, dat is al iets.'

Fowler begon nog zachter te praten.

'Praat met Dante. Probeer diplomatiek te zijn, voor de verandering. Vraag of hij

---

1 Pater Fowler verwijst naar het spreekwoord '*One-eyed Pete is the marshall of Blindville.*' In het Nederlands kennen we dit spreekwoord als 'In het land der blinden is eenoog koning'.

ons de vrije teugel geeft wat Shaw betreft. Wie weet kan hij ons een beschrijving geven waar we iets aan hebben.'

'Maar een forensisch tekenaar...'

'Dat is van later zorg. Als kardinaal Shaw hem gezien heeft, kunnen we een compositiefoto laten maken. Het is allereerst van belang dat hij een getuigenverklaring aflegt.'

'Zijn naam komt me bekend voor. Is dit dezelfde Shaw die in de verslagen van Karoski voorkomt?'

'Dezelfde. Een strenge, intelligente man. Laten we hopen dat hij ons een goede beschrijving kan geven. Het lijkt me beter de naam van onze verdachte vooralsnog niet te noemen. We horen vanzelf of hij hem herkend heeft of niet.'

Paola knikte en liep terug naar Dante.

'Klaar met jullie geheimpjes, tortelduifjes?'

De criminologe besloot zijn commentaar te negeren.

'Pater Fowler heeft me geadviseerd kalm te blijven en ik denk dat ik zijn goede raad opvolg.'

Dante keek haar argwanend aan; deze houding had hij niet verwacht. Alles bij elkaar genomen was dit eigenlijk een heel vreemde vrouw.

'Een wijs besluit, ispettore.'

'*No abbiamo date nelle croce*,[2] is het niet, Dante?'

'Het is maar hoe je het bekijkt. Zoals ik het zie, bent u te gast in een land dat niet het uwe is. Vanmorgen stond u aan het roer, ispettore. Nu zijn wij aan de beurt. Dat is niet persoonlijk bedoeld.'

Paola haalde diep adem.

'Prima, Dante. Ik moet kardinaal Shaw spreken.'

'Hij is op zijn kamer en probeert te herstellen van alles wat hij heeft meegemaakt. Afgewezen.'

'Hoofdinspecteur, doe alstublieft voor één keer wat juist is. Dit is dé kans om hem te pakken te krijgen.'

De politieman draaide met een krakend geluid zijn stierennek. Eerst naar links, toen naar rechts. Hij dacht er kennelijk over na.

'Goed dan, ispettore. Op één voorwaarde.'

'En die is?'

'Dat u het toverwoord uitspreekt.'

'Loop naar de hel.'

Paola draaide zich op haar hakken om, maar kreeg onmiddellijk te maken met de verwijtende blik van Fowler, die het gesprek van een afstandje volgde.

'Alstublieft.'

'Alstublieft wat, ispettore?'

---

2 Dicanti citeert Don Quichot in het Italiaans. De originele tekst is zeer bekend in Spanje en luidt: *Con la Iglesia hemos dado*, in populair taalgebruik veelal *con la Iglesia hemos topado*: nu zijn we in de aap gelogeerd.

Die hufter genoot ervan haar te vernederen. Maar wat kon het haar schelen? Hij kon het krijgen zoals hij het hebben wou.

'Alstublieft, hoofdinspecteur Dante, ik verzoek u om toestemming om met kardinaal Shaw te praten.'

Dante glimlachte van oor tot oor. Hij had met vlag en wimpel gewonnen. Maar meteen daarop werd hij weer serieus.

'Vijf minuten, vijf vragen. Meer niet. Er staat ook voor mij heel wat op het spel, Dicanti.'

Twee leden van de Vigilanza, beiden gekleed in een zwart pak met een zwarte das, kwamen de lift uit en posteerden zich aan weerszijden van kamer 57, waar het stoffelijk overschot lag van Karoski's laatste slachtoffer. Ze waren gezonden om de deur te bewaken tot de technicus van de UACV was gearriveerd. Dicanti besloot de wachttijd te gebruiken om haar getuige te ondervragen.

'Wat is het kamernummer van Shaw?'

Zijn kamer lag op dezelfde verdieping. Dante vergezelde haar naar kamer 42, die pal naast de deur naar de diensttrap lag. De hoofdinspecteur tikte met één vinger beleefd op de deur.

Zuster Helena deed open, zonder haar glimlach van daareven. Toen ze Dante en Dicanti zag staan, vloog de opluchting over haar gezicht.

'Ah, gelukkig, met u is alles in orde. Ik vond het zo'n akelig idee dat u in het trappenhuis achter die gek aanzat. Hebt u hem te pakken gekregen?'

'Spijtig genoeg niet, zuster,' antwoordde Paola. 'We denken dat hij via de keuken is ontsnapt.'

'Ach, lieve God. Via de dienstingang? Heilige Moeder Gods, wat een tragedie.'

'Zuster, ik dacht dat u zei dat er maar één ingang was?'

'Dat is ook zo, alleen de hoofdingang. De keukendeur is geen ingang, dat is een dienstingang. Het is er smerig en je hebt er een speciale sleutel voor nodig.'

Het begon Paola te dagen dat zuster Helena een andere taal sprak dan zij. Ze tilde zwaar aan zelfstandige naamwoorden.

'Kan het zijn dat de moo... overvaller daarlangs binnen is gekomen, zuster?'

De non schudde ontkennend haar hoofd.

'Alleen ik en de zuster van de huishouding hebben de sleutel. En zij spreekt alleen Pools, evenals veel van de andere zusters hier.'

Daaruit leidde Dicanti af dat degene die de deur voor Dante had opengedaan, de zuster van de huishouding was. Twee sleutels maar. Het mysterie werd steeds ingewikkelder.

'Mogen we binnenkomen voor een praatje met de kardinaal?'

Zuster Helena schudde heftig van nee.

'Onmogelijk, dottoressa. Hij is... hoe heet dat... *zdenerwowany*. In shock.'

'Heel eventjes maar,' pleitte Dante.

De non keek hem afkeurend aan.

'*Zaden*. Nee en nog eens nee.'

Het zag ernaar uit dat ze terugviel op haar moedertaal als het erom ging iets te weigeren. Ze wilde net de deur dichtdoen, toen Fowler zijn voet ertussen zette.

Aarzelend en zoekend naar woorden zei hij: '*Sprawiaæ przyjemnoæ potrzebujemy ¿eby widzieæ kardynalny Shaw, siostra Helena.*'

De non zette grote ogen op. '*Wasz jêzyk polski nie jest dobry.*'[3]

'Ik weet het. Ik zou uw prachtige land vaker moeten bezoeken. Ik ben er echter niet meer geweest sinds de oprichting van Solidaridad.'[4]

De non schudde nogmaals met een stuurs gezicht haar hoofd, maar het was duidelijk dat de priester haar vertrouwen had gewonnen. Onwillig opende ze de deur en ging opzij.

'Sinds wanneer spreekt u Pools?' fluisterde Paola toen ze naar binnen liepen.

'Ik spreek het amper, dottoressa. Reizen werkt geestverruimend, dat weet u.'

Dicanti gunde zich de tijd hem onderzoekend aan te kijken, tot ze zich omdraaide om al haar aandacht op de man op het bed te vestigen. De kamer was in halfduister gehuld, met de luxaflex praktisch geheel gesloten. De kardinaal lag met een zakdoek of natte handdoek op zijn voorhoofd op het bed; het was zo donker dat niet was te zien wat het was. Toen ze naar het voeteneind liepen, richtte de kardinaal zich met een diepe zucht op één schouder op, waardoor de doek van zijn gezicht gleed. Het was een zwaargebouwde man met scherpe trekken. Zijn spierwitte haar was nat geworden van de doek en zat tegen zijn voorhoofd geplakt.

'Neem me niet kwalijk, ik...'

Dante boog zich naar voren om de kardinaalsring te kussen, maar de kardinaal hield hem tegen.

'Nee, liever niet. Nu niet.'

De inspecteur deed verbaasd een stapje naar achteren. Hij schraapte zijn keel voordat hij het woord nam.

'Kardinaal Shaw, het spijt me dat we u moeten lastigvallen, maar we willen u graag enkele vragen stellen. Voelt u zich sterk genoeg om ons te woord te staan?'

'Natuurlijk, mijn zoon, natuurlijk. Ik lag alleen wat te doezelen. Het was een huiveringwekkende ervaring om aangevallen te worden op een heilige plaats als deze. Maar ik heb over enkele ogenblikken een afspraak om een aantal zaken te regelen, dus ik moet u verzoeken het kort te houden.'

Dante keek beurtelings van zuster Helena naar Shaw. Hij begreep het: geen getuigen.

'Zuster Helena, zou u zo vriendelijk willen zijn kardinaal Pauljic te gaan zeggen dat ik waarschijnlijk iets verlaat ben?'

De non ruiste de kamer uit, verwensingen mompelend die zo te horen niet pasten bij een kloosterzuster.

---

3 Pater Fowler vraagt of ze hun alstublieft toestemming wil geven om kardinaal Shaw te spreken en de non antwoordt dat zijn Pools enigszins te wensen overlaat.

4 Solidaridad is de naam van de Poolse vakbondsvereniging, opgericht in 1980 door elektricien en Nobelprijswinnaar Lech Walesa. Walesa onderhield nauwe banden met Johannes Paulus II en er zijn aanwijzingen dat het Vaticaan de oprichting van Solidaridad ten dele heeft gefinancierd.

'Hoe is het precies gebeurd?' vroeg Dante.

'Ik was naar mijn kamer gegaan om mijn brevier te halen, toen ik een ijselijke gil hoorde. Ik bleef enkele seconden als aan de grond genageld staan om te zien of ik het me misschien verbeeld had. Ik dacht dat ik een aantal mensen haastig de trap op hoorde komen en toen hoorde ik een luid gekraak. Ik liep geschrokken de gang in. Bij de liftdeur stond een pater karmeliet, die zich verborg achter een lichte knik in de muur. Ik keek naar hem en toen draaide hij zich om en keek me recht in mijn gezicht. Er lag een diepe haat in zijn ogen, Heilige Moeder Gods. Toen hoorde ik weer een krakend geluid en stormde de karmeliet op me af. Ik viel op de grond en slaakte een kreet. De rest weet u.'

'Hebt u zijn gezicht goed kunnen zien?' reageerde Paola.

'Zijn gezicht ging vrijwel geheel schuil onder een warrige baard. Ik kan me er niet veel van herinneren.'

'Kunt u ons een beschrijving geven van zijn gezicht en postuur?'

'Ik denk het niet, ik heb hem maar een seconde gezien en mijn ogen zijn niet meer wat ze geweest zijn. Hij had een wat vale huid, dat wel. En ik wist meteen dat het geen echte pater was.'

'Hoe wist u dat zo zeker, eminentie?' vroeg Fowler.

'Zijn houding, natuurlijk. Zoals hij tegen die liftdeur aan gedrukt stond, had hij totaal niets van een dienaar Gods.'

Op dat moment kwam zuster Helena binnen. Ze kuchte nerveus.

'Kardinaal Shaw, kardinaal Pauljic laat zeggen dat de commissie u zodra u ertoe in staat bent, verwacht om de novemdiales voor te bereiden. Ik heb de vergaderzaal voor u in orde gebracht.'

'Dank u, zuster. Gaat u vast vooruit met Antun, want ik moet nog wat spullen pakken. Zegt u maar dat ik er over vijf minuten ben.'

Dante begreep dat Shaw hun gesprek hiermee als beëindigd verklaarde.

'Dank u wel, eminentie. We zullen u met rust laten.'

'Het spijt me enorm. De noveenmissen worden in alle kerken in Rome en over de hele wereld gehouden om te bidden voor de ziel van onze Heilige Vader. Dat is een taak van gewicht en ik laat me er niet van weerhouden door een simpele duw.'

Paola stond op het punt iets te zeggen, maar Fowler nam haar onopvallend bij de elleboog en ze slikte haar vraag in. Met een beleefd gebaar nam ze afscheid van de kardinaal. Toen ze op de drempel stonden, stelde de kardinaal hun een uiterst compromitterende vraag.

'Heeft die man iets met de verdwijningen te maken?'

Dante draaide zich langzaam om en antwoordde op een toon waarvan de mierzoete stroop aan elke klinker en medeklinker bleef kleven.

'Absoluut niet, eminentie, dit was gewoon een oproerkraaier. Waarschijnlijk zo'n jonge antiglobalist. Ze vermommen zich wel vaker om de aandacht te trekken, dat weet u.'

De kardinaal richtte zich verder op en ging op de rand van het bed zitten. Hij wendde zich tot de non.

'Het gerucht gaat dat enkele van mijn broeders, onder wie twee zeer hoogge-plaatste leden van de curie, verstek laten gaan op het conclaaf. Ik hoop dat bei-den in goede gezondheid verkeren.'

'Van wie hebt u dat gehoord, eminentie?' Paola stond versteld. Ze had nog nooit van haar leven zo'n zachte, vriendelijke en nederige stem gehoord als die waar-mee Dante deze vraag had gesteld.

'Ach, mijn zoon, op mijn leeftijd word je vergeetachtig en weet je niet meer zo goed wie wat heeft gezegd tussen het toetje en de koffie. Ik kan u echter mede-delen dat ik niet de enige ben die dit heeft gehoord.'

'Eminentie, ik weet zeker dat het niet meer is dan een gerucht dat nergens op is gebaseerd. Excuseert u ons, we moeten op zoek naar die oproerkraaier.'

'Ik hoop dat u hem snel in de kladden grijpt. Het Vaticaan wordt momenteel geteisterd door wanordelijkheden, en wellicht wordt het tijd voor een koerswij-ziging in ons beveiligingsbeleid.'

Dit bedekte dreigement van Shaw, even suikerzoet geglaceerd als Dantes vraag, ging aan geen van drieën onopgemerkt voorbij. Zelfs Paola's bloed stolde in de aderen, en dat terwijl ze een hekel had aan alle leden van de Vigilanza die ze kende.

Zuster Helena verliet tegelijk met hen de kamer en liep voor hen uit de gang in. Bij de trap stond een ietwat gezette kardinaal te wachten, waarschijnlijk Pauljic, en ze liepen samen naar beneden.

Zodra ze de rug van zuster Helena de trap af zag verdwijnen, wendde ze zich met een bittere trek rond haar mond tot Dante.

'Zo te zien werken uw maatregelen tot schadebeperking niet zo goed als u dacht, hoofdinspecteur.'

'Ik zweer u dat ik er niets van begrijp.' Dante zag er aangeslagen uit. 'Laten we hopen dat ze de ware toedracht niet kennen. Dat kan onmogelijk het geval zijn. Zoals het er nu uitziet, is het trouwens goed mogelijk dat Shaw straks op de troon belandt.'

'De kardinalen weten in elk geval dat er iets vreemds aan de hand is,' ant-woordde de criminologe. 'Eerlijk gezegd zou het me een genoegen zijn als de hele zaak voor onze ogen uit elkaar klapte; dan kunnen we ons werk tenminste naar behoren doen.'

Dante wilde haar net van repliek dienen toen er iemand de marmeren trap op kwam. Carlo Boi had een keuze gemaakt en de technicus op de zaak gezet die hij beschouwde als de beste en de meest discrete van de UACV.

'Goedemiddag allemaal.'

'Goedemiddag, meneer Boi.'

Het moment om het jongste bloedbad van Karoski te aanschouwen was aange-broken.

22 augustus 1999

'Kom erin, kom erin. U weet wie ik ben, nietwaar?'
Een ontmoeting met Robert Weber gaf Paola ongeveer het gevoel dat een archeoloog zou ervaren als Ramses II hem op de koffie vroeg. Ze ging de vergaderzaal binnen, waar de beroemde criminoloog de beoordelingen uitdeelde aan de vier studenten die de opleiding hadden gevolgd. Hij was al tien jaar met pensioen, maar zijn ferme tred wekte nog steeds een heilig ontzag in de gangen van de FBI. Deze man had een revolutie teweeggebracht in de forensische wetenschap met een nieuwe methode om criminelen te lokaliseren: het psychologisch profiel. Bij de eliteopleiding van de FBI aan jong talent van over de hele wereld was hij degene die het op zich had genomen de cijfers uit te delen. De studenten vonden het geweldig dat ze op deze manier de kans kregen hun idool in levenden lijve te ontmoeten.
'Natuurlijk weet ik wie u bent, meneer Weber. Ik wil u graag zeggen...'
'Ja, ja, ik weet het, het is een eer mij te ontmoeten, blablabla. Als ik een dollar had gekregen voor elke keer dat iemand dat tegen me zei, was ik nu miljonair geweest.'
De criminoloog zat met zijn neus in een dik dossier. Paola stak haar hand in haar broekzak en haalde een verkreukeld biljet tevoorschijn, dat ze Weber overhandigde.
'Het is een eer kennis met u te mogen maken, meneer.'
Weber keek ernaar en schoot in de lach. Het was een dollarbiljet. Hij nam het aan en stopte het in de zak van zijn jasje.
'U moet die biljetten wat netter behandelen, Dicanti. Ze zijn eigendom van de schatkist van de Verenigde Staten van Amerika.'
Maar hij glimlachte bij het geestige antwoord van de jonge vrouw: 'Ik zal er rekening mee houden, meneer.'
Weber trok zijn gezicht weer in de plooi. Dit was het moment van de waarheid en elk van zijn woorden beukte als een mokerslag op Dicanti in.
'U bent zwak, Dicanti. Uw resultaten waren minimaal, zowel wat betreft de fysieke proeven als uw schietvaardigheid. Daarbij toont u weinig karakter. U stort in om niks. U sluit zich af zodra u tegenstand ondervindt.'
Paola was diep geschokt. Het was moeilijk te bevatten dat ze de wind van voren kreeg van een levende legende. Het ergste was dat er geen sprankje sympathie in zijn stem te bespeuren was.
'U motiveert uw antwoorden niet. U bent goed, maar u moet eruit halen wat

erin zit. En daarom moet u fantaseren. Fantaseer erop los, Dicanti. Volg het handboek niet naar de letter. Improviseer en kijk waar het u brengt. En word wat diplomatieker. Dit zijn uw eindcijfers. Maak de envelop pas open als u deze zaal verlaten hebt.'

Paola nam de envelop met trillende vingers aan en deed de deur open, opgelucht dat ze weg mocht.

'Nog één ding, Dicanti. Wat is het werkelijke motief van een seriemoordenaar?'

'Zijn dorst naar moord, die hij niet kan bedwingen.'

De oude criminoloog schudde meewarig zijn hoofd.

'U bent in de buurt, maar u zit er nog steeds naast. U denkt net zoals de boeken, juffrouw. Hebt u begrip voor de dorst naar moord?'

'Nee, meneer.'

'Soms moet je alle psychologische teksten vergeten. Het werkelijke motief is het lichaam. Analyseer het kunstwerk en u kent de kunstenaar. Laat dat het eerste zijn wat in uw hoofd opkomt als u een plaats delict betreedt.'

Dicanti holde naar haar kamer en sloot zich op in de badkamer. Toen ze enigszins was bijgekomen, scheurde ze de envelop open. Het duurde even voor ze begreep wat ze zag.

Ze had voor alle onderdelen de hoogste cijfers behaald en een waardevolle les geleerd: niets is ooit wat het lijkt.

DOMUS SANCTA MARTHAE
Piazza Santa Maria 1

Donderdag 7 april 2005, 17.49 uur

Er was iets meer dan een uur verstreken sinds de moordenaar de kamer uit was gevlucht. Paola kon zijn aanwezigheid nog voelen als een bijtende, onzichtbare nevel. Naar buiten toe betoonde ze zich altijd rationeel waar het seriemoordenaars betrof. Dat was gemakkelijk genoeg, aangezien ze haar mening, in de meeste gevallen, verkondigde vanuit een comfortabel kantoor, voorzien van vaste vloerbedekking.

Het was heel iets anders om met dezelfde rationaliteit deze kamer te betreden, voorzichtig om niet in het bloed te stappen. Niet alleen om de plaats delict niet te bevuilen. Het hoofdmotief om niet in het bloed te stappen was dat bloed een paar goede schoenen voorgoed kan bederven.

Evenals de ziel.

Het was bijna drie jaar geleden dat directeur Boi voor het laatst persoonlijk een plaats delict had onderzocht. Paola vermoedde dat Boi tot dit compromis was gekomen om punten te scoren bij de autoriteiten van het Vaticaan. Het was in elk geval niet om een politiek wit voetje te halen bij zijn Italiaanse superieuren, aangezien deze hele verdomde zaak zich achter gesloten deuren afspeelde.

Hij was als eerste de kamer binnengegaan, op de hielen gevolgd door Paola. De anderen wachtten op de gang en staarden ongemakkelijk voor zich uit. De criminologe hoorde Dante en Fowler iets zeggen – ze zou durven zweren dat het niet bepaald iets aardigs was – maar ze concentreerde zich en vestigde haar volledige aandacht op hetgeen er ín de kamer gebeurde en niet daarbuiten.

Ze bleef bij de deur staan om Boi de gelegenheid te geven zijn werk te doen. Eerst de forensische foto's, één vanuit elke kamerhoek, een verticale foto van het stoffelijk overschot, foto's vanuit alle mogelijke hoeken en standen en één van elk detail dat de onderzoeker als relevant beschouwde. Uiteindelijk flitste de camera ruim zestig keer, waarbij de kamer telkens in een onwerkelijk wit licht werd gezet. Dat felle licht en de droge klikgeluiden van de camera werden Paola te veel.

Ze haalde diep adem en trachtte de geur van bloed en de metaalachtige smaak achter in haar keel te negeren. Ze sloot haar ogen en telde automatisch terug van honderd tot nul, heel langzaam om het bonzen van haar hart terug te brengen op het trage ritme van het tellen. Bij vijftig was de galop teruggebracht tot een lichte draf en bij nul tot een regelmatig, keurige stap.

Ze opende haar ogen.

Kardinaal Geraldo Cardoso, eenenzeventig jaar oud, lag languit op het bed. Cardoso was met stevig vastgeknoopte handdoeken vastgebonden aan het kunstig bewerkte hoofdeinde. Hij droeg zijn kardinaalskalot, maar deze was scheefgezakt, wat een malle, bijna komische aanblik bood.

Paola zei in gedachten de mantra van Weber op: 'Analyseer het kunstwerk en u kent de kunstenaar.' Dat herhaalde ze steeds weer, waarbij ze haar lippen zonder geluid te maken bewoog, totdat de betekenis van de woorden in haar mond bestierf en in haar hersenen was gebrand, net zoals iemand een stempel in de inkt drukt en hem laat drogen door er keer op keer een vel papier mee te bestempelen.

'We gaan beginnen,' zei Paola hardop, en ze haalde een recorder tevoorschijn. Boi keek amper op. Hij wijdde zich vol overgave aan het verzamelen van sporen en het onderzoek naar de vorm van de bloedspatten.

De criminologe zette haar recorder aan en begon te dicteren zoals ze dat in Quantico had geleerd: observeren en gelijktijdig de conclusie trekken. Het resultaat van die conclusies zou in grote lijnen een reconstructie zijn van de manier waarop het was gebeurd.

'**Observatie:** Het lichaam ligt met gebonden handen in zijn hotelkamer. Het meubilair vertoont geen sporen van geweld.
Conclusie: Karoski is onder valse voorwendselen de kamer binnengedrongen en wist het slachtoffer snel en geluidloos te overmeesteren.

Observatie: Er ligt een bebloede handdoek op de vloer. Hij ziet er verfomfaaid uit.
Conclusie: Waarschijnlijk heeft Karoski het slachtoffer een prop in de mond gestopt en heeft hij deze verwijderd om verder te gaan met zijn macabere modus operandi: de tong afsnijden.

Observatie: We hoorden een luide kreet.
Conclusie: Het meest logische is dat Cardoso kans zag om te schreeuwen op het moment dat de prop werd verwijderd. Derhalve is de tong het laatste wat hij afsnijdt, voordat hij verdergaat met de ogen.

Observatie: Het slachtoffer is nog in het bezit van beide ogen. Zijn keel is doorgesneden. De incisie lijkt gehaast te zijn uitgevoerd en veroorzaakte veel bloedverlies. Beide handen zitten nog op hun plaats.
Conclusie: In dit geval begon Karoski zijn ritueel met een marteling, om vervolgens voort te gaan met zijn rituele snijwerk. Weg met de tong, de ogen, de handen.'

Paola opende de kamerdeur en verzocht Fowler binnen te komen. Fowler trok een grimas bij de aanblik van het macabere schouwspel, maar wendde zijn ogen niet af. De criminologe draaide het bandje terug en liet hem het laatste punt horen dat ze had ingesproken.

'Denkt u dat de volgorde van dit ritueel op de een of andere manier van belang is?'

'Dat weet ik niet, dottoressa. Het spraakvermogen is voor een priester het allerbelangrijkste: daarmee dient hij de sacramenten toe. De ogen hebben geen enkele functie bij het uitvoeren van het priesterambt, in die zin dat ze geen cruciale functie hebben. De handen daarentegen zeer zeker wel; die zijn heilig, aangezien zij tijdens de eucharistie het lichaam van Christus aanraken. De handen van een priester zijn altijd heilig, wat hij er ook mee doet.'

'Wat bedoelt u daarmee?'

'Zelfs de handen van zo'n monster als Karoski zijn nog altijd heilig. Hij kan de sacramenten toedienen en is als zodanig gelijkwaardig aan de heiligste, puurste priester. Het klinkt tegenstrijdig, maar het is wel waar.'

Paola rilde. Het was een walgelijk, afschuwelijk idee dat zo'n weerzinwekkend wezen in direct contact met God kon staan. Ze probeerde zichzelf eraan te herinneren dat dit een reden te meer was om God af te zweren, om Hem te zien als een onverdraagzame tiran in Zijn wolwitte hemelrijk. Maar nu ze zich in deze verschrikking moest verdiepen, in de verdorvenheid van mensen als Karoski die zogenaamd Zijn werk moesten uitvoeren, had het een tegengestelde uitwerking op haar. Ze voelde het verraad dat Hij moest voelen en stelde zich enkele ogenblikken in Zijn plaats. Ze miste Maurizio meer dan ooit en wenste dat hij bij haar was om haar te helpen deze complete waanzin in perspectief te zetten.

'Heregod.'

Fowler haalde zijn schouders op, zonder te weten wat hij moest zeggen. Hij ging de kamer uit. Paola zette haar recorder weer aan.

'**Observatie:** Het slachtoffer is gekleed in een lang gewaad, dat van boven tot onder geopend is. Daaronder draagt hij een katoenen onderhemd en een boxershort. Het hemd is kapotgesneden, waarschijnlijk met een scherp voorwerp. Op de borst zijn verschillende sneden aangebracht, die tezamen de woorden EGO TE ABSOLVO vormen.

Conclusie: Karoski begon zijn ritueel in dit geval met de marteling, om vervolgens voort te gaan met zijn ritueel tekens in het lichaam te snijden. Weg met de tong, de ogen, de handen. De woorden EGO TE ABSOLVO zijn eveneens aangetroffen op de plaats delict van Portini – blijkens de foto's van Dante – en Robayra. De variatie in dit geval is eigenaardig.

Observatie: De muren vertonen een groot aantal bloedspatten en vlekken van opspattend bloed. Ook een gedeeltelijke afdruk van een voetstap op de grond, naast het bed. Ziet eruit als bloed.

Conclusie: Alles op deze plaats delict is uiterst vreemd. We kunnen niet opmaken of zijn stijl veranderd is of dat hij zich aan de omgeving heeft aangepast. Zijn modus operandi is anarchistisch en...'

De criminologe drukte op de stopknop. Er klopte iets niet, er was iets verschrikkelijk mis.

'Hoe gaat het, directeur?'

'Slecht. Heel slecht. Ik heb vingerafdrukken gevonden op de muur, het nachtkastje en het hoofdeinde van het bed, maar verder niet. Er zijn verschillende vingerafdrukken, maar ik geloof dat ik er één heb die correspondeert met die van Karoski.'

Hij hield een plastic plaatje in zijn handen met een redelijk zichtbare vingerafdruk erop die hij zojuist had afgenomen van het hoofdeinde van het bed. Hij hield het tegen het licht om hem te vergelijken met de vingerafdruk van Karoski uit het dossier dat Fowler had meegebracht (Fowler had hem deze vingerafdruk zelf afgenomen na diens eerste ontsnapping uit zijn cel, aangezien het in Instituut Saint Matthew geen usance was de vingerafdrukken van de patiënten te nemen).

'Het is een voorlopige indruk, maar ik geloof dat er overeenkomsten zijn op verschillende punten. Deze opgaande splitsing is vrij karakteristiek en deze delta...' zei Boi, meer tot zichzelf dan tot Paola.

Als Boi een vingerafdruk herkende was het niet nodig dat na te trekken, wist Paola. Boi stond wijd en zijd bekend als een expert in vingerafdrukken. Nu ze hem zo bezig zag, betreurde ze de langzame aftakeling van een forensisch expert tot een bureaucraat.

'Is dat alles, doctor?'

'Dat is alles. Geen haren, geen vezels, niets. Die man is een spookverschijning. Als hij handschoenen had gedragen, had ik me kunnen afvragen of Cardoso wellicht door een geest is omgebracht.'

'Die opengesneden keel heeft niets irreëels, doctor.'

Directeur Boi bekeek het stoffelijk overschot met een verwezen verbazing, diep in gedachten over de woorden van zijn ondergeschikte of tastend naar eigen conclusies. Ten slotte gaf hij antwoord: 'Nee, niet echt.'

Paola verliet de kamer om Boi zijn werk te laten doen. Ze wist echter dat hij weinig of niets zou vinden. Karoski was zo slim als een vos en ondanks zijn haast had hij niets achtergelaten. Er knaagde een verontrustend vermoeden aan de rand van haar bewustzijn. Ze keek om zich heen. Camilo Cirin was gearriveerd, in gezelschap van een klein mannetje. Hij was broodmager en zag er zo op het eerste gezicht breekbaar uit, tot je zijn ogen zag, die even scherp waren als zijn neus. Cirin kwam naar haar toe en stelde de ander voor als rechter Gianluigi Varone, de enige rechter in Vaticaanstad. Het leek Paola geen sympathieke man: het was net een treurige, uitgeteerde versie van een gier met een jasje aan. De rechter zou een attest opmaken, waarna het stoffelijk overschot verwijderd kon worden, wat in het diepste geheim moest gebeuren. De twee agenten van het Corpo di Vigilanza die eerder de wacht hadden gehouden voor de deur hadden zich inmiddels verkleed in zwarte overalls. Ze droegen de verplichte latex handschoenen. Het was hun taak de kamer na het vertrek van Boi en zijn team schoon te maken en af te sluiten. Fowler was op een bankje aan het einde van de gang gaan zitten en zat rustig in zijn brevier te lezen. Toen Paola Cirin en de rechter van zich af had geschud, liep ze naar de priester toe en ging naast hem zitten. Fowler kon een gevoel van déjà vu niet onderdrukken.

'Zo, dottoressa. Nu kent u nog meer kardinalen.'

Paola bracht een droevig lachje op. Wat was er veel veranderd in de amper vierentwintig uur die verstreken waren sinds ze met z'n tweeën zaten te wachten voor de deur van het kantoor van de camerlengo. Behalve dat ze nog geen stap dichter bij Karoski waren gekomen.

'Ik dacht dat macabere grapjes het terrein waren van hoofdinspecteur Dante.'

'Dat is ook zo, dottoressa. Ik ga er alleen af en toe op bezoek.'

Paola opende haar mond en sloot hem weer. Ze wilde met Fowler bespreken welke duistere vermoedens er aan de rand van haar bewustzijn zweefden in verband met Karoski's ritueel, maar ze wist nog steeds niet precies wat haar dwarszat. Ze besloot ermee te wachten tot ze er beter over had nagedacht.

Pas veel later zou Paola bitter constateren dat dit een enorme vergissing was geweest.

Donderdag 7 april 2005, 19.53 uur

Dante en Paola reden met Boi mee terug. De directeur zou hen afzetten bij het mortuarium, voordat hij verder reed naar de UACV om te trachten te achterhalen wat het moordwapen was geweest in elk van de scenario's. Fowler wilde net in de wagen stappen toen hij geroepen werd vanuit de hoofdingang van de Domus Sancta Marthae.

'Pater Fowler!'

De priester draaide zich om. Het was kardinaal Shaw. Hij gebaarde driftig met zijn handen en Fowler liep naar hem toe.

'Eminentie, ik hoop dat u inmiddels wat bent opgeknapt.'

De kardinaal glimlachte hem vriendelijk toe.

'We dienen de beproevingen die de Heer ons oplegt met berusting te aanvaarden. Mijn beste Fowler, ik wilde u niet laten gaan voordat ik u persoonlijk had bedankt voor uw tijdige reddingsactie.'

'Eminentie, toen wij u bereikten, was u al in veiligheid.'

'Wie weet? Wie weet wat die gek had kunnen doen als hij teruggekomen was? Ik dank u vanuit het diepst van mijn ziel. Ik zal er persoonlijk zorg voor dragen dat de curie op de hoogte wordt gesteld van uw dapperheid als goed soldaat.'

'Dat is echt niet nodig, eminentie.'

'Mijn zoon, je weet nooit wanneer je een gunst nodig hebt... of wanneer iemand je probeert te dwarsbomen. Het is van belang krediet op te bouwen, dat weet u als geen ander.'

Fowler keek hem zonder een spier te vertrekken aan.

'Het is zelfs zo, mijn zoon,' vervolgde Shaw, 'dat de dankbaarheid van de curie zich verder zou kunnen uitstrekken. We zouden er bijvoorbeeld op kunnen wijzen dat uw aanwezigheid hier in het Vaticaan dringend gewenst is. Alles wijst erop dat Camilo Cirin niet meer zo alert is als hij geweest is. Wie weet is het beter als zijn post wordt ingenomen door iemand die er alles aan gelegen is een schandaal uit te wissen. Of zelfs te laten verdwijnen.'

Het begon Fowler te dagen.

'Begrijp ik het goed dat uwe eminentie mij verzoekt me te ontdoen van een bepaald dossier?'

De kardinaal maakte een gebaar van 'ons kent ons', vrij infantiel en nogal ongepast, met name gezien het onderwerp dat aan de orde was. Hij dacht dat hij bereikte wat hij wilde.

'Precies, mijn zoon, precies. *A dead body revenges not injures.*'

De priester glimlachte boosaardig.

'Wel, wel, een citaat van Blake.[1] Dat is voor het eerst dat ik een kardinaal de *Proverbs of Hell* hoor citeren.'

Shaw verstijfde en zette een hooghartige stem op. De toon van de priester beviel hem niets.

'Gods wegen zijn ondoorgrondelijk.'

'Gods wegen zijn anders dan die van de Vijand, eminentie. Dat heb ik als kind op school geleerd. Dat heeft nog niets aan geldigheid ingeboet.'

'De instrumenten van een chirurg kunnen uitschieten. En u bent als een vlijm-scherp operatiemes, mijn zoon. Laten we zeggen dat ik weet dat u meer dan één belang hebt bij deze zaak.'

'Ik ben slechts een nederige priester,' antwoordde Fowler, verbazing voorwen-dend.

'Daar twijfel ik niet aan. Maar in sommige kringen wordt gesproken over uw... vaardigheden.'

'Wordt er in diezelfde kringen niet gesproken over mijn probleempje met het gezag, eminentie?'

'Dat ook wel eens. Maar ik twijfel er niet aan dat u wanneer het erop aankomt handelt zoals u moet handelen. U zult niet toestaan dat de goede naam van de Kerk op de voorpagina's door het slijk wordt gehaald, mijn zoon.'

De priester antwoordde met een koel, afkeurend stilzwijgen. De kardinaal klopte vaderlijk op de schouder van het brandschone jasje van zijn zwarte pries-terkostuum en liet zijn stem dalen tot hij bijna fluisterde.

'Wie heeft er tegenwoordig geen onschuldige geheimpjes? Stel je voor dat uw naam anderszins in druk verschijnt. In een dagvaarding van de Congregatie voor de geloofsleer, bijvoorbeeld. Wederom.'

Hij draaide zich om en verdween in de Domus Sancta Marthae. Fowler keerde terug naar de auto, die met draaiende motor op hem stond te wachten.

'Gaat het wel, pater? U ziet er niet goed uit,' merkte Dicanti bezorgd op.

'Prima, dottoressa.'

'Wat wilde kardinaal Shaw van u?'

Fowler probeerde Paola zorgeloos toe te lachen, wat het alleen maar erger maakte.

'Zijne eminentie? Ach, niets bijzonders. Hij wilde alleen dat ik de groeten over-bracht aan een gemeenschappelijke vriend.'

---

1 William Blake was een protestantse dichter in het achttiende-eeuwse Groot-Brittannië. *The Marriage of Heaven and Hell* is een werk dat zich gezien de diverse genres moeilijk laat on-derbrengen bij een bepaalde stroming, maar veelal wordt beschouwd als een satirisch gedicht. Een groot deel van het werk bestaat uit de *Proverbs of Hell,* aforismen waarvan werd gemeend dat ze door de duivel zelf aan Blake waren ingegeven.

Vrijdag 8 april 2005, 01.25 uur

'U begint er een gewoonte van te maken ons in het holst van de nacht met een bezoekje te vereren, dottoressa Dicanti.'

Paola mompelde iets wat tussen beleefd en afwezig in lag. Fowler, Dante en de forensisch patholoog stonden aan één kant van de autopsietafel. Ze droegen alle vier de blauwe schorten en latex handschoenen die in deze ruimte verplicht waren. Het feit dat ze hier voor de derde maal in korte tijd was, deed de jonge vrouw denken aan iets wat ze ooit had gelezen. Iets over het terugkerende verschijnsel van de hel, hoe dat berust op herhaling. Misschien was het niet de hel die ze voor zich hadden, maar toch minstens het bewijs dat die bestond.

Het stoffelijk overschot van Cardoso zag er hier op tafel afschrikwekkender uit dan in de kamer. Het lichaam dat enkele uren geleden overdekt was geweest met bloed was nu schoongewassen en de kardinaal zag eruit als een witte pop met afgrijselijke, ingedroogde wonden. Hij was een magere man geweest en ondanks het bloedverlies was zijn gezicht vertrokken tot een masker, vervuld van afschuw en verwijt.

'Wat weten we over hem, Dante?' vroeg Dicanti.

De hoofdinspecteur las het op uit een schriftje dat hij altijd bij zich droeg in de binnenzak van zijn jasje.

'Geraldo Claudio Cardoso, geboren in 1934, kardinaal sinds 2001. Komt op voor de arbeiders, heeft altijd de kant gekozen van de hulpbehoevenden en daklozen. Voordat hij tot kardinaal werd benoemd, had hij een gedegen reputatie in het bisdom San José. In dat gebied zijn de grootste fabrieken van Zuid-Amerika gevestigd.' Dante noemde twee van de bekendste automerken ter wereld. 'Hij wierp zich regelmatig op als schakel tussen werkgever en werknemer. De arbeiders adoreerden hem en noemden hem de "vakbondsbisschop". Hij was lid van diverse congregaties van de Romeinse curie.'

Ditmaal deed zelfs de forensisch patholoog er het zwijgen toe. Hij had Robayra ontleed met een glimlach om zijn lippen, grappend en grollend over Pontiero's gebrek aan lef. Uren later lag de man die hij had uitgelachen op zijn tafel. En de volgende dag lag er opnieuw een kardinaal op. Een man die, op papier tenminste, veel goeds had verricht. Hij vroeg zich af of de officiële en de officieuze biografie veel van elkaar verschilden, maar Fowler was degene die Dante deze vraag stelde.

'Hoofdinspecteur, is die opsomming uit de pers alles wat u weet?'

'Vergis u niet, pater Fowler, niet alle mannen van onze Heilige Moederkerk leiden een dubbelleven.'

'Ik zal proberen het te onthouden.' Fowlers gezicht stond strak. 'Wilt u mijn vraag beantwoorden, alstublieft?'

Dante deed of hij nadacht, terwijl hij op zijn karakteristieke manier zijn nek liet kraken, naar links en naar rechts. Paola had het gevoel dat hij ofwel het antwoord wist, ofwel de vraag had verwacht.

'Ik heb wat telefoontjes gepleegd. Vrijwel iedereen houdt vast aan de officiële versie. Er zijn wat onbeduidende uitglijders geweest, zo op het oog niets ernstigs. Een flirt met marihuana in zijn jeugd, nog voordat hij op het seminarie zat. Wat twijfelachtige politieke contacten op de universiteit, maar meer niet. Toen hij al tot kardinaal was gewijd had hij een confrontatie met enkele collega's van de curie, aangezien hij zich opwierp als voorstander van een groepering waar de curie weinig mee op heeft, de Charismatische Beweging.[1] In grote lijnen was het een goed mens.'

'Evenals de andere twee,' zei Fowler.

'Kennelijk wel.'

'Kunt u ons al iets vertellen over het moordwapen, dokter?' interrumpeerde Paola.

De forensisch patholoog wees op de keel van het slachtoffer en op de sneden in de borst.

'Het was een scherp voorwerp met een gladde rand, mogelijk een middelgroot maar vlijmscherp keukenmes. Ik heb bij de vorige slachtoffers mijn mening voor me gehouden, maar nu ik de mallen van de incisies heb bekeken ben ik van mening dat hij in alle drie de gevallen hetzelfde instrument heeft gebruikt.'

Dat prentte Paola zich goed in haar geheugen.

'Dottoressa,' zei Fowler. 'Denkt u dat er een kans bestaat dat Karoski iets probeert tijdens de begrafenis van Wojtyla?'

'Jezus, dat weet ik niet. Ik neem aan dat de beveiliging rond Huize Santa Marta is aangescherpt...'

'Uiteraard,' pochte Dante. 'Ze zitten zo opgesloten dat ze niet weten of het dag of nacht is zonder op hun horloge te kijken.'

'... hoewel de beveiliging ook hiervoor al was verhoogd, en dat heeft weinig uitgehaald. Karoski is niet voor één gat te vangen en gaat buitengewoon koelbloedig te werk. Ik moet u eerlijk bekennen dat ik het niet zou weten. Ik weet niet of hij iets gaat proberen, maar ik betwijfel het. In dit geval heeft hij zijn ritueel niet kunnen afmaken en ook geen boodschap voor ons achtergelaten, zoals bij de anderen wel het geval was.'

'Wat betekent dat we een aanwijzing zijn misgelopen,' mopperde Fowler.

---

1 De Charismatische Beweging is een omstreden stroming binnen de kerk waarin vrij extreme riten centraal staan: zingen en dansen op de klank van tamboerijnen, springen (de grootste waaghalzen maken zelfs salto mortales), het omversmijten van kerkbanken en het spreken in tongen... dat alles onder invloed van de Heilige Geest en een uitzinnige euforie. De katholieke kerk heeft nooit enige goedkeuring aan deze groepering gehecht.

'Dat is waar, maar het zou hem tegelijkertijd nerveus en kwetsbaar kunnen maken. Met deze hufter weet je het nooit.'
'We moeten er alles aan doen om de kardinalen te beschermen,' zei Dante.
'Het gaat er niet alleen om de kardinalen te beschermen, we moeten hem ook vinden. Al probeert hij niets, hij is er en zal ons grijnzend in de gaten houden. Daar durf ik alles om te verwedden.'

Woensdag 8 april 2005, 10.15 uur

De uitvaart van Johannes Paulus II verliep normaal. Zo normaal als de uitvaart van een religieus leider van meer dan een miljard mensen in aanwezigheid van enkele van de belangrijkste staatshoofden en koningshuizen ter wereld kon zijn. De hoogwaardigheidsbekleders waren evenwel niet de enigen die de begrafenis bijwoonden. Honderdduizenden mensen verdrongen zich op het Sint-Pietersplein en achter ieder van die gezichten ging een geschiedenis schuil die in de ogen van de eigenaar brandde als het vuur achter het scherm voor de open haard. Sommige van die gezichten zouden echter een ingrijpend belang in deze geschiedenis hebben.

Een van hen was Andrea Otero. Ze zag Robayra nergens. De verslaggeefster ontdekte drie dingen op het dakterras waarop ze zich samen met collega's van de Duitse televisie een plaatsje had verworven. Ten eerste dat je na een halfuur knallende koppijn krijgt van door een verrekijker kijken. Ten tweede dat alle kardinalen precies dezelfde nek schijnen te hebben. En ten derde dat er maar honderdtwaalf kardinalen op die stoelen zaten. Ze had ze diverse malen geteld. En op de lijst kiesgerechtigde kardinalen die ze op haar knieën had liggen, stond dat het er honderdvijftien moesten zijn.

Camilo Cirin zou zich uitermate slecht op zijn gemak hebben gevoeld als hij wist welke gedachten Andrea Otero's brein deden kraken, maar hij had zijn eigen ernstige problemen. Een daarvan was Viktor Karoski, de seriemoordenaar die het op kardinalen gemunt had. Karoski bezorgde Cirin geen enkel probleem tijdens de uitvaart, maar wel verscheen er tijdens de plechtigheid een verdacht vliegtuig in het luchtruim van het Vaticaan. De angst die Cirin gedurende enkele momenten in zijn greep hield toen hij aan de aanslagen van 11 september dacht deed niet onder voor die van de piloten van de drie jachtvliegtuigen die de achtervolging inzetten. Gelukkig veranderde de angst al snel in opluchting toen bleek dat de piloot van het onbekende vliegtuig een Macedoniër was die een inschattingsfout had gemaakt. Het incident bracht Cirin aan de rand van een zenuwinstorting. Een naaste medewerker verklaarde achteraf dat hij Cirin voor het eerst in de vijftien jaar dat hij voor hem werkte zijn stem had horen verheffen.

Fabio Dante, eveneens een naaste medewerker van Cirin, bevond zich onder het publiek. Hij vervloekte zijn lot, want hij werd bijna onder de voet gelopen toen de kist van paus Wojtyla werd weggedragen en het gescandeerde *'Santo Subito!'* deed pijn aan zijn oren. Hij probeerde wanhopig iets te zien in die zee van hoofden en spandoeken, zoekend naar een broeder karmeliet met een warrige baard. Dante was niet degene die de diepste zucht van verlichting slaakte toen de uitvaart eindelijk was afgelopen, maar het scheelde niet veel.

Pater Fowler was een van de vele priesters die de hostie uitreikten onder het publiek. Hij meende herhaaldelijk het gezicht van Karoski te herkennen in de persoon die het lichaam van Christus uit zijn handen ontving. Terwijl honderden mensen voor hem uit schuifelden om God te ontvangen, bad Fowler om twee zaken: de eerste was de reden die hem naar Rome had gebracht en de andere was om de Almachtige om verlichting en kracht te vragen voor datgene wat hij in de Eeuwige Stad had aangetroffen.

Onwetend van het feit dat Fowler de Schepper om hulp vroeg vanwege haar, tuurde Paola vanaf de trappen van de Sint-Pieter ingespannen naar de gezichten in de menigte. Ze had zich in een hoek opgesteld, maar ze bad niet. Dat deed ze nooit. Ze besteedde ook niet al te veel aandacht aan die gezichten, want na een tijdje leken ze allemaal op elkaar. Wat ze wel deed, was proberen de motieven van een monster te doorgronden.

Doctor Boi had zich samen met Angelo, de forensisch beeldhouwer van de UACV, opgesteld voor diverse televisieschermen. Ze ontvingen de beelden rechtstreeks van de camera's van de RAI op het plein, nog voordat ze werden uitgezonden. Daar voerden ze hun eigen jacht, waar ze net zo'n stekende hoofdpijn van kregen als Andrea Otero van haar verrekijker. Van de 'ingenieur', zoals Angelo hem in zijn gezegende onschuld bleef noemen, geen enkel spoor.

Op de esplanade raakten agenten van de geheime dienst van George Bush slaags met agenten van de Vigilanza, toen dezen hun de toegang tot het plein ontzegden. Onder ingewijden gaat het gerucht dat de leden van de Secret Service die dag met de unieke situatie te maken kregen dat ze zich erbuiten moesten houden. Niemand, waar dan ook ter wereld, had hun ooit tevoren de toegang ontzegd. De Vigilanza hield echter voet bij stuk. En wat ze ook zeiden of deden, ze kwamen er niet in.

Viktor Karoski woonde de uitvaart van Johannes Paulus II met gepaste devotie bij. Hij bad hardop, zong met een volle, krachtige stem de gezangen mee en plengde een oprechte traan. Hij maakte toekomstplannen.
Niemand besteedde enige aandacht aan hem.

Vrijdag 8 april 2005, 18.25 uur

Andrea Otero arriveerde buiten adem bij de persconferentie. Niet alleen vanwege de warmte, maar ook omdat ze haar perskaart in het hotel had laten liggen en de taxichauffeur halverwege tot zijn ergernis had gesommeerd rechtsomkeert te maken om hem te gaan halen. Het was niet zo'n ramp geweest, want ze had ruim een uur speling genomen. Ze wilde ruimschoots op tijd zijn om bij de woordvoerder van het Vaticaan, Joaquín Balcells, een balletje op te gooien over de 'verdwijning' van kardinaal Robayra. Al haar pogingen achter zijn verblijfplaats te komen, waren op niets uitgelopen.

De perszaal was gevestigd in een bijgebouw van het grote auditorium dat tijdens het pontificaat van Johannes Paulus II was gebouwd. Een hypermodern gebouw met ruim zeshonderd zitplaatsen dat elke woensdag, de dag waarop de paus audiëntie hield, bomvol zat. De deur van de zaal kwam rechtstreeks uit op de straat en lag pal naast de zetel voor de Congregatie voor de geloofsleer.

De perszaal zelf was een ruimte met 185 zitplaatsen. Andrea had gedacht dat ze als ze een kwartiertje van tevoren zou arriveren wel kon zitten, maar zo te zien hadden ruim driehonderd verslaggevers precies hetzelfde gedacht. Het was ook niet zo vreemd dat de zaal te klein was. Er waren 3042 afgevaardigden van de media uit negentig landen naar Rome gekomen om verslag te doen van de uitvaart, die deze ochtend had plaatsgevonden, en het conclaaf. Meer dan een miljard mensen, de helft van hen katholiek, hadden die ochtend thuis vanuit hun luie stoel afscheid genomen van wijlen de paus.

En ik ben erbij. Ik, Andrea Otero. Tjonge, wat zou het leuk zijn als haar jaargenoten van de School voor Journalistiek haar nu konden zien.

Goed, ze was dan wel aanwezig op de persconferentie waar ze hun gingen vertellen hoe het conclaaf in zijn werk ging, maar ze kon nergens zitten. Ze bleef zo dicht mogelijk bij de deur staan. Dit was de enige ingang en als Balcells binnenkwam, kon ze hem meteen aan zijn jasje trekken.

Ze nam kalm haar aantekeningen over de woordvoerder nog eens door. Hij had geneeskunde gestudeerd, maar carrière gemaakt in de journalistiek. Lid van de prelatuur Opus Dei, geboren in Cartagena en volgens alle bronnen een ernstige, kille man. Hij zou binnenkort zeventig jaar worden en niet-officiële bronnen (waar Andrea altijd heilig in geloofde) wezen hem aan als een van de machtigste personen in het Vaticaan. Alle informatie ging al jaren rechtstreeks uit de mond van de paus naar Balcells en het was zijn taak deze informatie voor het grote publiek in een bepaalde vorm te gieten. Als hij besloot dat iets geheimhouding vereiste, dan bleef het geheim. Onder Balcells was er van uitlekken geen sprake. Zijn curriculum was op z'n zachtst gezegd indrukwekkend. Andrea las welke prijzen en medailles hij allemaal in ontvangst had genomen: commandeur van dit, commandeur van dat, grootkruis van zus... De onderscheidingen alleen namen twee bladzijden in beslag, lovend over de hele linie. Een harde noot om te kraken.

Maar ik heb sterke tanden, verdomme. Met al dat geroezemoes om haar heen kon ze zichzelf al nauwelijks horen denken, maar dat lawaai was niets vergeleken bij de kakofonie die plotseling in de zaal uitbrak.

Het begon met één, als de eerste druppel die de regen aankondigt. Toen drie of vier. En daarna werd het een gekkenhuis van talloze beltonen en piepgeluiden. Er gingen zeker tientallen mobiele telefoons tegelijk. De herrie duurde in totaal veertig seconden. Alle verslaggevers grepen hun mobiel en schudden hun hoofd. Er werd hardop geklaagd.

'Een kwartier vertraging, jongens. Als het zo doorgaat, krijgen we ons verhaal niet op tijd bij de redactie.'

Andrea hoorde vlakbij iemand Spaans spreken. Ze baande zich er met haar ellebogen een weg naartoe, tot ze voor een collega stond met een gebruinde huid en een fijn gezichtje. Aan het accent te horen kwam ze uit Mexico.

'Hallo. Ik ben Andrea Otero van *El Globo*. Weet jij misschien hoe het komt dat alle mobiele telefoons tegelijk gingen?'

De Mexicaanse glimlachte en liet haar haar telefoon zien.

'Kijk maar, een sms'je van de persdienst van het Vaticaan. Dat doen ze als er belangrijk nieuws is. Ze gaan met hun tijd mee, vind je niet? Zo zijn we altijd overal van op de hoogte. Het is alleen vervelend als we allemaal bij elkaar zijn. Dit was een berichtje om ons te laten weten dat de heer Balcells iets verlaat is.'

Andrea was vol bewondering voor deze slimme maatregel. Het was geen gemakkelijke klus om duizenden journalisten van informatie te voorzien.

'Je gaat me toch niet vertellen dat je je niet hebt opgegeven voor die mobiele-telefoonservice?' vroeg de Mexicaanse verbaasd.

'Nou... nog niet, nee. Niemand heeft me er iets over verteld.'

'Geeft niet. Zie je dat meisje daar?'

'Die blonde?'

'Nee, die met dat grijze jasje, met die map onder haar arm. Ga maar naar haar toe en vraag of ze je op de lijst zet, dan sta je over een halfuurtje in hun database.'

Zo gezegd, zo gedaan. Andrea liep op het meisje af en gaf al haar gegevens op. Ze vroeg om haar identiteitskaart en noteerde haar mobiele nummer in haar elektronische agenda.

'Hij is rechtstreeks met de centrale verbonden,' zei ze met een wijze glimlach, alsof ze alles wist van technologie. 'In welke taal wilt u de berichten van het Vaticaan ontvangen?'

'In het Spaans, als het kan.'

'In het Castiliaans of in een variant van een bepaald Latijns-Amerikaans land?'

'In ouderwets Spaans,' antwoordde ze in het Spaans.

'Scusi?' vroeg de ander in perfect en laatdunkend Italiaans.

'Neem me niet kwalijk. In het Castiliaans, graag.'

'Over vijftig minuten bent u opgenomen in onze database. Als u alleen dit formulier nog even wilt tekenen, alstublieft. Daarmee verleent u ons toestemming u de informatie toe te zenden.'

De journaliste krabbelde haar naam onderaan het blad papier dat het meisje vrijwel zonder haar aan te kijken uit de map had gehaald en nam met een bedankje afscheid.

Ze ging terug naar haar plaats en probeerde wat meer over Balcells te lezen, maar een fluisterend gemompel in de zaal kondigde de komst van de woordvoerder aan. Andrea richtte haar aandacht op de voordeur, maar de Spanjaard kwam binnen via een andere, kleinere deur, verborgen achter het podium dat hij nu beklom. Bedaard deed hij of hij zijn aantekeningen ordende, waarmee hij de cameramensen de tijd gaf hun apparatuur in te stellen. De journalisten namen rustig hun plaatsen in.

Andrea vervloekte haar lot en baande zich een weg naar het podium, waar de woordvoerder achter een katheder wachtte tot het stil werd. Terwijl al haar collega's afwachtend op hun stoel zaten, stapte Andrea op Balcells af.

'Meneer Balcells, ik ben Andrea Otero van *El Globo*. Ik probeer u al de hele week te bereiken, maar...'

'Straks.'

De woordvoerder keurde haar geen blik waardig.

'Maar meneer Balcells, u begrijpt het niet, het gaat om informatie over...'

'Straks, juffrouw. Hebt u me niet gehoord? We gaan beginnen.'

Andrea was met stomheid geslagen. Hij had haar geen moment aangekeken. Dat maakte haar woedend. Ze was niet anders gewend dan dat iedere man viel voor haar grote blauwe ogen.

'Meneer Balcells, ik werk voor een van de grootste Spaanse kranten...' Ze probeerde punten te scoren door hem erop te wijzen dat ze voor de Spaanse media werkte, maar ook dat mocht niet baten. Hij wierp haar een ijskoude blik toe.

'Hoe zei u dat uw naam is?'

'Andrea Otero.'

'Van welke krant?'

'*El Globo*.'

'Waar is Paloma dan?'

Paloma, de officiële correspondente voor Vaticaanse zaken. Het meisje dat een paar dagen naar Spanje was gegaan en zo vriendelijk was geweest een auto-ongeluk zonder dodelijk letsel te krijgen en haar plaats af te staan aan Andrea. En nu vroeg Balcells waar ze was. Niet best, Andrea, helemaal niet best.

'Ze is er niet... Ze is verhinderd...'

Balcells fronste zijn wenkbrauwen zoals alleen een bejaard Opus Dei-lid dat kan. Andrea deed bedremmeld een stapje achteruit.

'Jongedame, wilt u even achter u kijken om te zien wat er gaande is, alstublieft?' Balcells wees op de bomvolle rijen in de zaal. 'Daar zitten uw collega's van CNN, de BBC, Reuters en ongeveer honderd andere kranten en televisiestations. Sommigen van hen werkten al als vaste correspondent van het Vaticaan toen u nog niet geboren was. Ze zitten allemaal op een persconferentie te wachten. Doet u me een plezier en neemt u ogenblikkelijk plaats.'

Andrea draaide zich met een blos van schaamte om. De journalisten op de eerste rij glimlachten spottend. Sommigen van hen leken zo oud als die verdomde zuilenrij van Bernini. Op weg naar haar plekje achter in de zaal, waar ze haar tas met haar laptop had neergezet, hoorde ze Balcells in het Italiaans een grapje maken tegen de mensen op de eerste rij. Achter haar rug ging een homerisch gelach op. Ze wist zeker dat het een opmerking ten koste van haar was geweest. Inmiddels werd ze door vrijwel de hele zaal onverholen aangekeken en Andrea bloosde tot achter haar oren. Met haar blik strak naar de grond gericht en haar armen voor zich uit om zich een weg door de nauwe doorgang naar de deur te banen, had ze het gevoel dat ze in een zee van lichamen zwom. Toen ze eindelijk weer op haar plaats was beland, pakte ze haar laptop op, vast van plan zo snel mogelijk weg te glippen. Het meisje dat haar gegevens had opgenomen, pakte haar bij de arm om haar te waarschuwen: 'Denk erom, als u weggaat mag u niet meer binnenkomen voordat de persconferentie beëindigd is. De deur gaat op slot. Dat zijn de regels, u kent dat wel.'

Net als in het theater, bedacht Andrea. Precies als in het theater.

Ze schudde de hand van het meisje van zich af en vertrok zonder een woord te zeggen. Achter haar sloeg de deur dicht met een geluid dat Andrea's schaamte niet geheel kon wegnemen, hoewel het haar wel enigszins opluchtte. Ze had dringend een sigaret nodig en zocht verwoed de zakken van haar elegante jasje door, tot haar vingers het doosje pepermuntjes vonden die haar troost moesten bieden nu ze haar grote vriendin de nicotine had afgezworen. Nu wist ze het weer: ze was een week geleden gestopt met roken.

Wat een ongelooflijk stom moment om te stoppen.

Ze pakte het doosje pepermuntjes en haalde er drie uit. Ze smaakten naar frisse kots, maar ze hielden haar mond tenminste bezig. Ze hielpen alleen totaal niet tegen de afkickverschijnselen.

Andrea Otero zou in de toekomst nog vaak aan dit moment terugdenken. Ze zou zich herinneren dat ze tegen die deurpost stond geleund in een poging tot bedaren te komen, zichzelf voor de kop slaand omdat ze zo stom was geweest zich als een puber een standje te laten geven.

Dat was echter niet de reden waarom ze dit moment nooit zou vergeten. Ze zou het zich herinneren vanwege het huiveringwekkende besef dat het maar een haar had gescheeld of hij had haar vermoord en vanwege het feit dat hij haar uiteindelijk in contact had gebracht met de man die haar leven voorgoed zou veranderen. En dat alles omdat ze bleef staan wachten tot de pepermuntjes zich in haar mond hadden opgelost voordat ze zich uit de voeten maakte. Enkel en alleen omdat ze even tot bedaren moest komen. Hoe lang duurt het voor een pepermuntje smelt? Niet lang. Het leek Andrea evenwel een eeuwigheid te duren, want haar hele lichaam snakte ernaar naar het hotel te gaan en onder de lakens te kruipen. Maar ze bleef staan, al was het maar om zichzelf te bewijzen dat ze niet met de staart tussen de benen de aftocht blies.

Die drie pepermuntjes zouden echter haar leven veranderen (en waarschijnlijk ook de geschiedenis van de westerse wereld, maar zoiets weet je natuurlijk nooit zeker), simpelweg omdat ze zich op het juiste moment op de juiste plek bevond. Er was nauwelijks nog iets van de pepermuntjes over, hooguit een dun laagje tegen haar verhemelte, toen een koerier de hoek van de straat om kwam. Hij droeg een oranje overall en een baseballpetje, had een tas in zijn hand en leek enorme haast te hebben. Hij stevende regelrecht op haar af.

'Sorry, neem me niet kwalijk, is dit de perszaal?'

'Ja, klopt.'

'Ik heb hier een dringende boodschap voor de volgende personen: Michael Williams van CNN, Bertie Hegrend van de RTL...'

Andrea viel hem op verveelde toon in de rede.

'Hou maar op, jongen. De persconferentie is al begonnen. Je moet een uur wachten.'

De koerier keek haar aan alsof hij het in Keulen hoorde donderen.

'Dat kan niet waar zijn. Ze zeiden...'

De journaliste schiep er een boosaardig genoegen in haar problemen over te hevelen op de schouders van deze man.

'Dat zijn de regels, je kent dat wel.'

De koerier streek wanhopig met zijn hand over zijn gezicht.

'U begrijpt het niet, juffrouw. Ik heb deze maand al driemaal iets te laat afgeleverd. Spoedberichten moeten altijd binnen een uur nadat ze zijn binnengekomen worden afgeleverd, anders wordt er niet voor betaald. Ik heb hier tien brieven à dertig euro het stuk. Als ik hiermee de mist in ga, is de kans groot dat mijn bedrijf het Vaticaan kwijtraakt als klant en dan kun je er donder op zeggen dat ik word ontslagen.'

Andrea begon het zielig te vinden. Ze was een beste meid. Impulsief, onbezonnen en wispelturig, dat wel. Ze kreeg wel eens het een en ander voor elkaar met leugentjes (en heel veel mazzel), dat ook. Maar ze was een beste meid. Ze las de naam van de koerier op het naamplaatje dat op zijn overall zat gespeld. Ook dat was een karaktertrekje van Andrea: ze noemde de mensen altijd bij hun naam.

'Hoor eens, Giuseppe, het spijt me, maar hoe graag ik het ook zou willen, ik kan die deur niet voor je open krijgen. Hij gaat alleen van de binnenkant open. Kijk maar, er zit nergens een deurknop of een slot.'

De jongeman stootte een kreet van frustratie uit en zette zijn handen in de zij, aan weerszijden van zijn omvangrijke buik, die ondanks de wijde overall goed te zien was. Hij probeerde na te denken. Hij keek Andrea vanonder zijn wimpers aan. Andrea dacht dat hij naar haar borsten keek – als vrouw had ze die onaangename ervaring vrijwel dagelijks beleefd sinds ze in de puberteit zat – tot ze besefte dat hij naar het kaartje op haar revers staarde.

'Luister, ik weet het. Ik geef de brieven aan u.' Op het kaartje stond het embleem van het Vaticaan en de koerier dacht dat ze een of andere werkneemster was.

'Hoor eens, Giuseppe...'

'Niks Giuseppe, noem me maar gewoon Beppo,' zei de ander, terwijl hij in zijn tas graaide.

'Beppo, ik kan echt niet...'

'Heus, u moet me dat pleziertje doen. U hoeft niet te tekenen, dat heb ik al gedaan. Ik zet gewoon allemaal verschillende krabbeltjes op mijn lijst en dat is dat. U hoeft me alleen maar te beloven dat u die lui de brieven overhandigt zodra ze naar buiten komen.'

'Ja, maar...'

Beppo stopte haar de tien enveloppen in kwestie in handen.

'De namen van de journalisten voor wie ze zijn bestemd staan erop. De cliënt wist zeker dat ze allemaal hier zouden zijn, dus daar hoeft u zich geen zorgen over te maken. Goed, dan ga ik ervandoor, want er moet nog een brief naar het Corpo di Vigilanza en een naar de Via Lamarmora. Tot kijk en hartstikke bedankt, dame.'

Voordat Andrea nog iets kon zeggen, maakte die vreemde snuiter rechtsomkeert en was hij verdwenen.

Andrea keek met een verdwaasd gezicht naar de tien enveloppen. Ze waren geadresseerd aan de correspondenten van de tien belangrijkste persdiensten ter wereld. Andrea kende de reputatie van vier ervan en had zeker twee van hen herkend in de perszaal.

De enveloppen waren van A5-formaat, allemaal identiek, afgezien van de naam van de geadresseerde. Haar journalisteninstinct werd gewekt en alle alarmbellen gingen rinkelen toen ze zag wat erop stond. In de linkerbovenhoek was met de hand geschreven:

EXCLUSIEF – ONMIDDELLIJK OPENEN

Die woorden vormden een moreel dilemma voor Andrea, dat minstens vijf seconden aanhield. Ze loste het op met een pepermuntje. Ze keek eens goed om zich heen. De straat was verlaten, er waren geen getuigen van eventuele postfraude. Ze nam een willekeurige envelop uit het stapeltje en maakte hem voorzichtig open. Gewoon uit nieuwsgierigheid.

De envelop bevatte slechts twee voorwerpen: een dvd van het merk Blusens; op het hoesje stond met onuitwisbare stift dezelfde zin te lezen als op de envelop. En een briefje, geschreven in het Engels:

De inhoud van deze dvd is van het grootste belang. Het is waarschijnlijk het belangrijkste nieuws van het jaar, mogelijk zelfs van de eeuw. Men doet er alles aan dit voor u verborgen te houden. Bekijk deze dvd zo spoedig mogelijk en breng de inhoud ervan zo snel u kunt naar buiten. Pater Viktor Karoski.

Andrea overwoog de mogelijkheid dat dit een grap betrof. Er was maar één manier om daarachter te komen. Ze haalde de laptop uit haar tas, zette hem aan en stopte de dvd erin. Ze vervloekte het systeem in alle talen die ze kende – Spaans, Engels en een handjevol Italiaanse scheldwoorden – en toen ze het eindelijk voor elkaar kreeg, besefte ze dat de dvd filmbeelden bevatte.

Veertig seconden later moest ze overgeven.

Zaterdag 9 april 2005, 01.05 uur

Paola had pater Fowler overal gezocht. Ze was niet verbaasd toen ze hem daar beneden aantrof, met zijn wapen in de hand, het jasje van zijn clergyman netjes opgevouwen op een stoel en zijn witte boord over de hoge rand van de schiet-cabine. Hij had de mouwen van zijn overhemd opgerold. Hij droeg de gehoor-beschermers, dus wachtte Paola tot hij opnieuw moest laden voordat ze hem benaderde. Ze was gefascineerd door zijn geconcentreerde gezicht en zijn per-fecte schiethouding. Hij had sterke handen, ook al was hij dan ruim een halve eeuw oud. De loop van het wapen was naar voren gericht en week na elk schot geen millimeter af, alsof hij in steen was vastgeklonken.

De criminologe zag hem niet één, maar drie ladingen leegschieten. Hij schoot uiterst bedaard, nam de tijd met toegeknepen ogen, het hoofd iets schuin. Ein-delijk besefte hij dat ze in de schietruimte was. Die bestond uit vijf cabines, van elkaar gescheiden door dikke houten wanden waaruit staalkabels staken. Aan deze kabels waren de doelwitten bevestigd, die met behulp van katrollen op een afstand van maximaal veertig meter konden worden gezet.

'Goedenavond, dottoressa.'

'Een vreemd tijdstip om te gaan oefenen, is het niet?'

'Ik had geen zin om naar mijn hotel te gaan. Ik wist dat ik vannacht niet zou kunnen slapen.'

Paola knikte. Ze begreep hem precies. Het was afschuwelijk geweest om die uit-vaart bij te wonen zonder iets te kunnen doen. Dit werd gegarandeerd een sla-peloze nacht. Ze snakte ernaar iets nuttigs te doen.

'Waar is mijn goede vriend de hoofdinspecteur?'

'Hij kreeg een dringende oproep. We zaten in bespreking over het autopsiever-slag van Cardoso toen hij plotseling in allerijl vertrok, zonder me zelfs maar te laten uitpraten.'

'Typisch iets voor hem.'

'Ja. Maar laten we het daar niet over hebben... Laat eens kijken of die oefenin-gen iets geholpen hebben, pater.'

De criminologe drukte de knop in waarmee de schietschijf naar voren kwam, waarop het silhouet van een man was bevestigd, op borsthoogte voorzien van een witte cirkel. Het duurde even voor de schijf er was, want Fowler had hem op de maximale afstand ingesteld. Het verbaasde haar niets dat vrijwel alle ko-gelgaten midden in de witte cirkel zaten. Wat haar wel verbaasde, was dat hij één keer had gemist. Het stelde haar teleur dat hij niet alle kogels midden in de roos had geschoten, zoals de helden in de films.

Maar hij is geen filmheld. Hij is een mens van vlees en bloed. Intelligent, belezen en een goed schutter. Op de een of andere manier maakt die misser hem menselijk.

Fowler volgde haar blik en lachte vrolijk om zijn eigen fout.

'Ik ben er een beetje uit, maar ik blijf ervan genieten. Het is een bijzondere sport.'

'Zolang het een sport blijft wel.'

'U vertrouwt me nog steeds niet, is het wel?'

Paola gaf geen antwoord. Het deed haar plezier Fowler zo te zien, zonder zijn priesterboord en gekleed in een verkreukeld overhemd en een zwarte broek. Maar de foto's van El Aguacate die Dante haar had laten zien, spookten af en toe nog door haar hoofd, als schimmen in het duister.

'Nee, pater. Niet helemaal. Maar ik zou het wel graag willen. Is dat voldoende voor u?'

'Dat moet voldoende zijn.'

'Waar hebt u dat wapen vandaan? De wapenkist is afgesloten op dit uur van de nacht.'

'Ik heb het van directeur Boi geleend. Het is zijn wapen. Hij zei dat hij het al tijden niet heeft gebruikt.'

'Dat klopt, jammer genoeg. U had hem drie jaar geleden moeten zien. Hij was heel professioneel, een groot wetenschapper. Dat is hij nog steeds, maar vroeger glansden zijn ogen van nieuwsgierigheid, en dat is hij inmiddels kwijt. Nu kijkt hij net zo zorgelijk als een ambtenaar.'

'Hoor ik daar bitterheid of nostalgie, dottoressa?'

'Een beetje van allebei.'

'Heeft het u veel moeite gekost hem te vergeten?'

Paola veinsde verbazing.

'Pardon?'

'Kom, niet boos worden. Het viel me op dat hij een muur tussen u beiden heeft opgeworpen. Boi weet op een bewonderenswaardige manier de afstand tussen jullie te bewaren.'

'Jammer genoeg is hij daar inderdaad goed in.'

De criminologe aarzelde voordat ze verder sprak. Ze kreeg dat lege gevoel weer in haar maag dat ze af en toe kreeg als ze naar Fowler keek. Het achtbaangevoel. Kon ze hem vertrouwen? Ze bedacht met een trieste en vage ironie dat hij per slot van rekening priester was en als zodanig gewend moest zijn aan de laagste eigenschappen van de mens. Evenals zijzelf, trouwens.

'Boi en ik hebben een korte romance gehad. Ik weet niet of hij me niet meer leuk vond of dat ik zijn promotiekansen in de weg stond.'

'U geeft de voorkeur aan de tweede optie.'

'Ik hou mezelf graag voor de gek. Niet alleen wat dit betreft. Ik maak mezelf graag wijs dat ik nog bij mijn moeder woon om haar te beschermen, maar in werkelijkheid ben ik degene die bescherming nodig heeft. Waarschijnlijk word ik daarom altijd verliefd op mannen met een sterke persoonlijkheid, die echter niet beschikbaar zijn. Mannen die ik niet kan krijgen.'

Fowler gaf geen antwoord. Ze was duidelijk genoeg geweest. Ze stonden dicht bij elkaar en keken elkaar diep in de ogen. De minuten tikten voorbij.

Paola verdronk in de groene ogen van pater Fowler, waarmee hij zijn diepst verborgen gedachten blootlegde. Ze meende op de achtergrond een dwingend geluid te horen, maar besteedde er geen aandacht aan. De priester was degene die de betovering verbrak.

'U kunt beter de telefoon aannemen, dottoressa.'

Pas toen realiseerde Paola zich dat het dwingende geluid op de achtergrond afkomstig was van haar eigen mobiele telefoon, die zo langzamerhand woedend begon te klinken.

Ze nam op. Haar gezicht vertrok van woede en ze hing op zonder een groet.

'Kom, pater. Dat was het laboratorium. Er is vanmiddag een pakje aangekomen per koerier. De afzender is Maurizio Pontiero.'

'Dat pakje is vier uur geleden aangekomen. Mag ik weten waarom het zo lang heeft geduurd voordat iemand keek wat erin zat?'

Boi keek haar geduldig, maar geërgerd aan. Het was een beetje laat om onzin van een ondergeschikte te moeten aanhoren. Hij wist zich echter te beheersen en nam het vuurwapen aan dat Fowler hem overhandigde.

'De envelop was aan u geadresseerd, Dicanti, en toen hij arriveerde bevond u zich in het mortuarium. De receptioniste heeft hem bij mijn post gelegd en ik was er nog niet aan toegekomen om ernaar te kijken. Toen ik zag wie er als afzender stond vermeld heb ik mijn mensen aan het werk gezet, maar op dit tijdstip duurt dat even. Ik heb allereerst de explosievendienst gebeld. Ze vonden niets verdachts in de envelop. Toen ik erachter kwam wat het was, heb ik zowel u als Dante gebeld, maar de hoofdinspecteur is onvindbaar en Cirin neemt de telefoon niet aan.'

'Ze liggen te slapen. Het is verdomme midden in de nacht.'

Ze bevonden zich in de dactyloscopiekamer, een kleine ruimte zonder ramen vol lampen en gloeilampen, waar de zware lucht hing van het stof waarmee de vingerafdrukken worden afgenomen. Sommige leden van de technische analysedienst vonden dit een lekkere geur. Er was zelfs iemand die die opsnoof voordat hij met zijn vriendin naar bed ging, omdat hij volgens hem werkte als een afrodisiacum maar Paola vond dat het stonk. Ze moest ervan kokhalzen en het spul maakte vlekken op donkere kleding die er pas na een paar maal wassen uit gingen.

'Goed dan. Weten we zeker dat Karoski dit heeft gestuurd?'

Fowler bestudeerde het handschrift waarmee de afzender het adres had opgeschreven. Hij hield de envelop met ietwat gestrekte armen voor zijn gezicht. Paola vermoedde dat hij een beetje bijziend was. Hij had binnenkort vast een bril nodig om te kunnen lezen. Ze vroeg zich af hoe die hem zou staan.

'Dit is zijn handschrift, dat is zeker. En de macabere grap om de naam van onderinspecteur Pontiero te gebruiken is ook typisch iets voor Karoski.'

Paola nam de envelop van Fowler aan. Ze legde hem op de grote tafel die praktisch de gehele ruimte in beslag nam. Het blad was van glas en werd van onderaf belicht. Op tafel lag de inhoud van de envelop, afzonderlijk verpakt in zakjes van doorzichtig plastic. Boi wees op het eerste zakje.

'Zijn vingerafdrukken staan op dat briefje. Het is aan u gericht, Dicanti.'

De criminologe hield het zakje voor haar ogen en bekeek de brief, die geschreven was in het Italiaans. Ze las hem hardop voor:

Lieve Paola,

Ik mis je verschrikkelijk. Ik ben in MC 9:48. Het is hier lekker warm en gezellig. Ik hoop dat je me zo snel mogelijk komt opzoeken. Ik heb een vakantievideo voor je gemaakt, dan kun je vast kijken hoe het hier is.

Kus,
Maurizio

Paola huiverde, zowel van woede als van afschuw. Ze probeerde haar tranen terug te dringen en vocht om ze binnen te houden. Ze ging niet huilen waar Boi bij was. Waar Fowler bij was misschien wel, maar niet waar Boi bij was. Nooit van haar leven.
'Pater Fowler?'
'Marcus, hoofdstuk 9, vers 48: waar de wormen blijven knagen en het vuur niet dooft.'
'De hel.'
'Juist.'
'Godvergeten klootzak.'
'Hij verwijst op geen enkele manier naar de achtervolging van enkele uren geleden. De kans is groot dat hij dit briefje eerder heeft opgesteld. De dvd is gisterochtend opgenomen, volgens de datum in de opnamegegevens.'
'Weten we met wat voor camera of computer dit is opgenomen of gekopieerd?'
'Hij gebruikt een programma waarbij die gegevens niet op de schijf worden geregistreerd. Alleen het tijdstip, het programma en de versie van het besturingssysteem. Geen serienummer, geen code, niets om de apparatuur te bepalen.'
'Vingerafdrukken?'
'Twee, maar gedeeltelijk. Allebei van Karoski. Ik had ze echter niet nodig om te weten van wie dit kwam. Een blik op de inhoud was voldoende.'
'Waar wachten we nog op? Zet die dvd aan, Boi.'
'Pater Fowler, hebt u een momentje?'
De priester begreep de situatie onmiddellijk. Hij keek Paola in de ogen. Ze gaf met een nauwelijks merkbaar knikje van haar hoofd te kennen dat het in orde was.
'Waarom niet? Koffie voor drie personen, dottoressa Dicanti?'
Boi wachtte tot Fowler de deur uit was om Paola bij de hand te pakken. Paola vond de aanraking niet prettig – te vochtig en te vlezig. Ze had er vaak naar verlangd deze handen nogmaals op haar lichaam te voelen; ze had de eigenaar ervan vervloekt om zijn onverschilligheid, maar op dat moment was er geen spat van dat vuur over. Er restte haar slechts haar trots, waar de criminologe een overvloed aan bezat. Ze schudde ongeduldig zijn hand weg.
'Paola, ik wil je waarschuwen. Dit wordt loodzwaar voor je.'
De criminologe wierp hem een harde glimlach zonder humor toe en sloeg haar armen over elkaar. Ze wilde haar handen zo ver mogelijk bij hem vandaan halen. Voor het geval dat.

'Tutoyeer je me ineens weer? Ik ben eraan gewend lijken te zien, Carlo.'

'Niet die van vrienden.'

Paola's glimlach trilde op haar gezicht als een lap stof in de wind, maar haar wilskracht wankelde geen seconde.

'Zet die band op, directeur Boi.'

'Waarom moet dit zo? Het zou heel anders kunnen zijn tussen ons.'

'Ik ben geen pop, je kunt me niet in een hoek gooien en dan weer oppakken. Je hebt me afgewezen omdat ik een gevaar betekende voor je carrière. Je gaf er de voorkeur aan terug te keren naar de comfortabele triestheid van het leven met je vrouw. Nu kies ik voor mijn eigen triestheid.'

'Waarom nu, Paola? Waarom nu, na al die tijd?'

'Omdat ik er eerder de kracht niet voor had. Die heb ik nu wel.'

Hij streek met zijn hand door zijn haar. Het begon tot hem door te dringen.

'Je kunt hem niet krijgen, Paola. Al zou hij nog zo graag willen.'

'Misschien heb je gelijk. Maar het is mijn beslissing. Jij hebt de jouwe lang geleden genomen. Ik bezwijk nog liever voor de obscene blikken van Dante.'

Boi trok een vies gezicht bij deze vergelijking. Paola zag het tevreden aan, want ze hoorde het ego van de directeur krijsen van woede. Ze was hard tegen hem geweest, maar dat had haar baas verdiend nu hij haar maandenlang als een vod behandeld had.

'Zoals u wilt, dottoressa Dicanti. Ik zal de rol van de ironische chef spelen en u die van de mooie fantaste.'

'Geloof me, Carlo, dat is voor ons allebei het beste.'

Boi bracht een droevige, bittere glimlach tevoorschijn.

'Vooruit dan maar. We gaan de dvd bekijken.'

Alsof hij over een zesde zintuig beschikte – vanaf dat moment wist Paola zeker dat hij dat bezat – kwam pater Fowler binnen met een blad waarop iets stond dat voor koffie zou kunnen doorgaan als de drinker ervan nooit van zijn leven koffie had geproefd.

'Alstublieft. Machinegif met cafeïne. Bent u zover om de vergadering voort te zetten?'

'Jazeker, pater,' antwoordde Boi. Fowler bestudeerde hen tersluiks. Boi zag er wat verdrietig uit, maar hij meende ook iets anders in zijn stem te bespeuren. Opluchting? Paola zag er krachtig uit. Minder onzeker.

De directeur trok latex handschoenen aan en haalde de dvd uit de plastic zak. De mensen van het laboratorium hadden een roltafeltje uit de kantine gehaald. Daar stonden een televisietoestel op met een scherm van 27 inch en een goedkope dvd-recorder. Boi wilde het schijfje liever hier bekijken, want de kantine had glaswanden en iedereen die toevallig langskwam zou kunnen meekijken. Er deden de wildste geruchten de ronde over de zaak die Boi en Dicanti in handen hadden, maar geen daarvan kwam ook maar enigszins in de buurt van de waarheid. In de verste verte niet.

De dvd werd geladen. De film begon meteen, zonder voorafgaande eigendomsrechten of wat dan ook. De beelden waren onhandig gefilmd, de camera bewoog hysterisch op en neer en de belichting was ronduit slecht. Boi had de licht-scherpte op het maximum ingesteld.

'Goedenavond, zielen van de wereld.'

Paola veerde geschrokken op toen ze Karoski's stem hoorde, de stem die haar had gefolterd in dat telefoongesprek, meteen na de dood van Pontiero. Op het scherm was echter nog niets te zien.

'Met deze opnamen laat ik zien hoe ik de heiligste mannen van de Kerk van de aardbodem laat verdwijnen, overeenkomstig de wil van de engel der duisternis. Mijn naam is Viktor Karoski, afvallig priester van de katholieke kerk. Ik heb ja-renlang kinderen misbruikt, beschermd door de onnozelheid en medeplichtig-heid van mijn voormalige superieuren. Dankzij mijn verdiensten ben ik door Lucifer in eigen persoon uitverkoren voor deze opdracht, die moet worden uit-gevoerd nog voordat onze vijand de timmerman zijn zaakwaarnemer op aarde kiest.'

Het scherm veranderde van pikzwart in ietwat grijzig. Er doemden beelden op van een met bloed bedekte man, het hoofd opzij gevallen, vastgebonden aan wat kennelijk de pilaren van de crypte van Santa Maria in Traspontina waren. Dicanti kon hem met moeite thuisbrengen als kardinaal Portini, het eerste slachtoffer. Dat was het stoffelijk overschot dat ze nooit hadden gezien omdat de Vigilanza hem gecremeerd had. Portini kreunde zacht en alles wat ze zagen van Karoski was de punt van een mes waarmee hij door de linkerpols van de kardinaal sneed.

'Dit is kardinaal Portini, te vermoeid om te schreeuwen. Portini heeft veel goeds gedaan voor de wereld, en mijn Heer gruwelt van zijn stinkende vlees. Hier zien jullie hoe er een einde komt aan zijn miserabele bestaan.'

Hij zette het mes op zijn keel en sneed hem in één simpele beweging door. Het beeld werd zwart en ging over in beelden van een volgend slachtoffer, vastge-bonden op dezelfde plek. Het was Robayra. Hij zag er doodsbang uit.

'Dit is kardinaal Robayra, hij is buiten zichzelf van angst. Er glanst een stralend licht in zijn innerlijk. Het moment is aangebroken om dat licht terug te geven aan zijn Schepper.'

Ditmaal moest Paola haar gezicht afwenden. De camera volgde de weg van het mes door de oogkassen van Robayra. Een enkele druppel bloed spatte op de lens. Dat was het gruwelijkste beeld dat de criminologe ooit onder ogen had ge-had; ze had het gevoel dat haar maag zich omdraaide. Het beeld veranderde weer en ging over op de opnamen die ze het meest had gevreesd.

'Dit is onderinspecteur Pontiero, een volgeling van de Visser. Hij had de opdracht mij te zoeken, maar niemand kan het winnen van de Vorst der Duisternis. Nu bloedt de onderinspecteur langzaam dood.'

Pontiero keek recht in de camera, maar zijn gezicht was onherkenbaar verminkt. Hij hield zijn tanden stevig op elkaar geklemd, de kracht was nog niet uit zijn ogen verdwenen. Het mes sneed heel langzaam door zijn keel en Paola wendde nogmaals haar ogen af.

'Dit is kardinaal Cardoso, de grote vriend van de verschoppelingen der aarde, de vlooien en de luizen. Mijn Baas verachtte zijn liefde, walgelijk als de verrotte ingewanden van een schaap. Ook hij is dood.'

Gedurende een kort moment werden de beelden anders. In plaats van filmopnamen werden er foto's getoond van kardinaal Cardoso op zijn pijnbank. Het waren er drie in totaal, enigszins groen van kleur en vrij vaag. Het bloed had een onnatuurlijke donkere tint. De drie foto's verschenen in ongeveer vijftien seconden een voor een in beeld, niet langer dan vijf seconden elk.

'Nu wordt het tijd voor de dood van een andere heilige persoon, de heiligste van allemaal. Ze zullen er alles aan doen om het me te beletten, maar hij zal op dezelfde manier aan zijn einde komen als degenen die jullie zojuist voor jullie ogen hebben zien sterven. De Kerk, laf als altijd, heeft dit alles voor jullie verborgen gehouden. Dat is dan vanaf nu afgelopen. Welterusten, zielen van de wereld.'

De dvd kwam zoemend tot stilstand. Boi zette de televisie uit. Paola zag spierwit. Fowler klemde van woede zijn kaken stijf op elkaar. Ze bleven enkele minuten zwijgend bij elkaar zitten. Ze moesten hun verstand bij elkaar rapen na de aanblik van deze bloedige verschrikkingen. Paola, die het sterkst door de beelden was getroffen, was desondanks de eerste die sprak.
'Die foto's... Waarom foto's? Waarom geen videobeelden?'
'Dat kon niet,' zei Fowler. 'In de Domus Sancta Marthae deed zijn videocamera het niet, daar werkt niets wat ingewikkelder is dan een simpele gloeilamp. Dat zei Dante.'
'En Karoski wist dat.'
'Wat vinden jullie van die act dat hij bezeten zou zijn van de duivel?'
De criminologe had wederom het gevoel dat er iets niets klopte. De opnamen zetten haar gedachten op een volkomen ander spoor. Ze had een lange nacht slaap nodig, ze moest uitrusten en proberen zich ergens af te zonderen om eens goed na te denken: Karoski's woorden, de aanwijzingen op de dode lichamen, de complete som der delen had een rode draad. Als ze die vond, kon ze de kluwen afrollen. Het ontbrak hun echter aan tijd.
Daar gaat mijn nachtje welverdiende rust.
'Over die theatrale wartaal van Karoski over de duivel maak ik me niet zoveel

zorgen,' merkte Boi op, waarmee hij anticipeerde op Paola's gedachtegang. 'Wat ik erger vind, is dat hij ons uitdaagt hem aan te houden voordat hij nog een kardinaal afmaakt. De tijd dringt.'

'Wat kunnen we doen?' vroeg Fowler. 'Hij heeft tijdens de uitvaart van Johannes Paulus II geen enkel teken van leven gegeven. Inmiddels zijn de kardinalen beter beveiligd dan ooit; de Domus Sancta Marthae is hermetisch afgesloten, evenals het Vaticaan.'

Dicanti beet op haar onderlip. Ze was het beu het spel volgens de regels van die psychopaat te spelen. Karoski had echter zijn tweede vergissing begaan: hij had een spoor achtergelaten dat zij konden volgen.

'Door wie is dit gebracht, meneer Boi?'

'Ik heb er al twee jongens op uitgestuurd om dat na te gaan. Het is per koerier gekomen. Het bureau heet Tevere Express, een lokaal bedrijf dat post bezorgt in het Vaticaan. We hebben de baas nog niet gesproken, maar op de beelden van de camera's buiten het gebouw vonden we de kentekenplaat van de motorfiets van de koerier. Hij staat geregistreerd op naam van Giuseppe Bastina, drieënveertig jaar oud. Hij woont in de buurt van Castro Pretorio, in de Via Palestro.'

'Heeft hij geen telefoon?'

'Bij Kentekenregistratie worden geen telefoonnummers verstrekt en hij staat niet in het telefoonboek.'

'Misschien staat hij op naam van zijn vrouw,' opperde Fowler.

'Kan zijn. Voorlopig is hij onze beste kans, dus wordt het tijd voor een ritje. Gaat u mee, pater?'

'Na u, dottoressa.'

Zaterdag 9 april 2005, 02.12 uur

'Giuseppe Bastina?'
'Ja, dat ben ik,' zei de koerier. Hij bood een bizarre aanblik in zijn onderbroek, met een jongetje van hooguit tien maanden in zijn armen. Het was niet zo vreemd dat het kind wakker was geschrokken van de bel op dit uur van de nacht.
'Ik ben ispettore Paola Dicanti en dit is pater Fowler. Maakt u zich geen zorgen, u hebt zich niet in de nesten gewerkt en er is ook niets aan de hand met een familielid. We willen u alleen enkele vragen stellen. Er is nogal wat haast bij.'
Ze stonden op de overloop van een eenvoudig, maar goed onderhouden huis. Een deurmat met een lachende kikker erop heette de gasten welkom. Paola vermoedde dat dit niet voor hen gold en kreeg gelijk. Bastina was zeer geïrriteerd door hun komst.
'Kan het niet tot morgen wachten? De baby moet eten, weet u. Hij zit op een schema.'
Paola en Fowler schudden gelijktijdig het hoofd.
'Het duurt niet lang, meneer. Het gaat om een bestelling die u vanmiddag hebt afgeleverd. Een brief voor de Via Lamarmora, weet u dat nog?'
'Ja, natuurlijk weet ik dat nog. Wat denkt u dan? Ik heb een uitstekend geheugen,' zei de man, terwijl hij met de wijsvinger van zijn rechterhand tegen zijn slaap tikte. Hij hield het kind, dat gelukkig niet huilde, in zijn linkerarm.
'Kunt u ons misschien vertellen waar u die brief hebt opgehaald? Het is van groot belang dat we dat weten, het betreft een moordzaak.'
'Ik ben gebeld door het bureau, net als anders. Ze vroegen of ik langs het postkantoor van het Vaticaan wilde gaan om een aantal brieven op te halen. Ze zouden klaarliggen op de balie bij de conciërge.'
'Brieven? Waren er dan nog meer?'
'Ja, twaalf enveloppen. De klant had verzocht de eerste tien zo snel mogelijk af te leveren bij de perszaal van het Vaticaan. Vervolgens moest er een naar de kantoren van het Corpo di Vigilanza en de laatste was voor u bestemd.'
'Heeft niemand u die enveloppen overhandigd? Lagen ze gewoon voor u klaar?' vroeg Fowler met een bezorgd gezicht.
'Ja, op dat tijdstip is er niemand op het postkantoor, maar ze laten de buitendeur open tot negen uur. Voor het geval iemand iets wil posten in de internationale brievenbussen.'
'Hoe bent u dan betaald?'

'Er lag een kleinere envelop boven op de andere. Daar zat driehonderdzeventig euro in, dertig euro per spoedbestelling en tien euro fooi.'

Paola hief wanhopig haar ogen ten hemel. Karoski had overal aan gedacht. Weer een *fucking* doodlopende steeg.

'Dus u hebt niemand gezien of gesproken?'

'Niemand.'

'En wat deed u toen?'

'Wat denkt u dat ik gedaan heb? Ik ben eerst naar de perszaal gegaan en vervolgens weer helemaal terug naar de Vigilanza.'

'Aan wie waren de enveloppen geadresseerd die u in de perszaal moest afgeven?'

'Aan verschillende journalisten. Allemaal buitenlanders.'

'En u hebt hun de enveloppen overhandigd.'

'Hoor eens even, waarom wilt u dat allemaal weten? Ik neem mijn werk serieus. Ik hoop niet dat u dit allemaal doet omdat ik vandaag een blunder heb begaan. Ik heb deze baan nodig, dus doe me een lol. Mijn zoon moet eten en mijn vrouw is in gezegende staat, waarmee ik bedoel dat ze zwanger is,' verklaarde hij bij de niet-begrijpende blikken van zijn bezoek.

'Meneer Bastina, dit heeft niets met u persoonlijk te maken, maar ik meen het serieus. U vertelt ons wat er is gebeurd en daarmee uit. Zo niet, dan garandeer ik u dat iedere verkeersagent in de wijde omtrek uw kentekenplaat uit zijn hoofd leert.'

Bastina keek haar geschrokken aan en het kind barstte in huilen uit nu Paola zo'n toon aansloeg.

'Vooruit dan maar. Praat niet zo boos, u maakt de baby bang. Hebt u soms geen hart in uw lijf?'

Paola was moe en zeer geïrriteerd. Het speet haar dat ze zo tegen deze man tekeer moest gaan in zijn eigen huis, maar ze stuitte op het ene obstakel na het andere in dit onderzoek.

'Neem me niet kwalijk, meneer Bastina. Helpt u ons alstublieft. Het is een kwestie van leven of dood, geloof me.'

De koerier bond in. Met zijn vrije hand krabde hij aan zijn stoppelbaard en hij wiegde het kind zorgzaam om hem te laten ophouden met huilen. Het kind begon zich langzaam te ontspannen, evenals de vader.

'Ik heb die enveloppen overhandigd aan een functionaris van de perszaal, oké? De deuren van de zaal waren al gesloten en als ik ze persoonlijk had willen overhandigen, had ik een uur moeten wachten. Spoedbestellingen moeten binnen een uur na ontvangst bezorgd worden, anders wordt er niet uitbetaald. Ik heb al genoeg problemen op mijn werk, snapt u? Als iemand erachter komt dat ik dit geintje heb uitgehaald, kan ik mijn baan verliezen.'

'Van ons zullen ze het niet horen, meneer Bastina. Ik geef u mijn woord.'

Bastina keek haar aan en knikte.

'Ik geloof u, ispettore.'

'Weet u de naam van die functionaris?'

'Nee, dat niet. Ze droeg zo'n naamplaatje met het embleem van het Vaticaan en een blauwe streep aan de bovenkant. Er stond alleen PERS op.'

Fowler trok Paola een eindje de gang uit en begon weer in haar oor te fluisteren, op die speciale manier waar ze zo van hield. Ze deed haar best zich op zijn woorden te concentreren in plaats van op het gevoel dat zijn nabijheid haar gaf.

'Dottoressa, dat kaartje waar die man het over heeft, kan geen identiteitsplaatje zijn van een personeelslid van het Vaticaan. Het is een perskaart. Die dvd's hebben hun bestemming nooit bereikt. Weet u waarom?'

Paola probeerde zich in te leven in een journaliste; ze probeerde zich voor te stellen dat ze een brief in handen kreeg in een perszaal, omringd door alle concurrerende media.

'Ze zijn nooit op hun bestemming aangekomen, want als dat wel zo was geweest, zouden de beelden op dit moment de hele wereld over gaan. Als iedereen die brief tegelijk had gekregen, was niemand weggegaan om de informatie te checken. Dan hadden ze daar ter plekke de woordvoerder van het Vaticaan aan de tand gevoeld.'

'Precies. Karoski was van plan zijn eigen persbericht uit te vaardigen, maar dat pakte averechts uit, dankzij het feit dat deze man zo'n haast had en, naar we gevoeglijk mogen aannemen, het gebrek aan normen en waarden van degene die de brieven in ontvangst heeft genomen. Ik moet me wel ernstig vergissen als zij niet een van die enveloppen heeft opengemaakt om ze vervolgens allemaal te houden. Waarom zou je je geluk delen als het als manna uit de hemel komt vallen?'

'Op ditzelfde moment zit die vrouw ergens in Rome het nieuws van de eeuw te schrijven.'

'En wij moeten weten wie ze is. Hoe sneller, hoe beter.'

Paola begreep de betekenis van de urgentie in de woorden van de priester. Ze keerden terug naar Bastina.

'Meneer Bastina, kunt u ons misschien een beschrijving geven van de vrouw die de brieven heeft aangenomen?'

'Nou, ze was heel mooi. Lichtbruin haar tot op de schouders, een jaar of vijfentwintig... blauwe ogen, een lichtgekleurd jasje en een beige broek.'

'Tjonge, u hebt een goed geheugen.'

'Wat mooie meiden betreft?' Hij glimlachte ondeugend, maar tegelijkertijd beledigd, alsof ze hem op zijn waarde testten. 'Ik kom uit Marseille, ispettore. Het is maar goed dat mijn vrouw in bed ligt, laat ze me maar niet horen. Het duurt nog vier weken voor ze moet bevallen en de dokter heeft absolute rust voorgeschreven.'

'Kunt u zich misschien nog iets herinneren dat ons kan helpen dat meisje op te sporen?'

'Het was een Spaanse, dat weet ik zeker. Mijn zwager is een Spanjaard en hij klinkt net zo als hij probeert een Italiaans accent na te doen. U weet vast wel wat ik bedoel.'

Paola kon het zich goed voorstellen, even goed als ze wist dat het tijd werd om op te stappen.

'Het spijt me dat we u hebben lastiggevallen.'

'Maakt niet uit. Ik vind het alleen nogal vervelend als ik dezelfde vragen twee keer moet beantwoorden.'

Paola schrok zich wezenloos. Ze verhief haar stem tot ze praktisch stond te schreeuwen.

'Hebt u deze vragen al beantwoord? Aan wie dan? Hoe zag hij eruit?'

Het kind begon weer te huilen. De vader wiegde zijn zoontje en probeerde hem zonder al te veel succes te kalmeren.

'Donder nou maar op. Kijk dan, jullie brengen mijn *ragazzo* aan het huilen.'

'Geef antwoord, dan gaan we,' zei Fowler sussend om de zaak in de hand te houden.

'Een collega van u. Hij liet me zijn insigne zien van het Corpo di Vigilanza. Of tenminste, dat stond er op het plaatje. Hij was klein van postuur, met brede schouders. Hij droeg een leren jasje. Hij is een uur geleden vertrokken. En nu wegwezen en niet meer terugkomen.'

Paola en Fowler keken elkaar met van spanning vertrokken gezichten aan en holden naar de lift. Eenmaal op straat voerden ze een bezorgd gesprek.

'Denkt u wat ik denk, dottoressa?'

'Precies hetzelfde. Dante is om een uur of acht met een of ander smoesje vertrokken.'

'Na een telefoontje.'

'Omdat ze de brief bij de Vigilanza al geopend hadden. En ze waren geschokt over de inhoud. Hoe bestaat het dat we die link niet meteen hebben gelegd? Verdomme, het Vaticaan noteert de kentekens van alle voertuigen die binnenkomen. Een standaardmaatregel. En als Tevere Express regelmatig voor hen werkt, is het nogal logisch dat ze precies weten waar alle werknemers wonen, Bastina incluis.'

'Ze hebben het spoor van de brieven gevolgd.'

'Als de journalisten de enveloppen allemaal tegelijk hadden opengemaakt, in de perszaal, had iemand zijn mobiele telefoon gebruikt. Dan was het nieuws als een bom ingeslagen. Dat had geen mens kunnen tegenhouden. Tien topcorrespondenten...'

'Maar nu is er maar één journaliste die het weet.'

'Precies.'

'Eén is een makkelijk te hanteren aantal.'

Er kwamen allerlei verhalen bij Paola op. Verhalen die politiemensen en andere wetsdienaren in Rome alleen op fluistertoon doorvertellen aan hun collega's, meestal na het derde glas. Duistere verhalen over verdwijningen en ongevallen.

'U denkt toch niet dat ze...'

'Ik weet het niet. Het zou kunnen. Dat hangt van de flexibiliteit van de journaliste af.'

'Pater, wilt u alstublieft uw eufemismen voor anderen bewaren? Wat u nu zegt, luid en duidelijk, is dat ze haar die dvd zo nodig onder bedreiging afhandig maken.'

Fowler zweeg. Een van zijn sprekende stiltes.

'We moeten haar voor haar eigen veiligheid zo snel mogelijk vinden. Stap in de auto, pater. We moeten als de weerlicht naar de UACV. We checken alle hotels, de luchtvaartmaatschappijen...'

'Nee, dottoressa. We gaan ergens anders naartoe.' Hij gaf haar een adres op.

'Dat is helemaal aan de andere kant van de stad. Wat hebben we daar te zoeken?'

'Een vriend van me. Hij kan ons helpen.'

Zaterdag 9 april 2005, 02.48 uur

Paola reed ongerust naar het adres dat Fowler haar had opgegeven. Het bleek een flatgebouw te zijn. Ze moesten beneden in de hal wachten en hun vinger langdurig op het knopje van de automatische deuropener houden. Intussen hoorde Paola Fowler uit.

'Die vriend van u... waar kent u hem van?'

'Laat ik het zo zeggen: hij was mijn laatste missie voordat ik ontslag nam bij mijn vorige baan. Hij was veertien jaar en nogal opstandig. Sindsdien ben ik... hoe zal ik het zeggen... een soort spiritueel leider voor hem. We hebben altijd contact gehouden.'

'En nu is hij ingelijfd in uw *firma*?'

'Dottoressa, als u geen compromitterende vragen stelt, hoef ik geen pertinente leugens te verkopen.'

Vijf minuten later besloot de vriend van de pater open te doen. Het bleek een priester te zijn. Piepjong. Hij liet hen binnen in een kleine studio met goedkoop meubilair, maar brandschoon. Er waren twee ramen, beide met de luxaflex geheel gesloten. Aan één kant van de kamer stond een tafel van zeker twee meter breed, met vijf flatscreen beeldschermen erop. Onder de tafel flikkerden honderden lampjes, als een chaotisch opgetuigde kerstboom. Aan de andere kant stond een onopgemaakt bed, waarin de eigenaar enkele minuten geleden nog had liggen slapen.

'Albert, dit is dottoressa Paola Dicanti. We werken samen.'

'Pater Albert...'

'Nee, nee, Albert volstaat.' De jonge priester schonk haar een olijke glimlach, die veel weg had van een onderdrukte geeuw. 'Let niet op de troep. Verdorie, Anthony, wat kom je doen op dit onzalige tijdstip? Ik heb nu echt geen zin in een potje schaak. En nu ik toch bezig ben, had je me wel eens mogen melden dat je in Rome was. Ik wist vorige week al dat je weer in actie was gekomen. Ik had het liever van jou gehoord.'

'Albert is vorig jaar tot priester gewijd. Hij is jong en impulsief, maar een genie op computergebied. Hij gaat ons een pleziertje doen, dottoressa.'

'In welke nesten heb je je nu weer gewerkt, ouwe jongen?'

'Albert, toe. Een beetje respect waar mevrouw bij is,' zei Fowler quasibeledigd. 'We hebben een lijst nodig.'

'Wat voor lijst?'

'De lijst journalisten met een perskaart van het Vaticaan.'

Albert fronste zijn wenkbrauwen.

'Daar vraag je me wat.'

'Albert, in godsnaam. Jij komt en gaat de computers van het Pentagon in en uit zoals anderen naar de wc gaan.'

'Geruchten, alleen maar geruchten,' zei Albert met een brede grijns op zijn gezicht. 'Maar zelfs al was het waar, dan nog is dat heel iets anders. Het computersysteem van het Vaticaan is net het land van Mordor. Daar kom je niet in.'

'Kom op, Frodo26. Ik weet zeker dat je dat systeem allang hebt gekraakt.'

'Sst, idioot. Nooit mijn piratennaam hardop uitspreken.'

'Sorry, Albert.'

De jongeman trok een ernstig gezicht. Hij krabde zich aan zijn kin, waarop de restanten van de puberteit nog zichtbaar waren in de vorm van ruwe rode plekjes.

'Moet het echt? Je weet dat ik hier geen toestemming voor heb, Anthony. Het druist tegen alle regels in.'

Paola wilde niet weten van wie hij die toestemming zou moeten krijgen voor zoiets als dit.

'Er verkeert iemand in levensgevaar, Albert. En jij en ik zijn nooit mensen geweest die zich aan de regeltjes hielden.' Fowler wierp Paola een blik toe met de vraag hem te hulp te schieten.

'Kunt u ons helpen, Albert? Bent u er echt al eens eerder in geweest?'

'Ja, mevrouw Dicanti. Ik ben er al eerder in geweest. Eén keer, en erg ver ben ik niet gekomen. Ik kan u wel vertellen dat ik nog nooit van mijn leven zo in mijn broek gescheten heb. Sorry voor het taalgebruik.'

'Maakt niet uit, die uitdrukking hoor ik wel vaker. Wat gebeurde er?'

'Ik werd gesnapt. En precies op het moment dat het gebeurde, werd er een programma geactiveerd en had ik twee waakhonden aan mijn kont hangen.'

'Wat betekent dat? Hou het simpel, ik ben een leek op dit gebied.'

Albert begon er plezier in te krijgen. Hij praatte graag over zijn passie voor computers.

'Dat er twee verborgen serviceproviders waren die erop zaten te wachten tot er iemand door de beveiliging heen brak. Op het moment dat het me lukte, activeerden ze alle mogelijke middelen om me te lokaliseren. Een van die servers deed zijn uiterste best om achter mijn adres te komen. De andere probeerde me te hacken.'

'Wat is dat?'

'Stelt u zich voor dat u een pad volgt en u moet een rivier oversteken. De weg bestaat uit platte stenen die boven de rivier uitsteken. Wat de computer doet, is die steen weghalen en vervangen door schadelijke informatie. Een Trojan horse.'

De jongen ging achter de computertafel zitten en trok een stoel en een krukje bij. Zo te zien kreeg hij weinig bezoek.

'Is dat een virus?'

'Een megavirus. Als ik nog een stap verder was gegaan, hadden hun bloedhonden mijn harde schijf gewist en was ik volledig in hun handen gevallen. Dat is de enige keer in mijn leven dat ik de dodemansknop heb ingedrukt.'

'Wat is dat?'

'Een knop waarmee ik de stroom van het hele appartement afsluit. Hij wordt na tien minuten vanzelf weer aangesloten.'

Paola vroeg waarom de stroom in het hele appartement moest worden afgesloten en waarom het niet voldoende was om gewoon de stekker uit de computer te trekken, maar hij luisterde al niet meer en hield zijn blik strak op het scherm gericht, terwijl zijn vingers over het toetsenbord vlogen. Fowler gaf in zijn plaats antwoord.

'De informatie verplaatst zich in milliseconden. De tijd die Albert verliest als hij zich bukt om de stekker eruit te trekken kan fataal zijn, snapt u?'

Paola snapte het ongeveer, maar het kon haar allemaal niet boeien. Het enige wat ze op dat moment echt belangrijk vond was dat ze die blonde Spaanse journaliste zouden vinden, en als dit de manier was om dat te doen vond zij het best. Het was zonneklaar dat de twee priesters eerder met dit bijltje hadden gehakt.

'Wat gaat hij nu doen?'

'Hij trekt een rookgordijn op. Ik weet niet precies hoe hij dat doet, maar hij zoekt verbinding via honderd andere computers in een bepaalde volgorde, die hem uiteindelijk naar het netwerk van het Vaticaan brengt. Hoe ingewikkelder en langer de route, hoe langer het duurt voor ze hem onderscheppen, maar er is een bepaalde beveiligingsgrens die je nooit mag overschrijden. Elke computer kent alleen de naam van de vorige computer die de verbinding heeft aangevraagd en alleen tijdens de verbinding. Dus als de verbinding verbroken wordt voordat ze dat punt hebben bereikt, zitten ze met lege handen.'

Het ritmische geluid van de toetsen duurde bijna een kwartier. Om de zoveel minuten vlamde er een rood lichtje aan op een wereldkaart op een van de beeldschermen. Het waren er honderden en ze zaten overal in Europa, Noord-Afrika, Amerika, Japan... Het viel Paola op dat er meer rode puntjes oplichtten in economisch welgestelde landen en slechts een of twee in hartje Afrika en een tiental in Zuid-Amerika.

'Al die rode puntjes op de monitor corresponderen met een computer die Albert gaat gebruiken om het systeem van het Vaticaan binnen te komen, in een bepaalde volgorde. Dat kan via een computer van een ambtenaar, een bankjongen of een of ander advocatenkantoor zijn, in Beijing, Oostenrijk of in Manhattan. Hoe verder ze geografisch gezien van elkaar af liggen, hoe efficiënter de sequentie zal werken.'

'Hoe weet hij of een van die computers niet wordt uitgezet, waarmee het hele proces onderbroken wordt?'

'Ik gebruik meestal dezelfde verbindingslijnen,' zei Albert afwezig, zonder zijn handen van het toetsenbord af te halen. 'Ik werk met computers die altijd aanstaan, en vandaag de dag, met de data-exchangeprogramma's, laten de meeste mensen hun computer vierentwintig uur per dag aanstaan om muziek of porno te downloaden. Dat zijn de ideale systemen om als brug te gebruiken. Een van mijn favorieten is de computer van...' Hij noemde een bekende Europese politicus. 'Hij is een fervent liefhebber van jonge meisjes met paarden. Af en toe vervang ik die plaatjes door pikante foto's van golfspeelsters. Onze-Lieve-Heer verbiedt dat soort perversiteiten.'

'Vind je het niet vervelend om de ene perversiteit door de andere te vervangen, Albert?'

De jongeman schoot in de lach bij deze ironische opmerking van de priester, maar hield zijn ogen strak op de commando's en instructies gericht die zijn vingers op het beeldscherm tevoorschijn riepen. Toen stak hij zijn hand op.

'We zijn er bijna. Ik waarschuw jullie, we kunnen niets downloaden. Ik werk met een systeem waarbij een van hun computers het werk voor me doet, maar hij wist alle informatie zodra een bepaald aantal kilobytes overschreden is. Ik hoop dat jullie een goed geheugen hebben. Als ze ons ontdekken, hebben we nog precies zestig seconden.'

Fowler en Paola knikten. Fowler ging rechtop zitten om Albert in zijn speurtocht aan te sturen.

'Oké, ik ben binnen.'

'Ga naar de persdienst.'

'Ik ben er.'

'Kijk op de lijst geaccrediteerde journalisten.'

Op minder dan vier kilometer daarvandaan werd een van de beveiligingsprogramma's in de kelder van de kantoren van het Vaticaan met de naam Archangel in werking gesteld. Een van de subprogramma's had de aanwezigheid van een externe bron gedetecteerd in het hoofdprogramma. Het lokaliseringssysteem werd onmiddellijk geactiveerd. De eerste computer activeerde op zijn beurt een andere, *Sancte Michael* genaamd.[1] Het waren twee Cray-supercomputers, met een capaciteit van een miljard transacties per seconde die per stuk meer dan 200.000 euro kostten. Ze startten hun programma op en zouden alle berekeningscycli doorlopen om de indringer op te sporen.

Er werd een waarschuwingsvenster geopend op het hoofdscherm. Albert kneep zijn lippen op elkaar.

'Verdomme, daar heb je ze al. We hebben minder dan een minuut. Geen hits met geaccrediteerd.'

Paola voelde dat al haar spieren zich spanden terwijl ze toekeek hoe de rode puntjes op de wereldkaart een voor een uitgingen. In het begin waren het er honderden geweest, maar ze verdwenen in een razend tempo.

'Perspassen.'

'Niks, verdorie. Veertig seconden.'

'Communicatiemiddelen?' vroeg Paola.

'Ja. Een map. Dertig seconden.'

---

1 Volgens de katholieke leer is aartsengel Michael de leider van de goddelijke heirscharen, de engel die satan wegzond uit de hemel en de beschermer van de Kerk.

Er verscheen een lijst op het scherm. Een database.
'Jezus, dertigduizend namen.'
'Kijk op nationaliteit en zoek Spanje.'
'Daar. Twintig seconden.'
'Verdomme, geen foto's. Hoeveel namen zijn het?'
'Ruim vijftig. Vijftien seconden.'
Er waren nog amper dertig rode puntjes aangelicht op de wereldkaart. Ze bogen zich alle drie ver naar voren op hun stoel.
'Selecteer de vrouwen op leeftijd.'
'Alsjeblieft. Tien seconden.'
'Van jong naar oud.'
Paola balde haar handen tot vuisten. Albert haalde een hand van het toetsenbord en hield hem boven de dodemansknop. Dikke zweetdruppels liepen over zijn gezicht terwijl hij met de andere hand het toetsenbord bediende.
'Hier, ik heb het, dit is het. Vijf seconden, Anthony.'
Fowler en Paola lazen zo snel ze konden de namen die op het scherm verschenen en prentten deze goed in hun geheugen. Ze waren nog niet klaar toen Albert de knop indrukte en het hele appartement in volslagen duisternis hulde.
'Albert,' klonk Fowlers stem uit het donker.
'Ja, Anthony?'
'Heb je misschien een paar kaarsen?'
'Nee, Anthony, dat weet je toch? Ik doe niet aan analoge systemen.'

Zaterdag 9 april 2005, 03.17 uur

Andrea was hevig geschrokken.

Geschrokken? Nee man, ik schijt bagger.

Het eerste wat ze had gedaan toen ze in de lobby van het hotel aankwam, was drie pakjes sigaretten kopen. De nicotinestoot van het eerste pakje was een ware zegen geweest. Nu ze aan het tweede was begonnen, begonnen de contouren van de realiteit zich af te tekenen. Ze ervoer een licht gevoel van troostende duizeligheid, als een sussend wiegeliedje.

Ze zat op de vloer van haar kamer, met haar rug tegen de muur geleund en één arm om haar benen geslagen terwijl ze met de andere hand de ene sigaret na de andere opstak. Aan de andere kant van de kamer stond haar laptop, uitgeschakeld.

Gezien de omstandigheden had ze correct gehandeld. Nadat ze de eerste veertig seconden van Karoski's film had bekeken, moest ze overgeven. Andrea was nooit het type geweest dat zich inhield en dus was ze op zoek gegaan naar de dichtstbijzijnde papierbak (zo snel als ze kon en met een hand voor haar mond geslagen, dat wel) en had ze de tagliatelle van de lunch, de croissant van het ontbijt en nog iets waarvan ze niet meer wist wat het was, maar iets van het diner van gisteravond, uitgebraakt. Ze vroeg zich af of het heiligschennis was in een papierbak van het Vaticaan te braken en kwam tot de conclusie dat dat niet het geval kon zijn.

Toen de wereld om haar heen ophield met draaien, keerde ze terug naar de hoofdingang van de perszaal en ze realiseerde zich dat ze een ongelooflijke herrie had geschopt en dat iemand haar waarschijnlijk had gehoord. Ze stond vast en zeker op het punt aangehouden te worden door een stel Zwitserse gardisten wegens postroof, of hoe het ook heette als je post openmaakte die niet voor jou was bestemd, wat voor alle tien de enveloppen gold.

Ja, ziet u, meneer agent, ik dacht dat het misschien een bombrief was en daarom ben ik zo dapper geweest om... Nee, nee, ik wacht hier wel op mijn medaille.

Erg geloofwaardig klonk het niet. Totaal niet, eigenlijk. Maar de Spaanse journaliste had geen smoes nodig om haar vrijheidsberovers om de tuin te leiden, want er kwam niemand. En dus raapte Andrea kalm haar spullen bij elkaar en verliet ze het Vaticaan met een kokette glimlach naar de Zwitserse gardist van de Arco delle Campane, de poort die als ingang voor de media wordt gebruikt, en ze stak het Sint-Pietersplein over, dat nu al enkele dagen uitgestorven was. Ze voelde de blikken van de Zwitserse gardisten in haar rug prikken tot ze vlak bij het hotel uit de taxi stapte. Daarna duurde het nog een halfuur voor ze het gevoel kwijt was dat ze werd gevolgd.

Maar nee, ze was niet gevolgd en ze werd nergens van verdacht. Op de Piazza Navona had ze de negen enveloppen die ze niet open had gemaakt in een papierbak gegooid. Ze wilde niet het risico lopen met al die spullen gepakt te worden. Toen was ze regelrecht naar haar kamer gegaan, met een korte tussenstop bij de nicotinestal.

Toen ze zich veilig genoeg voelde, ongeveer na de derde keer dat ze de pot met droogbloemen in haar kamer doorzocht had op verborgen microfoons, durfde ze de dvd voor de tweede maal in de laptop te stoppen en de film te bekijken. De eerste keer haalde ze het tot één minuut. De tweede keer bracht ze het op hem bijna tot het einde toe uit te kijken. De derde keer zag ze hem helemaal, maar moest ze wel hollend naar de badkamer om het glas water dat ze had gedronken uit te braken tot ze gal spuwde. De vierde keer was ze voldoende gekalmeerd om zich ervan te overtuigen dat dit echt was en geen film in de trant van *The Blair Witch Project*. Maar zoals we al zeiden, Andrea was een intelligente journaliste, wat normaliter zowel in haar voordeel als in haar nadeel werkte. Met haar scherpe intuïtie had ze bij de eerste keer dat ze de beelden zag, begrepen dat dit authentiek was. Een andere journalist had de dvd misschien te snel terzijde gelegd met het idee dat hij nep was. Andrea was echter al enkele dagen naar kardinaal Robayra op zoek, met het ernstige vermoeden dat hij niet de enige kardinaal was die werd vermist. Toen ze Robayra's naam op de band hoorde, veegde dat haar twijfels van tafel, zoals een dronkaard de middagthee op Buckingham Palace weg zou wuiven. Ruw, smerig en efficiënt.

Ze bekeek de dvd nog een vijfde maal om aan de beelden te wennen. En een zesde maal om aantekeningen te maken, niet meer dan wat onsamenhangende krabbels op een blocnote. Toen zette ze de computer uit, ging er zo ver mogelijk bij vandaan zitten – dat bleek een plek tussen de schrijftafel en de airconditioner te zijn – en begon te roken.

Echt een onzalig moment om met roken te stoppen.

De beelden waren een ware nachtmerrie. Aanvankelijk werd ze door walging overspoeld en ze gaven haar zo'n overweldigend smerig gevoel dat ze urenlang niet kon reageren. Toen haar verstandelijke vermogens eindelijk de overhand kregen op haar verbijstering, begon ze te analyseren wat ze in handen had. Ze pakte haar schrift en schreef de drie hoofdpunten op aan de hand waarvan ze haar verslag zou schrijven:

1. Een duivelse moordenaar valt kardinalen van de katholieke kerk aan.
2. De katholieke kerk, mogelijk in samenwerking met de Italiaanse politie, houdt dit voor ons verborgen.
3. Toevalligerwijs begint het conclaaf, waarin deze kardinalen een belangrijke rol was toegedacht, over negen dagen.

Ze streepte 'negen' door en verving het door 'acht'. Het was tenslotte al zaterdag. Ze moest een waanzinnige reportage schrijven. Een complete reportage van drie pagina's met een korte aanhef, pakkende teksten, ondersteunende feiten en koppen op de voorpagina. Ze kon de beelden niet van tevoren naar de krant sturen, want dan zouden ze haar de primeur spoorslags afpakken. De redacteur was in staat Paloma uit haar ziekenhuisbed te lichten om het artikel het nodige gewicht te geven. Dan zouden ze haar hooguit nog wat ondersteunende teksten laten schrijven. Als ze de redactie echter een volledig artikel zou sturen, compleet met lay-out en persklaar, dan zou zelfs de hoofdredacteur het lef niet hebben haar naam er niet onder te zetten. Mooi niet, want in dat geval zou Andrea volstaan met een fax naar *La Nación* en misschien nog een naar *Analfabeta* met de complete tekst en de foto's, voordat *El Globo* het kon publiceren. Dan konden ze hun wereldprimeur op hun buik schrijven (en zij haar baan, tussen twee haakjes).

Zoals mijn broer Miguel Ángel altijd zegt: als we naar de verdommenis gaan, gaan we met z'n allen.

Niet dat dit nu een passende vergelijking was voor een keurig meisje als Andrea Otero, maar wie had gezegd dat zij een keurig meisje was? Keurige meisjes bleven met hun tengels van andermans post af, maar verdomme nog aan toe, het zou haar worst wezen. Ze zag zichzelf al aan haar bureau zitten om de laatste hand te leggen aan haar bestseller: *Ik ontdekte de moord op de kardinalen.* Honderdduizenden boeken met haar naam op de cover, interviews over de hele wereld, praatprogramma's. Eerlijk is eerlijk, die brutale diefstal was de moeite waard.

Alhoewel je soms natuurlijk wel moet uitkijken van wie je iets steelt.

Want dit bericht was haar niet toegezonden door een persdienst. Het was gezonden door een meedogenloze moordenaar die er naar alle waarschijnlijkheid van uitging dat zijn bericht op dit moment de hele wereld over ging.

Ze woog haar kansen af. Het was vandaag zaterdag. Degene die deze dvd verstuurd had, zou er in het beste geval pas morgenochtend achter komen dat het nieuws zijn bestemming nooit had bereikt. Als de koeriersdienst op zaterdag zou werken, wat ze betwijfelde, zouden ze binnen enkele uren achter haar aan komen, zeg maar tegen een uur of tien, elf. Ze dacht echter niet dat de koerier haar naam op het kaartje had gelezen. Hij was het soort man dat meer geïnteresseerd was in wat er onder die kaart te zien viel dan in wat erop geschreven stond. In het beste geval, als de koeriersdienst pas maandag weer openging, had ze twee dagen. In het slechtste geval had ze maar een paar uur.

Andrea had allang geleerd dat het gezonder was om van het minst gunstige scenario uit te gaan en dus ging ze meteen met haar artikel aan de slag. Zodra het uit de printers van de redacteur en de hoofdredacteur in Madrid kwam gerold, moest ze haar haar verven, een grote zonnebril opzetten en maken dat ze haar hotel uit kwam.

Ze stond op en raapte al haar moed bij elkaar. Ze zette haar laptop aan en startte het lay-outprogramma van de krant op. Ze wilde het meteen in het juiste kader schrijven. Het ging haar beter af als ze zag hoe haar tekst eruit zou komen te zien. Het kostte haar drie kwartier om drie pagina's in de gewenste lay-out te zetten. Ze was er bijna mee klaar toen haar mobieltje rinkelde.

Wie kan er nou bellen om drie uur 's nachts?

Haar nummer was alleen bekend bij de krant. Ze had het aan niemand anders gegeven, zelfs niet aan haar familie. Het moest wel iemand van de redactie zijn, wellicht een spoedbericht. Ze stond op en grabbelde in haar tas tot ze het toestel vond. Ze keek op het schermpje in de verwachting het ellenlange nummer te zien dat erop verscheen als ze vanuit Spanje werd gebeld, maar op de plek waar dat had moeten verschijnen was slechts een lege ruimte te zien. Er stond zelfs geen reeks nullen om aan te geven dat het een onbekend nummer betrof. Ze nam op.

'Hallo?'

Er klonk alleen een ingesprektoon.

Verkeerd nummer, zeker.

Iets gaf haar echter het gevoel dat dit telefoontje belangrijk was en dat ze zich moest haasten. Ze zette haar vingers weer op het toetsenbord en tikte als een razende door. Ze maakte een typefout – geen schrijffout, want die maakte ze al acht jaar niet meer – maar nam de tijd niet om hem te corrigeren. Dat moest de krant maar doen. Ze had plotseling een immense haast om het af te maken. Ze deed vier uur over de rest van het artikel; uren waarin ze de biografische gegevens, achtergronden en foto's van de overleden kardinalen opzocht en verwerkte in hun geschreven portretten en het verslag van hun dood. Het artikel bevatte verschillende stills van de beelden van de dvd van Karoski. Die beelden waren zo sterk dat ze er een kleur van kreeg. Jezus christus. Dat moest de redactie maar censureren als ze durfden.

Ze tikte net de laatste regels in toen er aan de deur werd geklopt.

Zaterdag 9 april 2005, 07.58 uur

Andrea keek naar de deur alsof ze haar hele leven nooit een deur had gezien. Ze haalde de dvd uit haar computer, stopte hem in het hoesje en verstopte dat in de afvalbak in de badkamer. Toen liep ze met een knoop in haar maag de kamer weer in, in de hoop dat wie er ook voor de deur had gestaan intussen was doorgelopen. De klop op de deur werd beleefd maar dringend herhaald. Het kamermeisje kon het niet zijn, het was nog niet eens acht uur.

'Wie is daar?'

'Juffrouw Otero? *Complementary* ontbijt van het hotel.'

Andrea deed verbaasd de deur open.

'Ik heb helemaal geen...'

De woorden stokten in haar keel, want dit was niet een van de elegant geklede piccolo's of kelners van het hotel. Het was een klein mannetje, maar breedgeschouderd en gespierd, gekleed in een leren jasje en een zwarte broek. Hij was ongeschoren en glimlachte breed.

'Juffrouw Otero? Ik ben Fabio Dante, hoofdinspecteur van het Corpo di Vigilanza van het Vaticaan. Ik wil u graag enkele vragen stellen.'

In zijn linkerhand hield hij een identiteitsbewijs met zijn foto. Andrea bekeek het nauwkeurig. Het zag er authentiek uit.

'Tja, hoofdinspecteur, het is nog wat vroeg en ik heb mijn slaap hard nodig. Kunt u over een paar uur terugkomen?'

Ze wilde zonder pardon de deur dichtdoen, maar de ander zette met de vaardigheid van een encyclopedieverkoper met een groot gezin zijn voet ertussen. Andrea zag zich gedwongen bij de deur te blijven staan en keek hem aan.

'Hebt u me niet gehoord? Ik moet slapen.'

'Ik denk eerder dat u mij niet hebt gehoord. Ik moet u dringend spreken in verband met een onderzoek naar diefstal.'

Verdomme, hoe hebben ze me zo snel gevonden?

Andrea vertrok geen spier, maar vanbinnen maakte haar zenuwstelsel de sprong van de staat van paraatheid naar de staat van het allerhoogste alarm. Ze moest deze storm hoe dan ook het hoofd bieden en dus zette ze haar nagels in haar handpalmen, trok ze haar tenen in en gebaarde ze de hoofdinspecteur dat hij binnen mocht komen.

'Ik heb weinig tijd. Er moet een artikel naar de krant.'

'Is het niet wat vroeg om een artikel te verzenden? De drukpersen worden pas over enkele uren in werking gezet.'

'Klopt, maar ik heb graag wat speling.'

'Gaat het misschien om een bijzonder bericht?' Dante zette een stap in de richting van haar laptop. Zij ging echter voor hem staan en blokkeerde hem de doorgang.

'Dat niet. Niks bijzonders. De gebruikelijke gissingen naar wie de nieuwe Pontifex Maximus zal worden.'

'Ach, natuurlijk. Een kwestie van het grootste gewicht, nietwaar?'

'Van groot gewicht, inderdaad. Maar wat nieuws betreft is het minder groots. U kent dat wel: de gebruikelijke human interest-reportage. Er is de laatste tijd weinig nieuws, weet u.'

'Dat willen we graag zo houden, juffrouw Otero.'

'Afgezien natuurlijk van die diefstal waar u het zojuist over had. Wat hebben ze van u gestolen?'

'Niets bijzonders. Een aantal enveloppen.'

'Wat zat erin? Het moet wel iets van waarde zijn geweest. De namenlijst van de kardinalen?'

'Waarom denkt u dat de inhoud enige waarde had?'

'Dat moet wel, anders hadden ze hun beste speurder niet op de zaak gezet. Was het misschien een verzameling postzegels van het Vaticaan? Ik heb wel eens gehoord dat filatelisten daar een moord voor doen.'

'Nee, eerlijk gezegd ging het niet om postzegels. Stoort het u als ik rook?'

'U zou moeten overstappen op pepermuntjes.'

De hoofdinspecteur snoof de lucht van de kamer in.

'Zo te ruiken volgt u uw eigen adviezen niet op.'

'Het is een zware nacht geweest. U mag roken, als u tenminste een lege asbak kunt vinden...'

Dante stak een sigaret op en zoog de rook diep naar binnen.

'Zoals ik al zei, juffrouw Otero, bevatten deze enveloppen geen postzegels. Het betreft uiterst gevoelige informatie die niet in verkeerde handen mag vallen.'

'Zoals?'

'Hoe bedoelt u, "zoals"?'

'Welke handen zijn de verkeerde, hoofdinspecteur?'

'De handen van iemand die niet weet wat goed voor hem is.'

Dante keek zoekend om zich heen en vond inderdaad geen asbak. Hij loste dit dilemma op door de as op de vloer te tikken. Andrea maakte van de gelegenheid gebruik om te slikken: als dit geen bedreiging was, was zij kloosterzuster.

'Om wat voor informatie gaat het?'

'Gevoelige informatie.'

'Van waarde?'

'Zou kunnen. Als ik degene vind die de enveloppen heeft gevonden, hoop ik dat er met hem te onderhandelen valt.'

'Bent u bereid veel geld te betalen?'

'Nee. Ik ben bereid hem zijn tanden niet uit de mond te slaan.'

Andrea schrok niet zozeer van Dantes woorden als wel van de klank ervan. Hij spuwde de woorden uit met een glimlach om de lippen, op een toon alsof hij om een decafé vroeg. Dit was bloedlink. Ze kon zich plotseling wel voor haar kop slaan dat ze hem binnen had gelaten. Ze probeerde het met een laatste troefkaart.

'Goed, hoofdinspecteur, het was me een genoegen, maar ik moet u nu verzoeken mij alleen te laten. Mijn vriend, een fotograaf, kan elk moment terugkomen en hij is nogal jaloers aangelegd, dus...'

Dante barstte in lachen uit. Andrea zag totaal niet wat er te lachen viel. De man had een pistool tevoorschijn gehaald en richtte het op een punt tussen haar borsten.

'Ophouden met die flauwekul, schat. Je hebt geen vriend. Geef me die dvd's of we zullen eens zien hoe die longen van jou er vanbinnen uitzien.'

Andrea trok haar wenkbrauwen op toen ze het pistool zag.

'U gaat me niet neerschieten. We zijn in een hotel. De politie zou binnen een halve minuut hier zijn en dan vindt u nooit wat u zoekt, wat dat ook is.'

De hoofdinspecteur aarzelde enkele seconden.

'Weet u wat? U hebt gelijk. Ik ga niet schieten.'

Toen verkocht hij haar met zijn linkerhand een keiharde stomp.

Andrea zag sterretjes en een dikke muur voor haar ogen, tot ze zich realiseerde dat de stomp haar had gevloerd en de muur die ze zag de vloer van de kamer was.

'Het zal niet lang duren, juffrouw. Net genoeg om te pakken wat ik nodig heb.'

Dante liep naar de computer. Hij bewerkte het toetsenbord tot de screensaver verdween en het artikel waar Andrea aan had zitten werken tevoorschijn kwam. 'Yes!'

De journaliste kwam half overeind en knipperde verwoed met haar linkeroog. Die klootzak had haar flink geraakt; het bloed stroomde langs haar gezicht en ze zag met dat oog niets meer.

'Ik snap het niet. Hoe hebt u me gevonden?'

'Ach, juffrouw Otero, u hebt zelf toestemming gegeven uw gegevens te gebruiken toen u ons uw mobiele telefoonnummer gaf en de benodigde formulieren hebt ondertekend.' Al pratende haalde de hoofdinspecteur twee voorwerpen uit de zak van zijn jasje: een schroevendraaier en een buisje van glanzend metaal. Hij zette de laptop uit, draaide hem om en gebruikte de schroevendraaier om de harde schijf tevoorschijn te halen. Hij haalde het metalen buisje er enkele malen overheen en toen begreep Andrea wat het was: een sterke magneet. Bedoeld om de reportage en alle informatie op de harde schijf aan gort te helpen. 'Als u de kleine lettertjes op het formulier dat u getekend hebt aandachtig had doorgenomen, had u gezien dat er stond dat wij "in geval uw veiligheid in het geding is" gerechtigd zijn uw mobiele telefoon per satelliet op te sporen. Deze clausule is speciaal opgenomen met het oog op terroristische infiltratie in de pers, maar bleek ook in uw geval van groot nut te zijn. Wees blij dat ik u gevonden heb en niet Karoski.'

'Ja, nou. Ik spring een gat in de lucht.'

Het was Andrea gelukt zich op haar knieën te hijsen. Met haar rechterhand voelde ze langs de vloer tot ze de asbak van Murano-glas vond die ze had willen meenemen als souveniertje van deze kamer. Hij stond op de grond bij de muur waar ze eerder die nacht als een bezetene had zitten roken. Dante kwam naar haar toe en ging op het bed zitten.

'Ik moet erkennen dat we u dank verschuldigd zijn. Zonder uw vuige diefstal zouden de wandaden van deze psychopaat op ditzelfde moment de hele wereld over gaan. U dacht een slaatje uit de situatie te slaan en dat is u niet gelukt. Wees nu voor de verandering eens slim en laat het hierbij. U hebt geen primeur, maar ik laat uw gezicht intact. Hebben we een deal?'

'De dvd's...', en ze brabbelde iets onverstaanbaars.

Dante boog zich voorover tot zijn neus de journaliste bijna raakte.

'Wat zeg je, schat?'

'Ik zeg dat je hem in je reet kunt steken, klootzak!' zei Andrea.

Ze sloeg hem uit alle macht met de asbak om de oren. De as vloog alle kanten uit toen het bikkelharde glas de hoofdinspecteur raakte, die met een kreet zijn hand naar zijn hoofd bracht. Andrea stond duizelig op en probeerde hem voor de tweede maal te raken, maar hij was sneller dan zij. Hij greep haar bij de arm toen de asbak nog slechts enkele centimeters van zijn gezicht was.

'Tjonge jonge. Een griet met ballen.'

Dante greep haar bij de pols en draaide haar arm om tot ze de asbak liet vallen. Toen stompte hij haar in haar buik. Andrea viel happend naar lucht opnieuw op de vloer met het gevoel dat er een stalen klem om haar borstkas geperst zat. De hoofdinspecteur wreef over zijn oor, waar een dun straaltje bloed uit sijpelde. Hij bekeek zichzelf in de spiegel. Zijn linkeroog zat half dicht, hij zat onder de as en er zaten peuken in zijn haar. Hij liep weer naar het meisje en haalde zijn been uit om haar eens flink tegen de borst te trappen. Dat had haar een aantal gebroken ribben kunnen opleveren. Andrea was echter slimmer. Toen Dante zijn been naar achteren stak om uit te halen, trapte ze hem tegen de scheen van zijn standbeen. Dante viel met een zware bons op het vloerkleed, wat Andrea de tijd gaf de badkamer in te vluchten. Ze smeet de deur in het slot.

Dante stond hinkend op.

'Doe open, kreng.'

'Krijg de klere, klootzak,' zei Andrea, meer tot zichzelf dan tegen haar aanvaller. Ze besefte dat ze huilde. Ze overwoog een gebed, maar toen ze zich herinnerde voor wie Dante werkte leek dat haar geen goed idee. Ze leunde met haar volle gewicht tegen de deur, maar dat had weinig zin. De deur vloog wijd open, waardoor Andrea tegen de wand werd gedrukt. De hoofdinspecteur stormde razend de badkamer in, zijn gezicht rood vertrokken van woede. Ze probeerde zich te verdedigen, maar hij greep haar bij de haren en trok zo hard dat hij een hele pluk uitrukte. Hij hield haar in zo'n stevige houdgreep dat Andrea weinig meer kon doen dan haar nagels over zijn gezicht halen in een poging zich van haar gewelddadige aanvaller te ontdoen. Ze kwam niet verder dan twee bloederige krassen over zijn gezicht, wat hem zo mogelijk nog woester maakte.

'Waar zijn ze?'

'Krijg de...'

'WAAR...'

'... klere.'

'... ZIJN ZE?'

Hij hield haar hoofd stevig vast en sloeg haar voorhoofd bij elk woord tegen de spiegel. Daar ontstond een spinnenweb van barsten in, met in het midden een cirkel van bloed dat traag naar de wastafel droop.

Dante dwong haar zichzelf goed te bekijken in de gebroken spiegel.

'Wil je dat ik doorga?'

Andrea besefte dat ze verslagen was; dit hield ze niet langer vol.

'In de afvalbak van de badkamer,' mompelde ze.

'Goed zo. Buk je en pak hem met je linkerhand. Denk erom dat je geen geintjes uithaalt of ik hak je tepels eraf en laat je ze opvreten.'

Andrea deed wat hij zei en gaf hem de dvd. Hij bekeek hem zorgvuldig. Hij leek identiek te zijn aan de dvd die bij de Vigilanza was bezorgd.

'Mooi zo. En de andere negen?'

De journaliste slikte hoorbaar.

'Die heb ik weggegooid.'

'Lulkoek.'

Andrea had het gevoel dat ze met een boogje weer in de kamer terechtkwam en dat was ook zo. Dante sleepte haar anderhalve meter de kamer in. Ze zakte met haar handen voor haar gezicht op de vloer.

'Ik heb ze niet, verdomme. Ik heb ze niet. Kijk dan in de papierbakken van de Piazza Navona, klootzak.'

De hoofdinspecteur kwam glimlachend op haar af. Ze lag snakkend naar adem op de grond en was doodsbang.

'Je snapt het echt niet, hè? Het enige wat je te doen stond, was mij die klote-dvd's geven en dan had ik je naar huis gestuurd met een blauw oog. Maar nee, jij denkt de zoon van mevrouw Dante te slim af te zijn, en dat gaat natuurlijk niet, kreng. Dus laten we eens als volwassen mensen onder elkaar een babbeltje maken. Je kans om hier levend uit te komen is verkeken.'

Hij zette zijn benen aan weerszijden van haar lichaam en trok zijn pistool. Hij richtte het op haar hoofd. Andrea keek hem recht in de ogen, hoe bang ze ook was. Die hufter was tot alles in staat.

'Je schiet niet. Dat maakt veel te veel lawaai,' zei ze met heel wat minder overtuiging dan eerst.

'Weet je wat, slettenbak? Je hebt al weer gelijk.'

Hij haalde een geluiddemper uit zijn zak en begon hem op de loop van het vuurwapen te bevestigen. Andrea zag zich opnieuw geconfronteerd met de belofte van haar naderende dood, ditmaal minder lawaaiig.

'Laat vallen, Fabio.'

Dante draaide zich geschrokken om. In de deur van de kamer stonden Dicanti en Fowler. Dicanti hield haar pistool in de aanslag en de priester stond met de elektronische sleutel waarmee ze binnen waren gekomen in zijn handen. Dicanti's politiepenning en Fowlers priesterboord waren essentieel geweest om deze te bemachtigen. Het had zo lang geduurd voor ze hier waren omdat ze eerst een andere naam hadden gecheckt op de lijst van vier mogelijke kandidaten die ze met hulp van Albert hadden gevonden. Ze hadden de kandidaten op leeftijd gescreend en waren begonnen met de jongste Spaanse verslaggeefster, een assistente van een televisieploeg met lichtbruin haar, volgens de spraakzame receptioniste van het hotel. De receptionist van Andrea's hotel had zich al even spraakzaam betoond.

Dante keek verdwaasd naar Dicanti's wapen, zijn lichaam half gedraaid en zijn eigen vuurwapen nog steeds op Andrea gericht.

'Kom kom, ispettore, dat zou u nooit doen.'

'U molesteert een inwoonster van de EU op Italiaans grondgebied, Dante. Ik ben een dienaar van de wet. U kunt me niet vertellen wat ik wel en wat ik niet kan doen. Laat dat wapen vallen of ik zie me genoodzaakt te schieten.'

'Dicanti, u begrijpt het niet. Deze vrouw is een misdadigster. Ze heeft vertrouwelijke informatie gestolen die eigendom is van het Vaticaan. Ze is niet voor rede vatbaar en ze is in staat alles naar de bliksem te helpen. Het is niet persoonlijk bedoeld.'

'Dat heb ik eerder gehoord. Het valt me op dat u zich persoonlijk mengt in een groot aantal zaken die niet persoonlijk zijn bedoeld.'

Dante werd zichtbaar kwaad, maar besloot van tactiek te veranderen.

'Oké. Sta me dan toe haar over te brengen naar het Vaticaan om haar te ondervragen over de huidige verblijfplaats van de gestolen enveloppen. Ik sta persoonlijk voor haar veiligheid in.'

Andrea bleef er bijna in van angst toen ze dit hoorde. Ze wilde geen minuut langer met die hufter te maken hebben. Ze bewoog langzaam haar benen om te proberen of ze zich in een andere houding kon werken.

'Nee,' zei Paola.

De stem van de hoofdinspecteur verhardde zich. Hij wendde zich tot Fowler.

'Anthony, dit kun je niet toestaan. We kunnen niet toestaan dat dit aan het licht komt. Omwille van het kruis en het zwaard.'

De priester keek hem ernstig aan.

'Dat zijn mijn symbolen niet meer, Dante. Zeker niet als ermee geschermd wordt om onschuldig bloed te doen vloeien.'

'Maar zij is niet onschuldig! Ze heeft brieven gestolen!'

Dante was nog niet uitgesproken of het was Andrea gelukt zich in de door haar gewenste houding te werken. Ze wachtte het juiste moment af en stootte toen haar voet omhoog. Ze kon niet zoveel kracht zetten als ze wilde, maar het ging er vooral om dat ze die klootzak op de juiste plek raakte: midden in zijn ballen. En dat lukte.

Er gebeurden drie dingen tegelijk.

Dante liet de dvd los, die hij nog steeds in zijn hand hield, en greep met zijn linkerhand naar zijn kruis, terwijl hij met de rechter het wapen vastklemde en zijn vinger om de trekker kromde. De hoofdinspecteur hapte naar lucht als een vis op het droge, want hij kronkelde van pijn.

Dicanti was in drie stappen bij Dante en wierp zich met haar volle gewicht tegen zijn maag.

Fowler reageerde een halve seconde na Dicanti – het is moeilijk te zeggen of hij door zijn leeftijd aan snelheid had ingeboet of dat hij de situatie eerst wilde inschatten – en dook op het pistool, dat ondanks de trap nog steeds op Andrea was gericht. Hij wist Dante bij de pols te grijpen op hetzelfde moment waarop Dicanti haar schouder tegen Dantes borst zette. Het wapen ging af tegen het plafond.

Ze vielen alle drie op een kluitje op de vloer en werden bedekt door een regen van kalk. Fowler hield de pols van de hoofdinspecteur in een stevige houdgreep en drukte zijn duimen op het punt waar de hand verbonden is aan de arm. Dante liet het pistool glippen, maar wist de criminologe een knietje in haar gezicht te geven, waardoor ze buiten bewustzijn opzijrolde.

Fowler en Dante vlogen overeind. Fowler hield het vuurwapen met zijn linkerhand bij de loop vast. Met de rechter probeerde hij het mechanisme te ontgrendelen en het magazijn viel met een zware klap op de grond. Met de andere hand liet hij de kogel uit de kamer glijden. Twee razendsnelle bewegingen later hield hij de slagpin in zijn hand. Hij smeet hem naar de andere kant van de kamer en wierp Dante het pistool voor de voeten.

'Nu is het niets meer waard.'

Dante glimlachte, waarbij hij zijn hoofd tussen zijn schouders trok.

'Jij bent ook niets meer waard, ouwe zak.'

'Kom maar op.'

De hoofdinspecteur wierp zich op de priester. Fowler deed een stapje opzij en stak zijn arm uit. Hij raakte Dantes gezicht niet, de slag kwam tegen zijn schouder terecht. Dante dreigde met een linkse en Fowler wist hem te ontwijken, maar kreeg in plaats daarvan een stoot tussen zijn ribben. Hij viel snakkend naar adem op de grond.

'Je bent het verleerd, ouwe.'

Dante raapte zijn pistool op en pakte het magazijn. Hij had geen tijd om de slagpin te zoeken en te monteren, maar hij kon het wapen niet achterlaten. In de haast drong het niet tot hem door dat Dicanti een wapen had dat hij kon gebruiken, maar dat was gelukkig aan het zicht onttrokken, aangezien ze erbovenop gevallen was.

Dante keek zoekend om zich heen en deed toen de badkamerdeur en de kast open. Andrea Otero was verdwenen, evenals de dvd die hij in het heetst van de strijd uit zijn handen had laten vallen. Een glinsterende druppel bloed op de vensterbank lokte hem naar het raam en even dacht hij dat de journaliste de gave had over lucht te lopen zoals Christus over het water. Of beter gezegd: te kruipen.

Hij besefte onmiddellijk dat de kamer waarin hij zich bevond op dezelfde hoogte lag als het dak van het aangrenzende gebouw, dat behoorde aan de schitterende galerij van het klooster Santa Maria Della Pace, gebouwd door Bramante. Andrea had geen idee wie de architect van het klooster was geweest (ironisch genoeg wist ze ook niet dat Bramante de eerste architect van de Sint-Pietersbasiliek was geweest). En toch schuifelde ze op haar knieën over de terracotta dakpannen die glansden in de ochtendzon, in de hoop dat de toeristen die vroeg waren opgestaan om het klooster te bezoeken haar niet zouden zien. Ze wilde naar de andere kant van het dak, waar een geopend raam haar redding beloofde. Ze was al halverwege. De kloostergang had twee niveaus en het dak helde vervaarlijk boven de stenen patio, bijna negen meter lager.

Dante negeerde de stekende pijn in zijn genitaliën en klom het raam uit om achter de journaliste aan te gaan. Zij draaide haar hoofd om en zag dat hij zijn voet op de dakpannen zette. Ze zette de sokken erin, maar Dantes stem hield haar tegen.

'Blijf staan.'

Andrea draaide zich om en zag dat Dante zijn wapen op haar richtte. Zij kon niet weten dat het onschadelijk was gemaakt. Ze vroeg zich af of die vent zo gek zou zijn om op klaarlichte dag op haar te schieten, in het bijzijn van getuigen. De toeristen hadden hen inmiddels in het oog gekregen en keken in extase naar het schouwspel dat zich boven hun hoofd afspeelde. Het aantal toeschouwers nam langzaam maar zeker toe. Het was jammer dat Dicanti buiten kennis op de vloer lag, want nu miste ze een schoolvoorbeeld van wat in de forensische psychiatrie te boek staat als het *bystander effect* een – zeer beproefde – theorie die stelt dat naarmate het aantal voorbijgangers dat getuige is stijgt, de kans dat iemand het slachtoffer te hulp schiet daalt (en hoe meer mensen er met de vinger wijzen en hun bekenden aanstoten om ook te kijken).

Zich niet bewust van de vele toeschouwers liep Dante in gebogen houding langzaam in de richting van de journaliste. Toen hij naderbij kwam, stelde hij tevreden vast dat ze een dvd in de hand had. Ze moest de waarheid spreken: ze was zo stom geweest om de andere enveloppen weg te gooien. Dat maakte de dvd die ze had behouden des te belangrijker.

'Geef die dvd hier, dan laat ik je met rust. Ik zweer het je. Ik wil je geen kwaad doen,' loog Dante.

Andrea bestierf het van angst, maar ze legde een moed aan den dag die een sergeant van het Legioen van Eer van schaamte zou doen verbleken.

'Lul niet, man. Flikker op, of ik gooi hem naar beneden.'

Dante bleef halverwege het dak stokstijf staan. Andrea hield haar arm uitgestrekt, de pols licht gebogen. Met een simpele beweging zou de dvd als een frisbee door de lucht zeilen. Hij zou op de grond kapotvallen. Of hij zou meedrijven op de lichte ochtendbries en uit de lucht gegrepen worden door een van de toeschouwers, die lang en breed verdwenen zou zijn tegen de tijd dat hij de kloostergang had bereikt. Dan kon hij het verder wel schudden.

Dat was te veel risico.

Het was remise. Wat doe je dan? De vijand afleiden en zorgen dat de balans in jouw voordeel uitslaat.

'Juffrouw,' riep hij luidkeels, 'niet springen. Ik weet niet wat u hiertoe gebracht heeft, maar het leven is prachtig. Als u er goed over nadenkt, ziet u dat u alles hebt om voor te leven.'

Ja, dat was prima. Hij moest die zottin met haar bebloede gezicht die op het dak was geklommen en dreigde zelfmoord te plegen zo dicht mogelijk naderen, haar vastgrijpen en zonder dat iemand het zag de dvd ontfutselen, om haar vervolgens in het heetst van de strijd net niet te kunnen redden. Een drama. Hogerhand zou wel raad weten met Fowler en Dicanti. Ze wisten hoe ze mensen onder druk moesten zetten.

'Niet springen! Denk aan uw familie.'

'Waar heb je het over, idioot?' riep Andrea verbaasd. 'Ik ben helemaal niet van plan om te springen.'

Beneden stonden de toeschouwers te wijzen, in plaats van hun telefoons te pakken om de Polizia te bellen. Enkelen begonnen te roepen: '*Non saltare, non saltare!*'

Niemand scheen het vreemd te vinden dat de redder in nood een pistool in zijn hand hield (of misschien zagen ze niet wat de onbevreesde ridder in zijn rechterhand hield). Dante lachte in zijn vuistje. Hij kwam steeds dichter bij de jonge journaliste.

'Niet bang zijn. Ik ben politieman.'

Andrea begreep te laat wat de ander in de zin had. Hij was nog geen twee meter van haar vandaan.

'Niet dichterbij komen, klootzak. Ik laat hem vallen!'

Beneden dachten de toeschouwers dat ze riep dat ze zich zou laten vallen; niemand had oog voor de dvd die ze in haar hand hield. Meer mensen riepen: 'nee, nee!' en een van de toeristen verklaarde Andrea zijn eeuwige liefde als ze gezond en wel van dat dak af zou komen.

Intussen raakten de uitgestrekte vingers van de hoofdinspecteur bijna de blote voeten van de verslaggeefster, die zich naar hem toe had gedraaid. Ze trok haar benen in en schoof een paar centimeter verder. De menigte (er stonden inmiddels bijna vijftig mensen bij de kloostergang en er hing ook een aantal hotelgasten uit de ramen) hield de adem in. Tot er iemand riep: 'Kijk nou, een priester!'

Dante draaide zich om. Fowler stond op het dak, met in elke hand een dakpan.

'Hier niet, Anthony!' brulde de hoofdinspecteur.

Fowler leek hem niet te horen. Hij gooide met duivelse precisie een van de dakpannen naar hem toe. Dante had het geluk zijn gezicht met zijn arm te beschermen. Als hij dat niet had gedaan, was het krakende geluid waarmee de dakpan in volle vaart tegen zijn onderarm aan kwam het geluid geweest van zijn brekende schedel, in plaats van zijn brekende onderarm. Hij ging onderuit op het dak en gleed naar de rand. Als door een wonder wist hij zich vast te grijpen aan een uitstekende richel, terwijl hij met zijn benen steun zocht bij een van de schitterende zuilen, vijfhonderd jaar geleden gebeeldhouwd door een kundig vakman onder toeziend oog van Bramante. Ironisch genoeg schoten de toeschouwers die tot dusver werkeloos hadden toegekeken hoe Andrea voor haar

leven vocht Dante wel te hulp en met drie man wisten ze deze gehavende leden-
pop naar de grond te sjorren.

Fowler richtte zich tot Andrea: 'Juffrouw Otero, weest u zo vriendelijk terug te
kruipen naar de kamer, voordat u zich pijn doet?'

Zaterdag 9 april 2005, 09.14 uur

Paola keerde terug in het land der levenden en dacht dat ze in de hemel was beland: de zorgzame handen van pater Fowler legden een vochtige handdoek op haar voorhoofd. Toen kwam ze echt bij en ze voelde zich meteen een stuk minder senang; ze wenste hartgrondig dat haar lijf bij haar schouders ophield, want ze had knallende hoofdpijn. Ze herstelde net op tijd om de twee politieagenten te woord te staan die eindelijk dan toch hun opwachting maakten in de hotelkamer en hun te vertellen dat ze als de wiedeweerga moesten vertrekken, want ze had alles onder controle. Dicanti zwoer bij hoog en bij laag dat er geen sprake was van een zelfmoordpoging en dat de hele zaak op een misverstand berustte. De agenten wierpen wantrouwige blikken op de chaos in de kamer, maar onderwierpen zich aan haar gezag.

Intussen deed Fowler in de badkamer zijn best Andrea's voorhoofd op te lappen, dat behoorlijk toegetakeld was na haar confrontatie met de spiegel. Toen Dicanti zich van de agenten had ontdaan en de badkamer in kwam, hoorde ze de priester tegen de journaliste zeggen dat het gehecht moest worden.

'Minstens vier in uw voorhoofd en twee in uw wenkbrauw. U kunt hier echter niet naar het ziekenhuis, dus ik zal u zeggen wat we gaan doen: u neemt een taxi naar Bologna. Dat is een rit van een uurtje of vier. Daar wordt u opgevangen door een arts, een vriend van me, die uw wonden zal hechten. Daarna brengt hij u naar het vliegveld en vliegt u via Milaan terug naar Madrid. Daar bent u veilig. Als ik u was zou ik een paar jaar uit Italië wegblijven.'

'Kan ze niet beter het vliegtuig nemen in Napels?' interrumpeerde Dicanti.

Fowler keek haar ernstig aan.

'Dottoressa, als u ooit moet vluchten voor... deze lieden, ga dan nooit via Napels. Daar hebben ze veel te veel contacten.'

'Ik zou denken dat ze overal contacten hebben.'

'Ik vrees dat u gelijk hebt. En ik ben bang dat het zowel voor u als voor mij onaangename consequenties zal hebben dat we de Vigilanza in de wielen hebben gereden.'

'We roepen de hulp in van Boi. Hij staat aan onze kant.'

Fowler dacht enkele ogenblikken zwijgend na.

'Dat vraag ik me af. Het is echter allereerst zaak juffrouw Otero veilig en wel Rome uit te krijgen.'

Met een van pijn vertrokken gezicht want haar voorhoofd schrijnde behoorlijk, hoewel het een stuk minder bloedde nu Fowler zich erover had ontfermd, hoorde Andrea dit alles met stijgende verontwaardiging aan. Tien minuten geleden, toen ze Dante over de rand van het dak zag verdwijnen, was er een golf van opluchting door haar heen getrokken. Ze was naar Fowler toe gehold en had haar armen om zijn hals geslagen, met het risico dat ze allebei het dak af zouden glijden. Fowler had haar in het kort uitgelegd dat een bepaalde afdeling van het Vaticaanse organogram wilde voorkomen dat deze zaak aan het licht kwam, waardoor ze in levensgevaar verkeerde. De priester zweeg in alle talen over de betreurenswaardige diefstal van de enveloppen, wat slechts een detail was geweest in het grote geheel. Nu echter schreef hij haar de wet voor en dat beviel de journaliste niets. Ze was de priester en de criminologe dankbaar voor hun redding, maar ze liet zich niet chanteren.

'Ik ga helemaal nergens naartoe, lieve mensen. Ik ben geaccrediteerd journaliste en mijn krant rekent op mijn berichtgeving over het conclaaf. Ik wil dat ze weten dat ik een complot heb ontmaskerd op het hoogste niveau om de moord op een aantal kardinalen en een Italiaanse politiefunctionaris in de doofpot te stoppen. *El Globo* komt met verpletterende artikelen op de voorpagina, met mijn naam eronder.'

'Juffrouw Otero, ik bewonder uw moed. U bent moediger dan veel soldaten die ik heb gekend. In dit spel hebt u echter meer nodig dan moed alleen.'

De journaliste drukte met één hand het gaasje tegen haar voorhoofd en klemde haar tanden op elkaar.

'Ze kunnen me niks maken als die reportage eenmaal gepubliceerd is.'

'Misschien niet, maar misschien ook wel. Ik wil zelf echter ook niet dat dit gepubliceerd wordt, juffrouw. Dat is niet wenselijk.'

Andrea keek hem niet-begrijpend aan.

'Pardon?'

'Simpel gezegd: geef me die dvd,' zei Fowler.

Andrea kwam duizelig overeind. Woedend hield ze de dvd stevig tegen haar borst geklemd.

'Ik had niet begrepen dat u ook een van die fanatici was die in staat zijn te doden om uw geheimen te bewaren. Ik ga nu weg.'

Fowler duwde haar met zachte hand weer op het toilet.

'Persoonlijk vind ik de meest verhelderende zin uit het Evangelie: "U zult de waarheid kennen, en de waarheid zal u bevrijden."[1] Als het aan mij lag, mocht u aan de hele wereld gaan vertellen dat een priester met een verleden van pedofilie gek geworden is en in Rome rondbanjert om kardinalen aan het mes te rijgen. Misschien begrijpt de Kerk dan eens en voor al dat priesters in de eerste plaats en vóór alles mensen zijn. Dit gaat echter veel verder dan u of ik. Ik wil niet dat dit naar buiten wordt gebracht omdat Karoski wil dat het naar buiten wordt gebracht. Zodra hij erachter komt dat zijn truc niet heeft gewerkt, komt

---

1 Johannes 8:32.

hij weer in actie. Wie weet krijgen we hem dan te pakken en kunnen we enkele levens redden.'

Op dat moment stortte Andrea in. Het was een combinatie van vermoeidheid, pijn, uitputting en een gevoel dat ze niet in één woord kon samenvatten. Dat gevoel dat halverwege breekbaarheid en zelfmedelijden ligt, als je beseft hoe nietig je bent vergeleken bij het universum. Ze overhandigde Fowler de dvd, sloeg haar handen voor haar gezicht en huilde hete, stille tranen.

'Nu raak ik mijn baan kwijt.'

De priester kreeg medelijden met haar.

'Nee, dat gebeurt niet. Daar zal ik persoonlijk op toezien.'

Drie uur later nam de ambassadeur van de Verenigde Staten in Italië telefonisch contact op met de hoofdredacteur van *El Globo*. Hij bood hem zijn oprechte excuses aan voor het feit dat hij zijn speciale correspondente in Rome met zijn ambtswagen had aangereden. Hij verklaarde dat het ongeval de dag tevoren had plaatsgevonden, toen hij op topsnelheid naar het vliegveld werd gebracht. Gelukkig had de chauffeur een ramp weten te voorkomen en afgezien van enkele lichte verwondingen aan haar hoofd en gezicht was ze er zonder ernstig letsel afgekomen. De journaliste had bij hoog en bij laag volgehouden dat ze haar werk moest doen, maar het advies van de ambassadearts luidde dat ze zich enkele weken in acht moest nemen. Derhalve hadden ze haar op kosten van de ambassade op het vliegtuig naar Madrid gezet. Gezien de professionele schade die ze haar hadden berokkend, waren ze uiteraard bereid haar te compenseren. Een van de andere passagiers in de wagen had zich haar lot aangetrokken en het zou hem een eer zijn haar een exclusief interview te verlenen. Zijn secretariaat zou over twee weken contact opnemen om de details vast te leggen.

De hoofdredacteur van *El Globo* hing stom van verbazing op. Hoe had dat opgewonden standje het voor elkaar gekregen het moeilijkst te verkrijgen interview ter wereld in de wacht te slepen? Hij schreef het toe aan een enorme dosis pure mazzel. Er ging een steek van jaloezie door hem heen en even wenste hij vurig dat hij Andrea Otero heette. Hij had er zijn leven lang van gedroomd op een dag het Oval Office te mogen betreden.

Zaterdag 9 april 2005, 13.25 uur

Paola viel zonder kloppen Bois kantoor binnen, maar ze was niet blij met wat ze daar aantrof. Of beter gezegd: met wie ze daar aantrof. Cirin zat tegenover de directeur en koos dat moment om op te staan en te vertrekken, zonder de criminologe een blik waardig te keuren.

'Hoor eens, Cirin...'

De hoofdcommissaris deed alsof hij haar niet hoorde en verdween.

'Ga zitten, Dicanti,' verzocht Boi vanachter zijn bureau.

'Luister nou, Boi, ik moet het criminele gedrag van een van zijn ondergeschikten melden en...'

'Genoeg, ispettore. De hoofdcommissaris heeft me volledig op de hoogte gebracht van de gebeurtenissen in Hotel Raphael.'

Paola stond perplex. Zodra Fowler en zij de Spaanse journaliste in een taxi naar Bologna hadden gezet, waren ze onmiddellijk naar de UACV gegaan om Boi de zaak voor te leggen. Die lag gevoelig, dat stond buiten kijf, maar Paola vertrouwde erop dat haar baas de reddingsoperatie van de journaliste volledig zou steunen. Ze had besloten in haar eentje naar binnen te gaan om met hem te praten en het laatste wat ze had verwacht, was dat haar baas niet eens de moeite zou nemen om haar versie van het verhaal aan te horen.

'Dan moet hij u verteld hebben dat Dante een weerloze journaliste heeft aangevallen.'

'Hij heeft me verteld dat er sprake was van een meningsverschil, dat inmiddels naar ieders tevredenheid is opgelost. Naar ik begrijp heeft inspecteur Dante geprobeerd een mogelijke getuige te kalmeren die wat opgefokt was en is hij door u beiden aangevallen. Dante is opgenomen in het ziekenhuis.'

'Dat is absurd. In werkelijkheid was het...'

Boi verhief zijn stem. 'Daarnaast heeft hij me geïnformeerd dat hij wat deze zaak betreft zijn vertrouwen in ons intrekt. Hij is zeer in uw houding teleurgesteld, u hebt zich weinig toeschietelijk en zelfs agressief gedragen jegens hoofdinspecteur Dante en de soevereiniteit van ons buurland, iets wat ik persoonlijk al eerder had geconstateerd, maar dit terzijde. U keert terug naar uw gebruikelijke werkzaamheden en Fowler gaat terug naar Washington. Vanaf nu ligt de bescherming van de kardinalen uitsluitend in handen van het Corpo di Vigilanza. Hier eindigt onze taak. Wij dragen beide dvd's van Karoski, zowel die van ons als die van de Spaanse journaliste, onmiddellijk over aan het Vaticaan en we vergeten het bestaan ervan.'

'En Pontiero dan? Ik weet hoe je keek bij de autopsie. Was dat soms ook nep? Wie moet nu dan zijn dood wreken?'

'Dat valt niet meer onder onze verantwoordelijkheid.'

De criminologe voelde zich zo bedrogen dat ze er misselijk van werd. Ze herkende degene die tegenover haar zat niet meer, ze begreep niet dat ze ooit warme gevoelens voor deze man had gekoesterd en vroeg zich verdrietig af of dat misschien voor een deel de reden was waarom hij zijn steun zo haastig had ingetrokken. Wie weet was dit het bittere gevolg van hun confrontatie van de avond daarvoor.

'Heeft dit met mij te maken, Carlo?'

'Sorry?'

'Is dit om gisteravond? Ik had nooit gedacht dat je hiertoe in staat was.'

'Ispettore, alstublieft, de wereld draait niet alleen om u. In deze zaak geldt enkel en alleen het belang van een efficiënte samenwerking om de moeilijke situatie in het Vaticaan op te lossen, iets waar u zo te zien niet toe in staat bent.'

In haar vierendertigjarige leven had Paola nooit zo'n enorme tegenstrijdigheid gezien tussen de woorden die iemand uitsprak en de uitdrukking op zijn gezicht. Ze kon zich niet inhouden.

'Je bent een waardeloze klootzak, Carlo. Ik meen het. Logisch dat iedereen je achter je rug uitlacht. Wat is er van je geworden?'

Directeur Boi werd rood tot aan zijn haarwortels, maar slaagde erin de oplaaiende woede die zijn lippen deed trillen te beheersen. In plaats van zijn razernij de vrije teugel te geven beperkte hij zich tot een kille, afgemeten verbale aanval.

'Ik heb tenminste iets bereikt in mijn leven, ispettore. U kunt uw politiepenning en dienstwapen op mijn bureau leggen. U wordt een maand lang onbetaald op non-actief gesteld, om u de tijd te geven uw zaak grondig te herzien. U kunt gaan.'

Paola deed haar mond open, maar wist geen antwoord te bedenken. In de film had de held altijd het laatste woord voordat hij triomfantelijk de aftocht blies nadat zijn baas hem zijn machtssymbolen had afgenomen, maar in het echte leven stond ze met haar mond vol tanden. Ze smeet haar penning en haar wapen op het bureau en beende zonder om te kijken zijn kantoor uit.

In de gang werd ze opgewacht door Fowler, geflankeerd door twee politieagenten. Paola wist intuïtief dat de priester zijn ongeluksboodschap inmiddels had ontvangen.

'Dat was het dan,' zei ze.

De priester glimlachte.

'Ik ben blij dat ik u heb leren kennen, dottoressa. Spijtig genoeg begeleiden deze heren me naar mijn hotel om mijn spullen op te halen en word ik vervolgens naar het vliegveld gebracht.'

Paola greep hem bij zijn mouw en klemde haar vingers als een bankschroef om zijn arm.

'Kunt u echt niemand bellen, pater? Kunt u geen uitstel krijgen op de een of andere manier?'

'Ik ben bang van niet,' zei hij hoofdschuddend. 'Ik hoop dat ik op een dag bij u mag binnenvallen voor een kop koffie.'

Hij draaide zich om en liep de gang uit, gevolgd door de beide agenten.

Paola wachtte met huilen tot ze thuis was.

December 1999

Rapport: Onderhoud nummer 115 tussen patiënt nummer 3643 en doctor Canice Conroy.

[...]

Dr. Conroy	Ik zie dat u zit te lezen. *Raadsels en hersenkrakers.* Zijn ze goed?
#3643	Ze zijn te makkelijk.
Dr. Conroy	Kom, laat me er eens eentje horen.
#3643	Ze zijn echt heel makkelijk. Ik denk niet dat u er iets aan vindt.
Dr. Conroy	Ik ben dol op raadseltjes.
#3643	Goed dan. Als één man een kuil graaft in één uur en twee mannen graven twee kuilen in twee uur, hoe lang duurt het dan voordat een man een halve kuil graaft?
Dr. Conroy	Makkelijk, ja... een halfuur.
#3643	(*Gelach*)
Dr. Conroy	Waarom lacht u? Het is een halfuur. Eén uur, één kuil. Een halfuur, een halve kuil.
#3643	Doctor, halve kuilen bestaan niet... een kuil is altijd een kuil. (*Gelach*)
Dr. Conroy	Wilt u daar iets mee zeggen, Viktor?
#3643	Natuurlijk, doctor, natuurlijk.
Dr. Conroy	U bent geen kuil, Viktor. U bent niet voor eeuwig gedoemd om te blijven wie u bent.
#3643	Dat ben ik wel, doctor Conroy. Ik moet u bedanken, u hebt me de juiste weg gewezen.
Dr. Conroy	De juiste weg?
#3643	Ik heb lang gestreden om mijn ware aard te onderdrukken, om iemand te zijn die ik niet ben. Dankzij u heb ik vrede gesloten met wie ik ben. Is dat niet wat u wilde?
Dr. Conroy	Dat bestaat niet. Het is onmogelijk dat ik me zo in u heb vergist.
#3643	Doctor, u hebt zich niet vergist, u hebt me het licht laten zien. U hebt me doen inzien dat de juiste deur alleen geopend kan worden door de juiste hand.
Dr. Conroy	Is dat wat u bent: de juiste hand?
#3643	(*Gelach*) Nee, doctor. Ik ben de sleutel.

Zaterdag 9 april 2005, 23.46 uur

Paola lag uren te huilen, met de deur op slot en de wonden van haar ziel wijdopen. Gelukkig was haar moeder niet thuis, ze bracht het weekend door bij
vrienden in Ostia. De criminologe was blij toe. Ze was er slecht aan toe en dat
zou ze nooit voor haar moeder verborgen kunnen houden. In zekere zin zou ze
het met haar zorgzaamheid en haar inspanningen om haar op te beuren alleen
maar erger hebben gemaakt. Ze moest alleen zijn om zich ongestoord aan haar
mislukking en wanhoop over te geven.
Ze wierp zich volledig gekleed op haar bed.
De geluiden van de straat en de aarzelende zonnestralen van de aprilmiddag
drongen door het raam de kamer in. Tegen deze troostrijke achtergrond en nadat ze het gesprek met Boi en de gebeurtenissen van de afgelopen dagen duizendmaal in haar hoofd had herhaald, viel ze eindelijk in slaap. Bijna negen
uur later drong de heerlijke geur van vers gezette koffie tot in haar dromen
door en dwong haar tot bewustzijn te komen.
'Mam, wat ben je snel terug...'
'Klopt, ik ben snel terug, maar u vergist zich in de persoon,' klonk een zware,
beleefde stem in een aarzelend, zangerig Italiaans: de stem van pater Fowler.
Paola sperde haar ogen wijd open en zonder erover na te denken sloeg ze haar
armen om zijn hals.
'Voorzichtig, straks mors ik koffie over u heen...'
Ze liet hem met tegenzin los. Fowler ging op de rand van haar bed zitten en keek
haar geamuseerd aan. Hij hield een kopje uit haar eigen keuken in zijn handen.
'Hoe bent u binnengekomen? En hoe bent u aan de politie ontsnapt? Ik dacht
dat u op weg was naar Washington.'
'Rustig, rustig, niet alles tegelijk,' lachte Fowler. 'Wat die twee dikke, slecht ge-
trainde ambtenaren betreft, wil ik u verzoeken mijn intelligentie niet te beledigen. En wat mijn toegang tot uw woning betreft: ik heb een loper.'
'Ach, ja. Basistraining van de CIA, nietwaar?'
'Zoiets, ja. Neem me niet kwalijk dat ik zomaar binnen ben komen vallen, maar
ik heb herhaaldelijk aangebeld en er deed niemand open. Ik dacht dat u misschien in gevaar was. Toen ik u zo vredig zag slapen, besloot ik mijn belofte
na te komen en koffie te zetten.'
Paola stond op en nam de kop koffie van de priester aan. Ze nam een grote, kal-
merende slok. De kamer werd slechts verlicht door de straatlantaarns, die lange
schaduwen over het hoge plafond wierpen. In dit diffuse licht bekeek Fowler

het vertrek nieuwsgierig. Aan een van de muren hingen haar diploma's van de middelbare school, de universiteit en de FBI-academie naast haar zwemdiploma's en enkele olieverfschilderijtjes die ze zeker dertien jaar geleden had gemaakt. Hij voelde opnieuw de kwetsbaarheid van deze intelligente, sterke vrouw, die zich nog steeds uit haar evenwicht liet brengen door haar verleden. Een deel van haar was in haar vroege jeugd blijven steken. Hij probeerde te zien welk stukje van de muur ze het best kon zien vanuit haar bed en toen meende hij het te begrijpen. Hij trok een denkbeeldige lijn van haar hoofdkussen naar de muur, waar een foto hing van Paola en haar vader in een ziekenhuiskamer.

'Heerlijke koffie, pater. Stukken beter dan dat bocht van mijn moeder.'

'Een kwestie van de juiste vlamhoogte, dottoressa.'

'Waarom bent u teruggekomen, pater?'

'Om verschillende redenen. Ik wilde u niet in de steek laten. Ik wil voorkomen dat die gek met zijn waanzin wegkomt. En omdat ik het vermoeden heb dat hier veel meer achter zit dan je op het eerste gezicht zou denken. Ik heb het gevoel dat we allebei gebruikt zijn, u en ik. Daarbij denk ik dat u een zeer persoonlijke reden hebt om door te zetten.'

'U hebt gelijk. Pontiero was behalve mijn collega ook mijn vriend. Ik kan niet anders, ik moet zijn dood recht doen. Ik vrees echter dat we weinig kunnen doen zoals het er nu voor staat, pater. Zonder mijn politiepenning en zonder ondersteuning zijn we niets dan zeepbellen. We verdwijnen bij het minste zuchtje wind. Bovendien wordt u waarschijnlijk gezocht.'

'Het kan inderdaad zijn dat ik gezocht word. Ik ben op vliegveld Fiumicino[1] aan die twee politieagenten ontsnapt. Ik betwijfel echter of Boi zover wil gaan een arrestatiebevel tegen mij uit te vaardigen. Met die chaos in de stad heeft dat weinig zin... en het zou ook niet erg rechtvaardig zijn. Ik denk dat hij het erbij laat.'

'En uw eigen superieuren?'

'Ik ben officieel in Langley. Officieus hebben ze er geen bezwaar tegen als ik hier nog een tijdje blijf.'

'Eindelijk een goed bericht.'

'Het kan alleen wat lastig worden het Vaticaan binnen te komen, want Cirin is ongetwijfeld van mijn vlucht op de hoogte gebracht.'

'Ik zie niet hoe wij de kardinalen kunnen beschermen als zij binnen zijn en wij buiten.'

'Ik denk dat we bij het begin moeten beginnen, dottoressa. We moeten de hele kwestie vanaf het allereerste begin nalopen, want ik weet zeker dat ons iets is ontgaan.'

'Maar, hoe dan? We hebben het materiaal niet, Karoski's dossier ligt op de UACV.'

Fowler schonk haar een ondeugende glimlach.

---

1 Een van de twee vliegvelden in Rome, op 32 kilometer van de stad.

'Soms zorgt God voor kleine wonderen.'

Hij maakte een gebaar naar Paola's bureau, dat in een hoek van de kamer stond. Ze knipte het bureaulampje aan en het licht viel op de dikke bruine map met het volledige dossier van Karoski.

'Ik stel een deal voor, dottoressa. U doet wat u het beste kunt: een psychologisch profiel samenstellen van de moordenaar. Een definitief profiel, met alle gegevens waarover we tot dusver beschikken. Intussen zorg ik voor de koffie.'

Paola goot de rest van haar koffie in één teug naar binnen. Ze probeerde de uitdrukking op het gezicht van de pater te doorgronden, maar hij bevond zich buiten de lichtkring van de bureaulamp. Paola werd bevangen door hetzelfde onbestemde gevoel dat ze in de Domus Sancta Marthae had onderdrukt, om er later over na te denken. Nu, vooral na de lange reeks gebeurtenissen sinds de moord op Cardoso, wist ze meer dan ooit dat die intuïtie ergens op gebaseerd was. Ze klikte de laptop op haar schrijfbureau aan, opende een blanco profieldocument en begon als een dolle te tikken, waarbij ze af en toe het dossier raadpleegde.

'Zet maar een hele nieuwe pot, pater. Ik moet een theorie onderbouwen.'

Psychologisch profiel van een meervoudig moordenaar

Patiënt: KAROSKI, Viktor
  Profiel samengesteld door doctor Paola Dicanti
Verblijfplaats patiënt: *In absentia*
Datum profiel: 10 april 2005
Leeftijd: 44 jaar
Lengte: 1 meter 78
Gewicht: 85 kilo
Beschrijving: Lichtbruin haar, grijze ogen, stevig postuur, intelligent (IQ van 125)

Familieachtergronden

Viktor Karoski wordt geboren in een emigrantengezin uit de middenklasse. Hij heeft een dominante moeder. De invloed van de godsdienst weegt zwaar, waardoor hij moeilijk grip krijgt op de realiteit. Het gezin komt oorspronkelijk uit Polen en vanaf het eerste begin is de ontheemding bij alle gezinsleden aantoonbaar aanwezig. De vader legt een karakteristiek kader van professioneel onvermogen, alcoholisme en mishandeling aan den dag, met in een later stadium, wanneer genoemd persoon de puberteit bereikt, toenemend periodiek seksueel misbruik (uitgelegd als straf). De moeder was zich te allen tijde bewust van de mishandeling en incest door haar echtgenoot, hoewel ze het doet voorkomen alsof ze van niets weet. Een oudere broer ontsnapt aan het ouderlijk huis, op de vlucht voor seksueel misbruik. Een jongere broer sterft aan de gevolgen van verwaarlozing, na een lang ziekbed veroorzaakt door meningitis. Genoemd persoon wordt opgesloten in een kast, zonder enig contact met de buitenwereld, gedurende extreem lange perioden, nadat de moeder heeft 'ontdekt' dat de vader genoemd persoon langdurig had misbruikt. Wanneer hij wordt bevrijd heeft de vader het gezin verlaten en laat de moeder zich gelden, in dit geval door genoemd persoon de katholieke symboliek en de angst voor de hel in te prenten, waartoe seksuele excessen zonder enige twijfel bijdragen (volgens de moeder van genoemd persoon). Daarom trekt ze hem haar kleren aan en dreigt ze hem met castratie. Genoemd persoon ontwikkelt een ernstig verstoord beeld van de werkelijkheid, evenals een ernstige niet-geïntegreerde seksuele stoornis. De eerste tekenen van woede en asociaal gedrag doen zich voor, ten gevolge van de verhoogde prikkels in het zenuwstelsel. Hij valt een schoolkameraadje aan, waarna hij naar de tuchtschool wordt gezonden. Als hij daarvandaan komt, blijft zijn dossier schoon en besluit hij op zijn negentiende naar het seminarie te gaan. Er wordt geen psychologische test afgenomen en hij wordt aangenomen.

Status volwassen jaren

De aanwijzingen van een niet-geïntegreerde seksuele stoornis van genoemd persoon worden bevestigd op negentienjarige leeftijd, na de dood van zijn moeder, met seksueel getinte aanrakingen van minderjarigen die zich langzaam maar zeker veelvuldiger voordoen en steeds ernstiger van aard worden. Zijn ecclesiastische superieuren treffen geen strafmaatregelen na herhaalde klachten over seksuele agressie, die toenemen en zich verder ten slechte keren wanneer genoemd persoon verantwoordelijk wordt voor een eigen parochie. Volgens zijn dossier zijn er minstens 89 gevallen gedocumenteerd van agressie jegens minderjarigen, waarvan 37 het slachtoffer werden van sodomie en de anderen werden aangeraakt of aangezet tot masturbatie of fellatio. Uit zijn status van gesprekken valt af te leiden dat hij, hoe vreemd het ook lijkt, als priester volledig was overtuigd van zijn kerkelijke missie. In andere gevallen van pedofilie onder priesters zou hun seksuele geaardheid als hoofdoorzaak kunnen worden beschouwd om het priesterschap te aanvaarden, als de bekende vos in het kippenhok. In het geval-Karoski waren de achterliggende motieven om de soutane aan te nemen van geheel andere aard. Zijn moeder heeft hem die richting op gestuurd en zou er zelfs een dominante rol in hebben gespeeld. Na een incident waarin hij een van de kerkgangers aanviel, kon het schandaal-Karoski niet langer in de doofpot worden gestopt en werd genoemd persoon naar Instituut Saint Matthew gezonden, een rehabilitatiecentrum voor katholieke priesters met problemen. Daar zien we dat Karoski zich gaat vereenzelvigen met het Oude Testament en de Bijbel. Reeds enkele dagen na zijn aankomst doet zich een incident voor met een van de medewerkers van het instituut, waarop een ernstige schermutseling ontstaat. Dat wijst op een ernstige cognitieve stoornis tussen de seksuele prikkels van genoemd persoon en zijn godsdienstige overtuigingen. Wanneer deze twee met elkaar botsen, ontstaan crises van geweld, zoals het incident waarbij hij een specialist van het instituut uiterst agressief benaderde.

Recente status

Genoemd persoon legt een kader van woede aan den dag die zich manifesteert in onaangepaste agressie. Hij heeft diverse misdaden begaan die gepaard gingen met een hoge dosis seksueel getint sadisme, waaronder symbolische rituelen en lijkenschennis.

Profiel van opvallende kenmerken die tot uiting komen in zijn handelingen
- Vriendelijk karakter, intelligentie gemiddeld tot hoog
- Gepatenteerd leugenaar
- Volslagen gebrek aan spijtgevoelens of andere gevoelens voor zijn slachtoffers
- Absoluut egocentrisme
- Persoonlijke en affectieve onthechting
- Onpersoonlijke en impulsieve seksualiteit, gericht op bevrediging

- Antisociale karakterstructuur
- Hoog niveau van gehoorzaamheid

Tegenstrijdigheden!!!
- Irrationele gedachtegang geïntegreerd in zijn handelingen
- Meervoudige neurosen
- Crimineel gedrag als middel, niet als doel
- *Mission oriented*

Zondag 10 april 2005, 01.45 uur

Nadat Fowler Dicanti's verslag had gelezen keek hij verwonderd op.
'Neem me niet kwalijk, dottoressa, maar dit profiel is incompleet. U hebt
slechts een samenvatting geschreven van hetgeen we al wisten. Eerlijk gezegd
draagt dit weinig bij.'
De criminologe stond op.
'Integendeel, pater. Karoski legt een uiterst gecompliceerd klinisch kader aan
den dag, waaruit we kunnen opmaken dat zijn stijgende agressie een klinisch
seksueel gecastreerd roofdier veranderde in een meervoudig moordenaar.'
'Dat is inderdaad de basis van onze theorie.'
'En daar klopt geen moer van. Kijk goed naar de kenmerken van het profiel,
onder aan mijn verslag. De acht eerste wijzen op een seriemoordenaar.'
Fowler nam ze nogmaals door en knikte.
'Er zijn twee typen seriemoordenaars: ongeorganiseerd en georganiseerd. Het is
geen volmaakte classificatie, maar het klopt redelijk. De eersten zijn globaal genomen criminelen die spontane, impulsieve misdrijven plegen, waarbij de kans groot
is dat ze sporen achterlaten. Vaak kennen ze hun slachtoffers, die veelal in hun geo-
grafische milieu wonen. Hun wapens zijn willekeurig: een stoel, een riem... wat er
maar voorhanden is. Seksueel misbruik vindt veelal post mortem plaats.'
De priester wreef in zijn ogen. Hij was doodmoe, hij had die nacht amper een
paar uur geslapen.
'Neem me niet kwalijk, dottoressa. Gaat u door, alstublieft.'
'Het andere type, het georganiseerde type, is een moordenaar met een hoge
bewegingsvrijheid die zijn slachtoffers gevangenneemt voordat hij geweld
gebruikt. Het slachtoffer is een onbekende die voldoet aan een bepaald profiel.
De wapens en de ligaturen beantwoorden aan een vooropgezet plan en worden
nooit achtergelaten. Het stoffelijk overschot wordt op een neutrale plaats gedumpt, altijd goed voorbereid. Goed... tot welk type behoort Karoski?'
'Het tweede, natuurlijk.'
'Dat is wat iedere oplettende toehoorder zou vaststellen. Wij kunnen echter ver-
dergaan dan dat. Wij hebben zijn dossier. We weten wie hij is, waar hij vandaan
komt, hoe hij denkt. Vergeet alles wat er in de afgelopen dagen is gebeurd. Con-
centreer u op Karoski op het moment dat hij het instituut binnenkwam. Hoe
was hij toen?'
'Een impulsief persoon, die in bepaalde situaties kon ontploffen als een lading
dynamiet.'

'En na vijf jaar therapie?'

'Was hij iemand anders geworden.'

'Zou je kunnen zeggen dat deze verandering geleidelijk heeft plaatsgevonden of was het een plotselinge omslag?'

'Nogal abrupt. De verandering viel me op nadat pater Conroy hem de opnamen van zijn regressietherapie had laten horen.'

Paola haalde diep adem voordat ze verderging.

'Pater Fowler, ik wil u niet beledigen, maar nu ik tientallen verslagen heb gelezen van gesprekken tussen Karoski, Conroy en u, ben ik bang dat u zich vergist. Die vergissing heeft ertoe geleid dat we het tot dusver in de verkeerde richting hebben gezocht.'

Fowler haalde zijn schouders op.

'Dottoressa, ik voel me niet beledigd. Zoals u weet, verbleef ik ondanks mijn graad in de psychologie slechts kortstondig in het instituut, aangezien mijn ware roeping op een geheel ander vlak ligt. U bent van ons tweeën de criminologe en ik heb het geluk dat u uw inzichten met mij wilt delen. Ik begrijp echter niet waar u op aanstuurt.'

'Kijk nog eens goed naar het verslag,' zei Paola, en ze tikte erop met haar wijsvinger. 'Onder de kop "Tegenstrijdigheden" heb ik vijf kenmerken opgeschreven waarmee ons personage onmogelijk tot het type georganiseerde seriemoordenaar kan behoren. Met een criminologieboek in de handen zou iedere deskundige u kunnen zeggen dat Karoski een anomale georganiseerde moordenaar is, geëvolueerd ten gevolge van een trauma, in dit geval de confrontatie met zijn verleden. Zegt de term "cognitieve dissonantie" u iets?'

'Dat is de mentale staat waarin inconsistentie bestaat tussen iemands handelingen en gevoelens. Karoski leed aan hevige cognitieve dissonantie: hij wilde een modelpriester zijn, terwijl zijn negenentachtig slachtoffers hem beschouwden als een pederast.'

'Uitstekend. Dus volgens u verandert ons personage, overtuigd katholiek, neurotisch en afgezonderd van elke prikkel van buitenaf, binnen enkele maanden in een meervoudige moordenaar, zonder enig spoor van neurosen, koud en berekenend, nadat hij enkele banden heeft beluisterd, waarna het tot hem doordringt dat hij als kind is misbruikt?'

'Vanuit dat standpunt bezien... lijkt dat vrij gecompliceerd,' zei Fowler slecht op zijn gemak.

'Het is onmogelijk, pater. Die onverantwoordelijke actie van doctor Conroy heeft hem zonder enige twijfel weinig goedgedaan, maar kan onmogelijk een dergelijke uitzonderlijke verandering teweeg hebben gebracht. De fanatieke priester die zijn handen over zijn oren slaat, woedend wordt als u hem hardop de lijst slachtoffers voorleest, kan onmogelijk enkele maanden later veranderd zijn in een georganiseerde moordenaar. Laten we niet uit het oog verliezen dat zijn eerste twee rituele misdaden in het instituut zelf plaatsvinden: de verminking van een priester en de moord op een andere priester.'

'Maar, dottoressa... Die moorden zijn het werk van Karoski. Dat heeft hij bekend; hij heeft zijn sporen nagelaten op drie van de plaatsen delict.'

'Dat klopt, pater Fowler. Ik betwist niet dat Karoski die moorden heeft gepleegd. Dat is overduidelijk. Ik wil alleen maar zeggen dat het achterliggende motief waarmee hij ze heeft gepleegd anders is dan wij dachten. Het belangrijkste kenmerk van zijn profiel, datgene wat hem ondanks zijn geteisterde ziel tot het priesterschap heeft gebracht, heeft hem tevens geconditioneerd om deze gruwelijke misdaden te plegen.'

Fowler begreep het. Diep geschokt zocht hij steun bij Paola's bed om niet te vallen.

'Gehoorzaamheid.'

'Juist, pater. Karoski is geen seriemoordenaar. Hij is een huurmoordenaar.'

INSTITUUT SAINT MATTHEW
Silver Spring, Maryland

Augustus 1999

Er drong geen enkel geluid in de isoleercel door. Daarom klonk de dringende, eisende fluisterstem als een licht briesje in Karoski's oren.
'Viktor.'
Karoski sprong haastig uit bed, zo blij als een kind. Daar was hij weer. Hij was nogmaals gekomen om hem te helpen, hem de weg te wijzen, hem te verlichten. Om zijn macht, zijn behoefte zin te geven, een doel te geven. Hij had de wrede bemoeienissen van doctor Conroy, die hem onderzocht alsof hij een vlinder was, vastgeprikt onder een microscoop, lang genoeg verdragen. Hij stond aan de andere kant van de ijzeren deur, maar hij kon zijn aanwezigheid bijna voelen in zijn cel, alsof hij naast hem stond. Voor hem had hij respect, hem kon hij volgen. Hij begreep hem, hij kon hem richting geven. Ze hadden uren overlegd wat hem te doen stond. Hoe hij het moest doen. Hoe hij zich moest gedragen, hoe hij moest reageren op de voortdurende, pijnlijke belangstelling van Conroy. 's Nachts oefende hij zijn rol en hoopte hij op zijn komst. Hij kwam maar één keer per week, maar hij wachtte vol ongeduld op hem en telde de uren, de minuten. Terwijl hij zijn geest trainde had hij zijn mes zorgvuldig gewet, erop lettend dat hij geen lawaai maakte. Dat had hij hem opgedragen. Hij had hem ook een scherp mes kunnen geven, een pistool zelfs. Maar hij wilde zijn moed en zijn kracht testen. Hij had gedaan wat hij hem had gevraagd. Hij had hem zijn toewijding en zijn trouw bewezen. Allereerst had hij de sodomitische priester verminkt. Weken later had hij de pedofiele priester gedood. Hij moest het onkruid uitroeien zoals hij hem had gevraagd en dan zou hij eindelijk beloond worden. De beloning waar hij met heel zijn hart naar verlangde. Dat zou zijn geschenk zijn, een geschenk dat niemand anders dan hij hem kon geven. Alleen hij kon hem dat schenken.
'Viktor.'
Hij riep hem. Hij stapte haastig de kamer door en knielde voor de deur, luisterend naar de zachte stem die tot hem sprak over de toekomst. Over een missie, ver van hier. In het hart van het christendom.

Zondag 10 april 2005, 02.14 uur

Toen Dicanti uitgesproken was, viel de stilte als een donkere schaduw over hen heen. Fowler sloeg in een gebaar van verbijstering en wanhoop zijn handen voor zijn gezicht.

'Hoe heb ik zo blind kunnen zijn? Hij doodt omdat hem dat is opgedragen. Lieve God! Maar... die boodschappen dan, en de rituelen?'

'Als je er goed over nadenkt, hebben ze geen enkele betekenis, pater. Het *Ego te absolvo*, allereerst op de vloer geschreven en later op de borstkas van de slachtoffers. De gewassen handen, de afgesneden tong... Weinig meer dan het Siciliaanse equivalent van het muntstuk in de mond van het slachtoffer.'

'Is dat niet het ritueel van de maffia om aan te geven dat de dode "te loslippig" was geweest?'

'Juist. In het begin dacht ik dat Karoski de kardinalen schuldig achtte aan een misdaad jegens hemzelf of jegens de priesterlijke waardigheid in het algemeen. Maar de sporen die hij achterliet en de propjes papier hadden geen enkele betekenis. Nu denk ik dat het persoonlijke toevoegingen waren, zijn eigen finishing touch aan een door een ander opgelegd schema.'

'Maar wat heeft het voor zin om op deze manier te doden, dottoressa? Waarom elimineert hij ze niet zonder meer?'

'De verminkingen zijn niet meer dan een absurde maskering van een enkel fundamenteel feit: iemand wil hen dood hebben. Kijk eens naar de bureaulamp, pater.'

Paola wees op de lamp die het dossier van Karoski verlichtte. De rest van de kamer was in duister gehuld en alles wat niet in het schijnsel van de lamp viel, bleef verborgen in de schaduwen.

'Ik begrijp het. Ze manipuleren ons, opdat wij alleen zien wat zij willen dat we zien. De vraag is... wie zou zoiets willen?'

'De basisvraag om de dader van een misdrijf te achterhalen is: wie heeft er baat bij? Bij seriemoordenaars kan deze vraag met één pennenstreek worden doorgestreept, want hij is de enige die er baat bij heeft. Het lichaam is zijn motief. In dit geval is het motief een missie. Als hij zijn haat en frustratie op de kardinalen wilde botvieren, gesteld dat hij die had, had hij dat op een ander moment kunnen doen, als ze minder in de schijnwerpers stonden. Minder zwaar beveiligd waren. Waarom nu? Waarom ligt de situatie nu anders?'

'Omdat iemand het conclaaf wil beïnvloeden.'

'Dan verzoek ik u nu goed na te denken wie dat kan zijn. Wie wil het conclaaf

beïnvloeden? Waarom zijn juist deze kardinalen vermoord?'
'Deze kardinalen stonden zeer hoog aangeschreven bij de Kerk. Het waren mensen van aanzien.'
'Er moet een bepaald verband tussen hen zijn. Dat moeten we zien te vinden.'
De priester stond op en begon met zijn handen op zijn rug door de kamer te ijsberen.
'Dottoressa, ik denk dat ik wel een idee heb wie ertoe in staat zou zijn deze kardinalen te elimineren. Ook de methode zou hem wel liggen. Er is een aanwijzing die we niet voldoende hebben bestudeerd. Karoski's gezicht heeft een complete reconstructie ondergaan, zoals we konden zien aan het model van Angelo Biffi. Dat is een kostbare behandeling met een langdurige herstelperiode. Als het goed wordt uitgevoerd, met de benodigde anonimiteit en discretie, kunnen de kosten oplopen tot 100.000 dollar, ongeveer 80.000 euro. Dat is geen bedrag dat een arme priester als Karoski zomaar kan ophoesten. Het moet ook niet gemakkelijk voor hem zijn geweest Italië binnen te komen en al die tijd undercover te blijven. Ik heb deze vraagtekens steeds op het tweede plan geschoven, maar nu blijken ze van essentieel belang te zijn.'
'En bekrachtigen ze de theorie dat er in werkelijkheid een zwarte hand achter de moord op de kardinalen zit.'
'Juist.'
'Pater, u weet meer van de katholieke kerk en van hoe de curie werkt dan ik. Wat is volgens u de grootste gemene deler tussen de drie vermoorde kardinalen?'
De priester dacht enkele ogenblikken na.
'Er zou een verband kunnen zijn. Een verband dat veel voor de hand liggender was geweest als ze simpelweg waren verdwenen of geëlimineerd. Ze hingen allen een liberaal gedachtegoed aan. Ze maakten deel uit van... Hoe zal ik het zeggen? De linkervleugel van de Heilige Geest. Als u me de namen had gevraagd van de vijf kardinalen die het Tweede Vaticaans Concilie het meest toegewijd waren, zouden zij alle drie op de lijst hebben gestaan.'
'Verklaar u nader, pater.'
'Toen Johannes XXIII in 1958 tot paus gekozen werd, verlangde men naar vernieuwing in de Kerk. Johannes XXIII riep het Tweede Vaticaans Concilie bijeen, een oproep aan alle bisschoppen ter wereld om naar Rome te komen en de plaats van de Kerk in het wereldbeeld te bespreken. Tweeduizend bisschoppen gaven daar gehoor aan. Johannes XXIII stierf voordat het Concilie was beëindigd, maar zijn opvolger, Paulus VI, voltooide zijn werk. Jammer genoeg gingen de liberaliserende vernieuwingen in de Kerk niet zo ver als Johannes XXIII had gewild.'
'Waar doelt u op?'
'Er vonden grote veranderingen in de Kerk plaats. Het was waarschijnlijk een van de grootste mijlpalen van de twintigste eeuw. U herinnert zich dit niet, daar bent u te jong voor, maar tot eind jaren zestig mochten vrouwen niet roken of een broek dragen, dat werd als zondig beschouwd. Dat zijn echter slechts marginale voorbeelden. Laat ik volstaan met te zeggen dat er weliswaar veel gemoderniseerd

werd, maar niet voldoende. Johannes XXIII pleitte ervoor "de ramen van de Kerk open te zetten voor de verfrissende kracht van de Heilige Geest". De ramen werden echter slechts op een kier gezet. Paulus VI ontpopte zich als een vrij conservatieve paus. Johannes Paulus I, zijn opvolger, bekleedde het pontificaat slechts drieëndertig dagen. En Johannes Paulus II was zeer zeker een apostolische paus, sterk en charismatisch, en hij heeft veel goeds voor de mensheid gedaan, maar in het vernieuwingsbeleid van de Kerk was hij extreem conservatief.'

'Betekent dit dat de hervorming van de Kerk nog gerealiseerd moet worden?'

'Er is inderdaad nog veel te doen. Toen de resultaten van het Tweede Concilie werden gepubliceerd, scheelde het weinig of de conservatieve aanhangers van de Kerk hadden naar de wapens gegrepen. Dat concilie heeft tot op de dag van vandaag vijanden; mensen die denken dat niet-katholieken naar de hel gaan, dat vrouwen geen stemrecht mogen hebben en andere kwalijke ideeën. Onder de clerus hoopt men dat dit conclaaf zal leiden tot een sterke, idealistische paus, een paus die het aandurft de Kerk dichter bij het wereldse leven te brengen. Deze taak zou kardinaal Portini, als overtuigd liberaal, op het lijf geschreven zijn geweest. Hij zou echter nooit op steun uit de ultraconservatieve sector hebben kunnen rekenen. Robayra was een ander verhaal. Hij was een man van het volk, met een hoge intelligentie. Cardoso was uit hetzelfde hout gesneden als hij. Beiden trokken zich het lot van de armen aan.'

'Nu zijn ze dood.'

Fowlers gezicht betrok.

'Dottoressa, wat ik u nu ga vertellen is topgeheim. Ik zet zowel mijn leven als het uwe op het spel, en geloof me: ik ben doodsbang. Door dit alles in overweging te nemen gaat deze zaak een kant op waar ik liever niet naar kijk, en al helemaal niet graag naartoe ga.' Hij wachtte even om diep adem te halen. 'Weet u wat de Heilige Alliantie is?'

Net als in het huis van Bastina dwarrelden er in het hoofd van de criminologe flarden verhalen naar boven over spionnen en moorden. Ze had ze altijd als borrelpraat afgedaan, maar nu, in het gezelschap van deze vreemde man, kreeg de mogelijkheid dat ze op waarheid berustten een andere dimensie.

'Ze zeggen dat dat de geheime dienst van het Vaticaan is. Een netwerk van spionnen en geheim agenten die niet aarzelen te doden als de kans zich voordoet. Het zijn kletspraatjes van oude rotten in het vak om jonge politieagenten af te schrikken. Bijna niemand gelooft er iets van.'

'Dottoressa Dicanti, de verhalen over de Heilige Alliantie kunt u maar beter geloven, want hij bestaat. Hij bestaat al vierhonderd jaar en is de linkerhand van het Vaticaan voor zaken waarvan zelfs de paus niet op de hoogte is.'

'Dat vind ik moeilijk te geloven.'

'Het devies van de Heilige Alliantie is "het kruis en het zwaard".'

Het beeld van Dante die in Hotel Raphael zijn wapen op de journaliste gericht hield, borrelde naar boven. Hij had iets geroepen over het kruis en het zwaard toen hij Fowlers hulp inriep.

Toen begreep ze wat de priester wilde zeggen.

'Lieve god. Dus u bent...'

'Ik ben het geweest, lang geleden. Ik diende twee vlaggen: die van mijn land en die van mijn geloof. Later moest ik een van deze twee opgeven.'

'Wat is er toen gebeurd?'

'Dat kan ik u niet vertellen, dottoressa. Vraag me niet om dat te doen.'

Paola besloot er niet op door te gaan. Dit maakte deel uit van de duistere kant van de priester, het kille verdriet dat zijn ziel in een ijskoude greep hield. Ze vermoedde dat er heel wat meer achter dit verhaal zat.

'Nu begrijp ik Dantes vijandigheid jegens u. Die heeft iets met dit verleden te maken, is het niet?'

Fowler zweeg. Paola moest snel een beslissing nemen, want ze kon zich geen bedenkingen permitteren, daar was geen tijd voor. Ze liet haar hart spreken, nu ze wist dat ze verliefd was geworden op deze priester, op alles waar hij voor stond, op de droge warmte van zijn handen en de pijn in zijn ziel. Ze wilde dat ze zijn verdriet kon overnemen, hem ervan kon bevrijden om hem de onbevangen vreugde van een kind terug te geven. Ze wist echter dat dat onmogelijk was: in deze man stroomden oceanen van bitterheid die jaren geleden waren ontstaan. Het ging niet alleen om de onneembare vestingmuur die het priesterschap voor hem betekende. Wie hem wilde bereiken moest eerst die oceanen bedwingen, en de kans van verdrinking was groot. Op dat moment besefte ze dat ze nooit aan zijn zijde kon staan, maar ze wist ook dat deze man zijn leven zou geven om haar te beschermen.

'Goed, pater, ik vertrouw u. Ga door, alstublieft,' zei ze met een diepe zucht.

Fowler ging weer zitten en deed haar een ontstellend verhaal uit de doeken.

'Ze bestaan sinds 1566. In die duistere tijden maakte paus Pius V zich ernstig zorgen over de toenemende groei van anglicanen en ketters. Deze harde, doortastende en pragmatische man stond aan het hoofd van de inquisitie. In die tijd was de betekenis van de Vaticaanse Staat op zich vele malen territorialer dan vandaag de dag, hoewel die thans meer macht heeft. De Heilige Alliantie werd opgericht en rekruteerde jonge priesters en *uomos di fiducia*, leken met een diepgeworteld geloof en vertrouwen in de katholieke kerk. Zij kregen tot taak het Vaticaan te verdedigen als land en de Kerk in spirituele zin te beschermen. Mettertijd groeide hun aantal. In de negentiende eeuw waren ze met duizenden. Sommigen waren louter informanten, fantomen, slapende leden. Anderen behoorden tot de elite: de Hand van Sint-Michaël. Deze groep geheim agenten, verspreid over de hele wereld, kon nauwkeurig en snel opdrachten uitvoeren: geld steken in revolutionaire groeperingen die de zaak van pas kwamen, connecties uitbuiten en essentiële informatie vergaren om de loop van een oorlog te beïnvloeden. Mensen het zwijgen opleggen, bedriegen en als het niet anders kon doden. Alle leden van de Hand van Sint-Michaël leerden wapens hanteren en kregen een training in oorlogstactieken. Vroeger ging het om de controle over volkeren en wetten, namen ze hun toevlucht tot vermommingen en vochten ze van man tot man. Een Hand was in staat op vijftien passen afstand een mes precies door het midden van een druif te werpen en sprak vier talen vloeiend. Ze konden bijvoorbeeld een koe de kop afhakken en het kadaver in een drinkwaterput smijten om met absolute overtuigingskracht een bepaalde tegenpartij de schuld te geven. Ze kregen een jarenlange opleiding in een klooster op een eiland in het Middellandse Zeegebied, waarvan ik de naam niet kan noemen. In het begin van de twintigste eeuw werd de training aangescherpt, maar tijdens de Tweede Wereldoorlog werd de Hand van Sint-Michaël vrijwel met wortel en tak uitgeroeid. Het was een bloedig tijdperk, waarin velen de dood vonden. Enkelen vochten voor een nobele zaak en anderen jammer genoeg voor zaken van minder nobele aard.'

Fowler staakte zijn verhaal om een slok koffie te nemen. De schaduwen in de kamer waren langer en dieper geworden, en Paola voelde een fysieke angst. Ze ging achterstevoren op haar stoel zitten met haar armen om de rugleuning, terwijl de priester zijn verhaal vervolgde.

'In 1958 besloot Johannes XXIII, dezelfde paus van het Tweede Concilie, dat het laatste uur voor de Heilige Alliantie had geslagen. Hun diensten waren overbodig geworden. En midden in de Koude Oorlog ontmantelde hij de netwerken tussen de informanten en verbood hij de leden van de Heilige Alliantie in actie te komen zonder zijn strikt persoonlijke toestemming. Vier jaar lang was dat de gang van zaken. Er resteerden slechts twaalf van de tweeënvijftig Handen uit 1939 en enkelen van hen waren op hoge leeftijd. Ze kregen de opdracht terug te keren naar Rome. In 1960 brandde het geheime opleidingscentrum onder verdachte omstandigheden tot de grond toe af. Het hoofd van de Sint-Michaël, de leider van de Heilige Alliantie, kwam om bij een verkeersongeval.'

'Wie was dat?'

'Dat kan ik u niet zeggen. Niet omdat ik dat niet wil, maar omdat ik het niet weet. De identiteit van de leider is altijd een mysterie geweest. Het kan iedereen zijn: een bisschop, een kardinaal, een *uomo di fiducia* of een simpele priester. Het moet een man zijn van boven de vijfenveertig, dat is alles. Vanaf 1566 tot op de dag vandaag is er maar één naam van een leider bekend geworden, en dan nog in zeer beperkte kring: pater Sogredo, een Italiaan van Spaanse origine die onvervaard tegen Napoleon streed.'

'Het is niet zo vreemd dat het Vaticaan het bestaan van een geheime dienst ontkent als die er dergelijke praktijken op na houdt.'

'Dat was een van de redenen waarom Johannes XXIII besloot de Heilige Alliantie aan stevige banden te leggen. Hij pleitte dat doden niet juist was, zelfs niet in naam van God. Dat ben ik met hem eens. Ik weet dat enkele maatregelen van de Hand van Sint-Michaël het de nazi's uiterst moeilijk hebben gemaakt. Een handjevol leden heeft honderdduizenden levens gered. Er was echter ook een kleine groep die het contact met het Vaticaan verbroken zag en gruwelijke fouten heeft begaan. Daar zal ik nu niet op ingaan, zeker niet op dit duistere uur.'

Fowler maakte een handgebaar alsof hij de spoken wilde verjagen. Bij iemand zoals hij, die bijna bovennatuurlijk spaarzaam was met zijn bewegingen, kon een dergelijk gebaar alleen maar een diepe bewogenheid betekenen. Paola besefte dat ze wilde dat hij zijn verhaal beëindigde.

'U hoeft niets te zeggen, pater. Alleen datgene waarvan u denkt dat ik het moet weten.'

Hij bedankte haar met een glimlach en ging verder.

'U kunt zich natuurlijk wel voorstellen dat de Heilige Alliantie hiermee niet was opgeheven. De komst van Paulus VI op de zetel van Petrus in 1963 vond plaats tijdens de meest turbulente wereldsituatie aller tijden. Nog geen jaar eerder was de wereld ternauwernood ontsnapt aan een atoomoorlog.[1] Enkele maanden later werd Kennedy, de eerste katholieke president van de Verenigde Staten, doodgeschoten. Toen dit Paulus VI ter ore kwam, eiste hij dat de Heilige Alliantie in ere werd hersteld. De spionagenetwerken, hoewel geslonken in de loop der jaren, werd nieuw leven ingeblazen. Het moeilijkste was de heroprichting van de Hand van Sint-Michaël. Van de twaalf Handleden die in 1958 naar Rome waren geroepen, konden er in 1963 slechts zeven worden ingezet voor de actieve dienst. Een van hen kreeg de opdracht de basis en het trainingskamp in zijn oude glorie te herstellen. Dat heeft hem bijna vijftien jaar gekost, maar hij slaagde erin een groep van dertig agenten op te leiden. Sommigen van hen kwamen blanco binnen; anderen zijn afkomstig uit andere geheime diensten.'

'Zoals u – een dubbelspion.'

'Eerlijk gezegd wordt mijn functie die van "buitengewoon agent" genoemd. Iemand die normaal gesproken voor twee gelieerde organisaties werkt, waarvan de eerste niet weet dat de tweede bij elke missie richtlijnen uitvaardigt waarmee zijn werk wordt uitgebreid dan wel aangepast. Ik was bereid mijn kennis in te zetten om levens te redden, niet om te doden. Vrijwel alle missies waarbij ik werd ingezet, hadden met reddingswerkzaamheden te maken: priesters redden uit hachelijke of levensbedreigende situaties.'

'Vrijwel alle?'

Fowler knikte.

'Tijdens een ingewikkelde opdracht liep het fout. Die dag legde ik mijn Handlidmaatschap neer. Ze hebben het me niet gemakkelijk gemaakt, maar hier ben ik dan. Ik dacht dat ik de rest van mijn leven als psycholoog zou werken, en kijk waar een van mijn patiënten me heeft gebracht.'

'Dante is een van de Handen, nietwaar, pater?'

'Jaren na mijn vertrek ontstond er een crisissituatie. Nu zijn ze nog maar met enkelen, heb ik horen vertellen. Ze zijn allemaal ver hiervandaan ingezet, op missies waar ze zich niet gemakkelijk aan kunnen onttrekken. De enige die be-

---

1 Pater Fowler verwijst ongetwijfeld naar de Cubacrisis. In 1962 stuurde de premier van de Sovjet-Unie, Chroesjtsjov, diverse schepen naar Cuba, geladen met atoomkoppen, die als ze eenmaal op het Caribische eiland geïnstalleerd zouden zijn kernraketten konden lanceren op de Verenigde Staten. Kennedy vaardigde een handelsboycot uit op dit eiland en kondigde aan de vrachtschepen tot zinken te brengen als ze niet onverwijld terugkeerden naar de Sovjet-Unie. Op een halve mijl van de Amerikaanse kust gaf Chroesjtsjov de schepen opdracht terug te keren. Vijf dagen lang hield de wereld de adem in.

schikbaar was, was hij, een man met weinig scrupules. In feite ideaal voor dit werk, als mijn verdenkingen juist zijn.'

'Is Cirin dan de leider?'

Fowler keek onbeweeglijk voor zich uit. Na een minuut meende Paola dat hij de vraag niet kon of wilde beantwoorden, dus probeerde ze het met een andere vraag.

'Pater, waarom zou de Heilige Alliantie op zo'n flagrante manier tekeergaan?'

'De wereld is aan het veranderen, dottoressa. De democratische ideeën klinken veel mensen hol in de oren, waaronder die van de vastgeroeste leden van de curie. De Heilige Alliantie heeft een paus nodig die de curie stevig ondersteunt, anders zal hij verdwijnen. De Heilige Alliantie behoort echter tot het gedachtegoed van vóór het Tweede Concilie. Wat de drie kardinalen met elkaar gemeen hadden, is dat ze overtuigd liberaal waren; zo liberaal als een kardinaal kan zijn, uiteraard. Ieder van hen had onmiddellijke ontmanteling van de geheime dienst geëist, misschien wel voor altijd.'

'Die dreiging verdwijnt door hen te elimineren.'

'En en passant neemt de roep om beveiliging toe. Als kardinalen zomaar kunnen verdwijnen, zal dat veel vraagtekens oproepen. Ze kunnen ook niet doen of het ongevallen zijn geweest: het pausdom is van nature paranoïde. Als u echter gelijk hebt...'

'Wat een voorwendselen om te moorden. God, ik word er beroerd van. Ik ben blij dat ik de Kerk heb afgezworen.'

Fowler kwam naar haar toe, knielde voor haar neer en nam haar handen in de zijne.

'Dottoressa, vergis u niet. Achter die Kerk van bloed en slijk die u voor u ziet ligt een andere Kerk, oneindig en onzichtbaar, met sterke normen die naar de hemel reiken. Die Kerk leeft in de ziel van miljoenen gelovigen die Christus en Zijn boodschap liefhebben. Hij zal uit de as herrijzen en de wereld vervolmaken. De poorten van de hel zullen nooit de overhand krijgen.'

'Gelooft u dat werkelijk, pater?'

'Dat geloof ik, Paola.'

Ze stonden allebei tegelijk op. Hij kuste haar, warm en stevig, en zij nam hem zoals hij was, met al zijn littekens. Haar angst versmolt met zijn pijn en gedurende enkele uren ontdekten ze het geluk in elkaars armen.

Zondag 10 april 2005, 08.41 uur

Ditmaal was Fowler degene die wakker werd van de geur van vers gezette koffie.
'Alstublieft, pater.'
Hij keek haar aan, verbaasd omdat ze hem opnieuw met u aansprak. Ze beantwoordde zijn blik zonder met haar ogen te knipperen en hij begreep haar. De
hoop had plaatsgemaakt voor het ochtendlicht dat nu de kamer in stroomde.
Hij zei niets, want zij verwachtte niets en hij kon haar niets anders bieden dan
verdriet. Toch voelde ze zich gesterkt in de zekerheid dat ze allebei van deze ervaring hadden geleerd, en kracht hadden geput uit elkaars zwakheden. Ze zou
gemakkelijk kunnen denken dat Fowlers toewijding aan zijn roeping die ochtend aan kracht had ingeboet. Dat zou gemakkelijk kunnen, maar het zou
niet waar zijn. Integendeel, hij dankte haar ervoor dat ze zijn demonen tot zwijgen had gebracht, al was het maar voor kort.
Zij was blij dat hij haar begreep. Ze ging op de rand van het bed zitten en glimlachte. Het was geen droeve glimlach, want ze had die nacht de grenzen van haar
wanhoop overschreden. Deze frisse ochtend bracht geen zekerheid, maar hij
verdreef de verwarring. Ze zou gemakkelijk kunnen denken dat zij afstand van
hem nam om de pijn niet opnieuw te voelen. Dat zou gemakkelijk kunnen,
maar het zou niet waar zijn. Integendeel, zij begreep hem en wist dat deze
man zich aan zijn belofte en zijn eigen kruistocht zou houden.
'Dottoressa, ik moet u iets vertellen, hoewel het me zwaar valt dit op te biech-
ten.'
'Zegt u het maar, pater,' zei ze.
'Mocht u op een dag besluiten uw loopbaan als psychiatrisch criminologe vaar-
wel te zeggen, begin dan alstublieft geen koffiehuis,' zei hij met een vies gezicht
naar haar koffie.
Ze schoten in de lach en heel even leek de wereld volmaakt.

Een halfuur later bespraken ze fris gedoucht de details van de zaak. De priester
stond voor Paola's slaapkamerraam. De criminologe zat achter haar bureau.
'Weet u, pater, in het daglicht lijkt de theorie dat Karoski een moordenaar zou
zijn die in opdracht handelt van de Heilige Alliantie onwerkelijk.'
'Dat kan zijn. Maar toch, ook in het daglicht blijven zijn verminkingen een reële
zaak. Als we gelijk hebben, zijn u en ik de enigen die hem kunnen tegenhouden.'
Door die woorden verloor de ochtend zijn glans. Paola voelde dat haar ziel in

een ijzeren greep werd samengetrokken. Ze was zich er meer dan ooit van bewust dat het haar verantwoordelijkheid was dat monster op te pakken. Voor Pontiero, voor Fowler en voor haarzelf. En als ze hem in haar vingers kreeg, zou ze iemand vragen hem aan zijn riem tegen te houden. Dan was ze niet van plan zich in te houden.

'De Vigilanza is omstreden, zoveel is zeker. Maar hoe zit het met de Zwitserse garde?'

'Prachtige uniformen, maar verder van weinig nut. Ze zijn er waarschijnlijk niet eens van op de hoogte gebracht dat er drie kardinalen zijn vermoord. Ik zou niet op hen rekenen, het zijn simpele gendarmes.'

Paola krabde bezorgd aan haar nek.

'Wat doen we nu, pater?'

'Ik weet het niet. We hebben geen enkele aanwijzing waar Karoski kan aanvallen, en sinds gisteren is doden gemakkelijker voor hem geworden.'

'Wat bedoelt u?'

'De kardinalen zijn aan de novemdiales begonnen. De novenen voor de ziel van wijlen de paus.'

'U wilt me toch niet vertellen...'

'Jawel. De missen worden door heel Rome gehouden. In de Sint-Jan van Lateranen, de basiliek van Sint-Maria de Meerdere, de Sint-Pietersbasiliek, de basiliek Sint-Paulus buiten de Muren... De kardinalen lezen de mis twee aan twee in de vijftig belangrijkste kerken van Rome. Dat is traditie, en ik denk dat ze daar voor geen goud verandering in brengen. Als de Heilige Alliantie hier een rol in speelt, zou het de ideale situatie zijn voor een moord. De zaak is nog niet uitgelekt, dus ook de kardinalen zouden in opstand komen als Cirin zou proberen hen te verbieden de novenen te houden. Nee, de missen vinden plaats, wat er ook gebeurt. Het ergste is dat er misschien inmiddels nog een kardinaal is vermoord zonder dat wij het weten.'

'Jezus, ik moet een sigaret hebben.'

Paola zocht Pontiero's pakje sigaretten op tafel en voelde met haar handen langs haar jasje. Ze stak haar hand in de binnenzak en stuitte op een stukje karton. Wat was dat nou?

Het was een bidprentje van Onze-Lieve-Vrouwe van de Karmel. Het prentje dat Francesco Toma haar had gegeven toen ze afscheid van hem nam in de Santa Maria in Traspontina. De nepkarmeliet, de moordenaar Karoski. Ze droeg hetzelfde zwarte pakje als die dinsdagochtend en het bidprentje zat nog in haar zak.

'Hoe heb ik dit kunnen vergeten? Het is een test.'

Fowler kwam geïntrigeerd naderbij.

'Een bidprentje van Onze-Lieve-Vrouwe van de Karmel. Er staat iets achterop geschreven.'

De priester las de Engelse tekst hardop voor:

'If your very own brother, or your son or your daughter, or the wife you love, or your closest friend secretly entices you, do not yield to him or listen to him. Show him no pity. Do not spare him or shield him. You must certainly put him to death. Then all Israel will hear and be afraid, and no one among you will do such an evil thing again.'

Paola vertaalde het, briesend van woede en frustratie:
'Wanneer iemand – uw volle broer, uw zoon of uw dochter, of de vrouw die u bemint, of uw beste vriend – u in het geheim probeert over te halen om andere goden te dienen, goden die u nog niet kende en ook uw voorouders niet, goden van de naburige volken, vlakbij of ver weg of waar ook ter wereld, luister dan niet naar zo iemand en geef niet toe; wees onverbiddelijk, heb geen medelijden met hem en houd hem niet de hand boven het hoofd. U moet hem ter dood brengen; samen met uw volksgenoten moet u hem stenigen tot de dood erop volgt, en zelf moet u de eerste steen werpen. Dat is zijn straf, want hij heeft geprobeerd u te vervreemden van de HEER, uw God, die u uit de slavernij in Egypte heeft bevrijd. Het hele volk van Israël moet daardoor worden afgeschrikt, zodat dergelijke wandaden zich niet herhalen.'
'Deuteronomium, geloof ik. Hoofdstuk 13, vers 7 tot 12.'
'Verdomme!' vloekte de criminologe. 'Dat heeft al die tijd in mijn zak gezeten. Shit, ik had moeten zien dat de tekst achterop in het Engels was.'
'Kwelt u zichzelf niet zo, dottoressa. U kreeg een bidprentje van een kloosterbroeder. Gezien uw gebrek aan geloof is het niet zo vreemd dat u er geen tweede blik op hebt geworpen.'
'Kan zijn, maar sindsdien wisten we wie die broeder was. Ik had me moeten herinneren dat hij me iets had gegeven. Ik ben er veel te druk mee bezig geweest me het weinige te herinneren dat ik van zijn gezicht had gezien in die donkere kerk. Als ik...'
Hij probeerde het Woord te prediken, weet je nog?
Paola hield haar adem in. De priester draaide zich naar haar toe, met het prentje in de hand.
'Kijk, dottoressa, het is een gewoon bidprentje. Hij heeft achterop een sticker geplakt...'
Onze-Lieve-Vrouwe van de Karmel.
'... met heel veel moeite om die tekst erop te krijgen. Deuterononium is...'
Zorg dat u het altijd bij u draagt.
'... een ongebruikelijke tekst voor een bidprentje, weet u. Ik denk dat...'
Het zal u de weg wijzen in deze duistere tijden.
'... als ik aan dit hoekje trek, krijg ik het er wel af...'
Paola rukte aan zijn arm. Haar stem klonk als een snerpende gil: 'Niet aanraken!'
Fowler knipperde geschrokken met zijn ogen. Hij verroerde zich niet. De criminologe pakte het prentje uit zijn hand.
'Neem me niet kwalijk dat ik zo schreeuwde, pater,' zei Dicanti, terwijl ze haar

uiterste best deed tot bedaren te komen. 'Ik herinner me net dat Karoski me vertelde dat dit bidprentje me de weg zou wijzen in deze duistere tijden. Ik denk dat het een boodschap bevat, speciaal uitgedacht om met ons te spotten.'

'Dat zou kunnen. Het kan ook weer een truc zijn om ons op een dwaalspoor te brengen.'

'De enige zekerheid in dit geval is dat we lang niet alle stukken van de puzzel in handen hebben. Ik hoop hier iets te kunnen vinden.'

Ze draaide het bidprentje om, hield het tegen het licht, rook eraan... Niets.

'Misschien is die bijbelpassage de boodschap. Maar wat zou hij ermee bedoelen?'

'Ik weet het niet, maar er moet meer zijn. Iets wat je op het eerste gezicht niet ziet. Volgens mij heb ik hier ergens een speciaal stukje gereedschap voor dit soort zaken.'

De criminologe dook in een kast en zocht tot ze achterin een doos vond, bedekt met een laag stof. Ze zette hem voorzichtig op het bureau.

'Dit heb ik niet meer gebruikt sinds ik op de academie zat. Het was een cadeau van mijn vader.'

Ze opende met een eerbiedig gezicht langzaam het deksel. Haar vaders waarschuwing over dit apparaat, hoe duur het was en dat ze er voorzichtig mee om moest springen, lag haar nog vers in het geheugen. Ze haalde het uit de doos en zette het op het bureau. Het was een gangbare microscoop. Op de universiteit had Paola met duizendmaal duurdere apparaten gewerkt, maar geen daarvan had ze met zoveel respect behandeld als deze. Ze hield dit gevoel met liefde vast: het was een dierbare link met haar vader, een zeldzaamheid voor deze vrouw, die sinds de dag dat ze hem had verloren dag in dag uit leefde met het verdriet. Ze vroeg zich vluchtig af of ze niet beter de mooie herinneringen kon koesteren in plaats van zich vast te klampen aan de gedachte dat hij haar veel te vroeg was afgenomen.

'Geef me dat prentje eens aan, pater,' zei ze, terwijl ze voor de microscoop ging zitten.

De microscoop was stofvrij gebleven in zijn verpakking van papier en plastic. Ze legde het prentje onder de lens en stelde het apparaat scherp. Met haar linkerhand verschoof ze het gekleurde kartonnen plaatje en bestudeerde het gezicht van de Maagd aandachtig. Ze zag niets bijzonders. Ze draaide het prentje om en bestudeerde de achterkant.

'Wacht eens... Ik zie iets.'

Paola ging opzij om de priester te laten kijken. Vijftienmaal vergroot waren de letters achter op het prentje veranderd in dikke, zwarte strepen. Eén ervan vertoonde echter een klein wit puntje.

'Het lijkt wel een perforatie.'

Dicanti nam de microscoop weer over.

'Ik zou zweren dat het met een speld is aangebracht. Het is in elk geval opzettelijk aangebracht, met zoveel precisie.'

'Op welke letter zit het eerste merkteken?'

'Op de f van *If*.'
'Dottoressa, kijk alstublieft of er nog meer letters met perforaties zijn.'
Paola stelde in op de eerste regel van de tekst.
'Hier zit er nog eentje.'
'Ga door, ga door.'
Na acht minuten had de criminologe elf geperforeerde letters kunnen ontdek-
ken.

I̲F̲ you̲R̲ very own brother, or your son or your d̲Au̲ghter, or the wife you love, or your closest frie̲N̲d secretly enti̲C̲es you, do not yield to h̲I̲m or listen to him. S̲how him no pity. Do not spare him or shield him. You mu̲S̲t certainly put H̲im to death. Then A̲ll Israel W̲ill hear and be afraid, and no one among you will do such an evil thing again.

Toen ze zeker wist dat er verder geen geperforeerde letters tussen zaten, schreef
de criminologe de letters in de volgorde waarin ze ze had aangetroffen op. Toen
ze lazen wat ze had opgeschreven, ging er door allebei een huivering heen en
Paola herinnerde het zich weer: *Wanneer uw volle broer u in het geheim probeert
over te halen.*
Ze herinnerde zich de psychiatrische rapporten.
Wees onverbiddelijk en hou hem niet de hand boven het hoofd.
De brieven aan de familie van de slachtoffers van de seksuele perversie van
Karoski.
U moet hem ter dood brengen.
Ze herinnerde zich de naam onder die brieven.
Francis Shaw.

(Telexbericht van Reuters, 10 april 2005. 08.12 uur GMT)

ROME (Associated Press) – Hedenmiddag om twaalf uur draagt kardinaal Francis Shaw de noveenmis op in de Sint-Pietersbasiliek. De Amerikaanse kardinaal geniet op deze tweede dag van de novemdiales de eer de eucharistieviering te houden voor de zielenrust en nagedachtenis van Johannes Paulus II.

Bepaalde groeperingen in de Verenigde Staten spreken hun afkeuring uit over de deelname van Shaw aan de herdenkingsdienst. Met name de instantie SNAP (Surviving Network of Abuse by Priests) heeft twee afgevaardigden naar Rome gezonden om een officieel protest in te dienen tegen het feit dat Shaw toestemming krijgt een mis op te dragen in de meest vooraanstaande kerk van het christendom. 'Wij zijn maar met z'n tweeën, maar we dienen een officieel protest in voor de camera's, zij het vreedzaam en ordelijk,' aldus Barbara Payne, voorzitster van het SNAP.

Genoemde instantie is met ruim 4500 leden de grootste organisatie voor slachtoffers van seksueel misbruik door katholieke priesters. Tot hun belangrijkste activiteiten behoren nazorg en steun aan de slachtoffers, waarbij gebruik wordt gemaakt van groepstherapie om de gebeurtenissen te verwerken. Veel van de leden zoeken pas op latere leeftijd steun bij het SNAP, na jaren schaamtevol gezwegen te hebben.

Kardinaal Shaw, thans prefect van de Congregatie voor de clerus, raakte eind jaren negentig verwikkeld in het schandaal rond seksueel misbruik door priesters in de Verenigde Staten. Shaw, kardinaal van het aartsbisdom Boston, speelde een belangrijke rol in de katholieke kerk in de Verenigde Staten en behoorde volgens velen tot de sterkste kandidaten om Karol Wojtyla op te volgen. Shaw kwam zwaar onder vuur te liggen toen bekend werd dat onder zijn jurisdictie jarenlang meer dan driehonderd gevallen van seksueel misbruik van priesters bij kinderen in de doofpot waren gestopt. Hij deed weinig meer dan de betrokken priesters, beschuldigd van seksueel misbruik, over te plaatsen van de ene parochie naar de andere, met de bedoeling op deze wijze een schandaal te vermijden. In vrijwel alle gevallen beperkte hij zijn maatregelen om de schuldigen tot de orde te roepen tot het voorschrijven van 'een verandering van omgeving'. Slechts in extreem ernstige gevallen zond hij de priesters voor behandeling naar een speciaal daartoe ingerichte kliniek.

Toen de eerste serieuze beschuldigingen binnenkwamen, kocht Shaw het stilzwijgen van de betrokken gezinnen af met financiële afspraken. Uiteindelijk kwamen de schandalen echter in het hele land aan het licht en moest Shaw op last van 'hoge Vaticaanse autoriteiten' aftreden. Hij werd naar Rome geroepen, waar hij werd benoemd tot prefect van de Congregatie voor de clerus, weliswaar een functie met een zekere waardigheid, maar het slot van zijn veelbelovende loopbaan.

Veel mensen beschouwen Shaw ondanks alles echter als een heilige, die de Kerk met hand en tand verdedigt. 'Hij is vervolgd en belasterd vanwege zijn diepe geloof,' aldus zijn persoonlijk secretaris, pater Miller. In de eeuwige lotto van de media rond de vraag wie de nieuwe paus zal worden, behoort Shaw echter niet tot de kandidaten. De Romeinse curie is door de bank genomen een uiterst behoudend collectief, wars van extravagantie. Hoewel Shaw op steun kan rekenen, kunnen we ervan uitgaan dat hij weinig of geen stemmen behaalt, tenzij er een wonder gebeurt.

04/10/2005/08:12 (AP)

SACRISTIE VAN HET VATICAAN

Zondag 10 april 2005, 11.08 uur

De priesters die kardinaal Shaw zouden assisteren bij de eucharistieviering kleedden zich om in de sacristie naast de ingang van de Sint-Pietersbasiliek, waar ze samen met de misdienaars nog vijf minuten moesten wachten voordat de dienst zou beginnen.

Tot op dat moment was het museum leeg, afgezien van de twee kloosterzusters die Shaw en zijn concelebrant, kardinaal Pauljic, assisteerden, en de Zwitserse gardisten die voor de deur van de sacristie stonden om hen te beschermen.

Karoski was zich sterk bewust van de geruststellende bult van het mes en het pistool onder zijn kledij. Hij berekende zijn kansen nauwkeurig.

Eindelijk zou hij zijn beloning krijgen.

Het moment was bijna daar.

Zondag 10 april 2005, 11.16 uur

'We kunnen er niet in via de Sint-Annapoort, pater. Die wordt zwaar beveiligd en ze laten niemand binnen. Alleen degenen met een vergunning van het Vaticaan.'

Ze waren op veilige afstand langs alle toegangspoorten van het Vaticaan gelopen om ze te inspecteren. Apart van elkaar, om geen argwaan te wekken. Over minder dan vijftig minuten zou de noveenmis in de Sint-Pietersbasiliek beginnen. Nog geen halfuur daarvoor had de ontdekking van de naam Francis Shaw op het bidprentje van Onze-Lieve-Vrouwe van de Karmel aanleiding gegeven tot een koortsachtige speurtocht op internet. Alle nieuwsagentschappen gaven de plaats en het tijdstip van Shaw aan, duidelijk te lezen voor iedereen die het wilde weten.

En daar stonden ze dan, op het Sint-Pietersplein.

'We kunnen het best de hoofdingang van de basiliek nemen.'

'Nee. De beveiliging is overal aangescherpt behalve daar, aangezien dat de toegang is voor het publiek, dus daar verwachten ze ons het eerst. Bovendien zijn we dan wel binnen, maar kunnen we onmogelijk in de buurt van het altaar komen. Shaw en zijn concelebrant komen uit de sacristie van de Sint-Pieter. Vandaar uit is de weg vrij tot aan de basiliek. Ze mogen het hoofdaltaar van Sint-Petrus niet gebruiken, want dat is voorbehouden aan de paus. Ze gebruiken een van de kleinere altaren, maar dan nog wonen zo'n achthonderd personen de ceremonie bij.'

'Denkt u dat Karoski het erop zal wagen met al die mensen erbij?'

'Dottoressa, ons probleem is dat we niet weten wie welke rol speelt in dit drama. Als de Heilige Alliantie Shaw wil elimineren, zullen ze ons niet toestaan hem ervan te weerhouden de mis op te dragen. Als zij Karoski willen oppakken, staan ze ons ook niet toe de kardinaal te waarschuwen, want hij vormt het ideale lokaas. Wat er ook gebeurt, ik weet in elk geval zeker dat dit de laatste akte van de komedie is.'

'Het heeft er echter veel van dat wij er geen rol in spelen. Het is al kwart over elf.'

'Nee. We gaan het Vaticaan binnen, zorgen dat we ongezien voorbij Cirins agenten komen en lopen door naar de sacristie. We moeten voorkomen dat Shaw die mis opdraagt.'

'Hoe dan, pater?'

'We nemen een route waar Cirin van zijn levensdagen niet aan heeft gedacht.'

Vier minuten later drukten ze op de deurbel van een sober gebouw van vijf verdiepingen. Paola gaf Fowler gelijk. Cirin zou in geen miljoen jaar kunnen bedenken dat Fowler uit eigen beweging bij de zetel van de Congregatie voor de geloofsleer zou aanbellen.

Tussen het paleis en de zuilenrij van Bernini bevindt zich een ingang naar het Vaticaan, bestaande uit een zwart hek en een portiersloge. Normaliter wordt het hek bewaakt door twee Zwitserse gardisten. Op deze zondag waren het er vijf, plus een politieagent in burger. De laatste hield een dossier in zijn handen dat, zonder dat Fowler en Paola het wisten, hun foto's bevatte. Deze man, lid van het Corpo di Vigilanza, zag op het trottoir aan de overkant twee mensen lopen die aan de beschrijving leken te voldoen. Hij zag ze maar heel even, want ze verdwenen meteen weer uit zijn vizier en hij wist niet zeker of ze het waren. Hij had echter geen toestemming om zijn post te verlaten en dus kon hij hen niet volgen om hun identiteit vast te stellen. Het bevel luidde onmiddellijk contact op te nemen met zijn superieuren als deze lieden trachtten het Vaticaan binnen te komen en hen tegen te houden, desnoods met geweld. Het was duidelijk dat deze twee mensen van belang waren. Hij drukte de knoppen van zijn walkietalkie in en meldde wat hij had gezien.

Bijna op de hoek met de Porta Cavalleggeri, nog geen twintig meter van de ingang waar de politieagent instructies ontving over de walkietalkie, bevond zich de deur van de zetel van de Congregatie. Een gesloten deur, maar wel met een bel. Fowler hield zijn vinger daar net zolang op tot ze hoorden dat er aan de andere kant aan de sloten werd gerommeld. Een oudere priester gluurde door de kier.

'Wat wilt u?' vroeg hij onbeleefd.

'We komen voor bisschop Hanër.'

'En wie bent u?'

'Pater Fowler.'

'Nooit van gehoord.'

'Ik ben een oude bekende.'

'Bisschop Hanër ligt te rusten. Het is vandaag zondag en het paleis is gesloten. Tot ziens,' zei hij met een vermoeid handgebaar, alsof hij vliegen wilde verjagen.

'Zeg me alstublieft in welk ziekenhuis of op welke begraafplaats bisschop Hanër ligt, pater.'

De priester keek verbaasd op.

'Wat zegt u?'

'Bisschop Hanër heeft me gezegd dat hij niet zou rusten voordat hij me had laten boeten voor mijn vele zonden. Daarom vrees ik dat hij ziek is, of zelfs gestorven. Er is geen andere verklaring voor.'

De blik in de ogen van de priester veranderde van vijandige onverschilligheid in lichte irritatie.

'Het lijkt erop dat u bisschop Hanër inderdaad kent. U wacht buiten,' zei hij, en hij smeet de deur voor hun neus dicht.

'Hoe wist u dat bisschop Hanër hier was?' vroeg Paola.

'Bisschop Hanër heeft zijn leven lang nog nooit een zondag rust genomen, dottoressa. Het zou een droevige toevalligheid zijn geweest als hij dat vandaag wel had gedaan.'

'Is hij een vriend van u?'

Fowler kuchte.

'Nou, om eerlijk te zijn heeft hij de grootst mogelijke hekel aan me. Gonthas Hanër is de afgevaardigd functionaris van de curie. Hij is een oude Duitse jezuïet die zijn uiterste best doet korte metten te maken met de uitwassen van de buitenlandse politiek van de Heilige Alliantie. Een ecclesiastische versie van Binnenlandse Zaken. Hij is indertijd die zaak tegen mij begonnen. Hij heeft het land aan me omdat ik geen woord heb losgelaten over de missies die me waren opgedragen.'

'Hoe vatte hij uw vrijspraak op?'

'Niet best. Hij vertelde me dat hij de banvloek over me had uitgesproken en dat er vroeg of laat wel een paus voor zou tekenen.'

'Wat is een banvloek?'

'Uitsluiting uit de kerkelijke gemeenschap. Hanër weet dat hij me niet zwaarder kan straffen. Ik zou het niet overleven dat de Kerk, waarvoor ik altijd heb gestreden, me zou verbieden na mijn dood naar de hemel te gaan.'

De criminologe keek hem verontrust aan.

'Pater, mag ik weten wat we hier komen doen?'

'Ik ga hem alles opbiechten.'

Sacristie van het Vaticaan

Zondag 10 april 2005, 11.31 uur

De Zwitserse gardist zakte als een pudding in elkaar, met als enige geluid de harde tik van zijn hellebaard tegen de marmeren vloer. Er zat een diepe snee in zijn keel, het mes was dwars door zijn luchtpijp gegaan.

Een van de kloosterzusters kwam, aangetrokken door het lawaai, de sacristie uit. Ze kreeg de tijd niet om te schreeuwen. Karoski sloeg haar keihard in haar gezicht. De non raakte buiten kennis en viel plat op haar buik op de grond. De moordenaar nam rustig de tijd om met zijn rechtervoet onder de zwarte nonnenkap van de oblate te porren. Hij zocht haar nek. Hij koos het juiste punt en zette zijn volle gewicht op zijn voetzool. Haar nek brak met een droog geluid. De andere kloosterzuster stak haar hoofd om de deur van de sacristie. Ze begreep er niets van. Ze had de hulp van haar zuster nodig.

Karoski dreef zijn mes in haar rechteroog. Toen hij haar meetrok om haar in de korte gang die naar de sacristie leidde te leggen, sleepte hij al een lijk achter zich aan.

Hij keek naar de drie levenloze lichamen. Hij keek naar de deur naar de sacristie. Hij keek op zijn horloge.

Hij had nog vijf minuten om zijn werk te voltooien.

Zondag 10 april 2005, 11.31 uur

Paola's mond zakte na Fowlers woorden open van verbazing, maar ze kreeg de tijd niet om iets te zeggen, want plotseling vloog de deur wijd open. In plaats van de oude priester die hen eerder te woord had gestaan, verscheen er een magere bisschop met blond haar en een keurig bijgehouden baard. Hij leek een jaar of vijftig te zijn. Hij stond Fowler vol misprijzen en met de harde r-klanken van zijn Duitse accent te woord: 'Kijk eens aan, na al die jaren verschijnt u plotseling voor mijn deur. Waaraan heb ik deze eer te danken?'

'Bisschop Hanër, ik kom u om een gunst vragen.'

'Ik vrees dat u in geen enkele positie verkeert om mij wat dan ook te vragen, pater Fowler. Ik heb u twaalf jaar geleden iets gevraagd en u hebt dagenlang gezwegen. Dagenlang! De commissie heeft u onschuldig bevonden, maar ik niet. Maak dat u wegkomt!'

Zijn uitgestoken wijsvinger wees naar de Porta Cavalleggeri. Paola constateerde dat die vinger zo stevig en recht was dat Hanër Fowler eraan zou kunnen ophangen.

De priester hielp hem daar een handje bij door zijn eigen strop te knopen.

'U hebt nog niet gehoord wat ik ertegenover stel.'

De bisschop sloeg zijn armen over elkaar.

'Zeg het maar, Fowler.'

'De kans is groot dat er binnen nu en een halfuur een moord wordt gepleegd in de Sint-Pietersbasiliek. Rechercheur Dicanti en ik zijn gekomen om dat te voorkomen. Spijtig genoeg wordt de toegang tot het Vaticaan ons geweigerd. Camilo Cirin heeft een algeheel verbod jegens ons uitgevaardigd. Ik verzoek u om toestemming het palazzo in te gaan en door te lopen naar het parkeerterrein om ongezien de Città binnen te komen.'

'Wat krijg ik in ruil daarvoor?'

'In ruil daarvoor beantwoord ik al uw vragen omtrent El Aguacate. Morgen.'

Hanër wendde zich tot Paola.

'Kunt u zich identificeren?'

Paola had haar politiepenning niet bij zich. Boi had hem haar afgenomen. Gelukkig had ze wel haar magnetische toegangskaart van de UACV bij zich. Die overhandigde ze zelfverzekerd aan de bisschop, in de hoop dat hij er genoegen mee zou nemen.

De bisschop pakte het kaartje van de criminologe aan. Hij bestudeerde haar gezicht, vergeleek het met de foto op de kaart en nam uitgebreid de tijd om de gegevens van de UACV en zelfs de magnetische strook te bekijken.

'Dat lijkt allemaal te kloppen. Ik dacht even dat u naast uw andere zonden nu ook de begeerte had ontdekt, Fowler.'

Paola wendde haar gezicht af om de glimlach die om haar lippen speelde voor Hanër te verbergen. Opgelucht constateerde ze dat Fowler de priemende blik van Hanër onbewogen weerstond. De bisschop klakte met een misprijzend gezicht met zijn tong.

'Overal waar u gaat zaait u dood en verderf, Fowler. Mijn mening over u blijft rotsvast en onveranderd staan. Ik wens u geen toegang te verlenen.'

De priester stond op het punt Hanër van repliek te dienen, maar werd met een gebaar tot zwijgen gebracht.

'Ik ben me er echter van bewust dat u een man van eer bent. Ik neem uw aanbod aan. Vandaag gaat u het Vaticaan binnen en morgen komt u hier terug om me de waarheid te vertellen.'

Na dit gezegd te hebben ging hij opzij. Fowler en Paola stapten de drempel over. Ze kwamen een chique, crème geschilderde hal binnen, zonder lijstwerk of andere overdreven versieringen. Er heerste een diepe stilte in het gebouw, passend bij de zondagsrust. Paola had het vermoeden dat er niemand aanwezig was, behalve deze gespannen man zonder een grammetje vet op zijn lijf. Dit heerschap beschouwde zichzelf als de rechter van God. Ze kreeg al kippenvel bij de gedachte aan waar zo'n geobsedeerd mens vierhonderd jaar geleden toe in staat zou zijn geweest.

'Tot morgen, pater Fowler. Het zal me een genoegen zijn u een document te laten zien dat ik al enkele jaren voor u heb bewaard.'

De priester begeleidde Paola via een gang op de begane grond van het palazzo zonder ook maar één keer om te kijken – wie weet omdat hij bang was dat Hanër nog steeds bij de deur stond, in afwachting van zijn terugkeer.

'Bizar, pater. Over het algemeen is dit de instantie die mensen de kerk uit smijt. Nu halen ze ons juist naar binnen,' merkte Paola op.

Fowler trok een gezicht dat zowel droefheid als ironie uitdrukte.

'Als we Karoski te pakken krijgen, hoop ik niet dat ik daarmee het leven heb gered van een potentieel slachtoffer, dat uiteindelijk als beloning zijn handtekening zet onder mijn excommunicatiepapieren.'

Ze stonden voor een nooduitgang. Het raampje ernaast bood uitzicht op het parkeerterrein. Fowler duwde de deurstang naar beneden en stak behoedzaam zijn hoofd naar buiten. Een meter of dertig verderop stond de Zwitserse garde met de blik strak op de straat gericht. Hij deed de deur weer dicht.

'We moeten opschieten. We moeten Shaw waarschuwen en hem de situatie uitleggen, voordat Karoski korte metten met hem maakt.'

'Waar moeten we precies langs?'

'We gaan het parkeerterrein op en blijven zo dicht mogelijk bij de muur lopen, achter elkaar aan. We lopen de aula waar de audiënties plaatsvinden voorbij en blijven bij de muur, tot we bij de hoek komen. Dan moeten we razendsnel oversteken, schuin, met onze gezichten naar rechts, want we weten niet of iemand dat gebied in de gaten houdt. Ik ga voorop, oké?'

Paola knikte en ze gingen haastig op pad. Zonder incidenten bereikten ze de sacristie, een imposant bijgebouw van de Sint-Pietersbasiliek. De sacristie bleef het gehele jaar geopend voor toeristen en bedevaartgangers, aangezien er in het openbare gedeelte een museum was gevestigd, waarin enkele van de mooiste schatten van het christendom tentoon werden gesteld.

De priester legde zijn hand op de deur.

Hij stond open.

SACRISTIE VAN HET VATICAAN

Zondag 10 april 2005, 11.42 uur

'Geen goed teken, dottoressa,' fluisterde Fowler.
De rechercheur bracht haar hand naar haar middel en haalde een .38 revolver tevoorschijn.
'We gaan naar binnen.'
'Ik dacht dat Boi uw vuurwapen had ingenomen?'
'Alleen het automatische pistool, mijn dienstwapen. Dit stukje speelgoed gebruik ik voor noodgevallen.'
Ze stapten samen de drempel over. Het museumgedeelte was verlaten, de vitrines waren donker. Het flauwe licht dat door de schaarse ramen viel, werd weerspiegeld in de marmeren vloeren en wanden. Hoewel het rond het middaguur was, lagen de zalen vrijwel in het duister. Fowler ging Paola zwijgend voor en vervloekte inwendig zijn krakende schoenen. Ze hadden al vijf museumzalen achter zich liggen. In de zesde hield Fowler abrupt zijn pas in. Op minder dan een halve meter afstand, deels verborgen door de wand van de gang waar ze juist in wilden slaan, lag iets buitengewoon ongebruikelijks: een hand in een witte handschoen en een arm, die schuilging in een felgekleurde stof met een patroon in geel, blauw en rood.
Toen ze de hoek omsloegen, constateerden ze dat de arm toebehoorde aan een Zwitserse gardist. Hij hield zijn hellebaard nog in zijn linkerhand en op de plaats waar ooit zijn ogen hadden gezeten, waren nu twee bloederige gaten te zien. Even verderop zag Paola twee nonnen liggen, gekleed in een zwart habijt en met een zwarte kap, verenigd in een laatste omhelzing.
Ook zij hadden geen ogen meer.
De criminologe spande de haan van haar revolver. Haar blik kruiste die van Fowler.
'Hij is hier.'
Ze stonden in de korte gang die naar de hoofdsacristie van het Vaticaan leidde en doorgaans afgesloten was met een ketting, maar met de dubbele deuren geopend opdat het nieuwsgierige publiek een blik kon werpen op de plek waar de Heilige Vader zich omkleedde voor de liturgieviering.
De deuren waren nu gesloten.
'O god, laten we hopen dat we niet te laat zijn,' zei Paola, met haar ogen strak op de drie lijken gevestigd.
Met deze drie erbij was de lijst slachtoffers van Karoski opgelopen tot minstens acht. Ze nam zichzelf heilig voor dat dit de laatsten zouden zijn. Ze hoefde er

243

geen tweemaal over na te denken. Ze rende zigzaggend om de lijken te ontwijken de twee meter lange gang door naar de deur. Met haar linkerhand trok ze een van de dubbele deuren open en stapte met haar revolver in haar uitgestoken rechterhand de drempel over.

Ze kwam in een metershoge achthoekige ruimte van ongeveer twaalf meter doorsnee terecht die baadde in een goudkleurig licht. Voor haar bevond zich een altaar, geflankeerd door pilaren met een olieverfschilderij: de kruisafneming. Tegen de schitterend bewerkte wanden van grijs marmer stonden tien kasten van teak- en citroenhout, waarin de heilige gewaden werden bewaard. Als Paola zich de tijd had gegund om omhoog te kijken, had ze de koepel kunnen bewonderen met de prachtige fresco's en de ruiten waardoor het licht naar binnen viel. De criminologe had echter alleen oog voor de twee personen die zich in de ruimte bevonden.

Een van hen was kardinaal Shaw. De ander was eveneens een kardinaal. Hij kwam Paola vaag bekend voor en toen herkende ze hem als kardinaal Pauljic.

Ze stonden voor het altaar. Pauljic stond iets achter Shaw en legde juist de laatste hand aan diens soutane toen de criminologe hen interrumpeerde, met haar revolver direct op hen gericht.

'Waar is hij?' riep ze. Haar kreet galmde echoënd door de koepel. 'Hebt u hem gezien?'

De Amerikaan sprak tergend langzaam, zonder zijn ogen van de revolver af te houden.

'Waar is wie, juffrouw?'

'Karoski. Hij heeft een Zwitserse gardist en twee nonnen vermoord.'

Ze was nog niet uitgesproken of Fowler verscheen in de zaal. Hij ging pal achter Paola staan. Hij keek Shaw aan en voor de eerste maal kruiste zijn blik die van kardinaal Pauljic.

Er lagen vuur en herkenning in die blik.

'Hallo, Viktor,' zei de priester met een lage, rauwe stem.

Kardinaal Pauljic, beter bekend onder de naam Viktor Karoski, sloeg zijn linkerarm stevig om de nek van kardinaal Shaw, haalde met zijn rechterhand Pontiero's dienstwapen tevoorschijn en zette de loop tegen de slaap van de kardinaal.

'Sta stil!' riep Dicanti. De echo liet een aantal i's horen.

'U verroert geen vin, ispettore Dicanti, of we kunnen allemaal zien welke kleur de hersenen van de kardinaal hebben.' De stem van de moordenaar beukte met woeste, angstaanjagende kracht op Paola in en joeg de adrenaline kloppend door haar slapen. Ze herinnerde zich de razernij die haar had overspoeld toen ze na de aanblik van Pontiero's levenloze lichaam door dat monster was gebeld. Ze richtte zorgvuldig.

Karoski stond ruim tien meter van haar af en achter het menselijke schild dat werd gevormd door kardinaal Shaw waren alleen een deel van zijn gezicht en zijn onderarmen zichtbaar. Met haar schietvaardigheid en niets dan een revolver was het een onmogelijk schot.

'Laat uw wapen op de vloer vallen, ispettore, of ik schiet hem ter plekke dood.'

Paola beet stevig op haar onderlip om het niet uit te brullen van razernij. Daar stond de moordenaar, pal voor haar neus, en zij stond machteloos.

'Luister niet naar hem, dottoressa. Hij zou de kardinaal nooit kwaad doen, is het wel, Viktor?'

Karoski verstevigde zijn houdgreep rond de nek van kardinaal Shaw.

'Zeer zeker wel. Laat dat wapen op de vloer vallen, Dicanti. Vooruit!'

'Alstublieft, doe wat hij zegt,' piepte Shaw nauwelijks verstaanbaar.

'Een uitstekende vertolking, Viktor.' Fowlers stem trilde van woede. 'Weet u nog dat we maar niet konden begrijpen dat de moordenaar ongezien uit Cardoso's afgegrendelde kamer was ontsnapt? Dat was verdomme zo makkelijk als wat. Hij is die kamer nooit uit geweest.'

'Wat?' vroeg Paola verbaasd.

'We braken de deur open. We zagen niemand. En vervolgens riep iemand luidkeels om hulp en stuurde diegene ons op een dwaze achtervolging het trappenhuis in. Viktor lag intussen veilig... onder het bed? Of zat hij in de kast?'

'Heel slim, pater. Gooi dat wapen op de grond, ispettore.'

'Maar natuurlijk, het hulpgeroep en de beschrijving van de aanvaller waren gegarandeerd waar, afkomstig van een dienaar van het geloof, een vertrouwenspersoon. Een kardinaal maar liefst. De handlanger van een moordenaar.'

'Zwijg!'

'Wat heeft hij je beloofd in ruil voor het elimineren van zijn rivalen, op zijn weg naar een glorieuze toekomst die hij allang niet meer verdient?'

'Genoeg!' Karoski zag eruit als een waanzinnige, zijn gezicht droop van het zweet. Een van zijn kunstmatig aangebrachte wenkbrauwen was losgeraakt en zakte over zijn oog.

'Kwam hij je opzoeken in Instituut Saint Matthew, Viktor? Hij heeft je aangeraden je daar vrijwillig aan te melden, is het niet?'

'Hou op met die absurde insinuaties, Fowler. Zeg tegen die vrouw dat ze haar wapen laat vallen, anders vermoordt die gek me,' beval Shaw wanhopig.

'Wat was het plan van zijne eminentie, Viktor?' vroeg Fowler, zonder notitie te nemen van Shaw. 'Moest je net doen alsof je hem aanviel tijdens de mis in de Sint-Pietersbasiliek? En zou hij je dan van je snode plannen af weten te brengen, in het bijzijn van het volk Gods en voor het oog van de televisiecamera's?'

'Zwijg of ik vermoord hem! Ik vermoord hem!'

'Dat zou jij met de dood hebben bekocht. Hij zou daarentegen een held zijn geweest. Wat heeft hij je beloofd in ruil voor de sleutels van het koninkrijk, Viktor?'

'De hemel, stomme idioot. Het eeuwige leven!'

Karoski haalde de loop van het wapen van Shaws voorhoofd. Hij richtte op Dicanti en schoot.

Fowler gaf Dicanti een fikse duw naar voren, waardoor ze haar wapen liet vallen. Karoski's kogel scheerde rakelings langs het hoofd van de rechercheur en verbrijzelde de linkerschouder van de priester.

Karoski duwde Shaw van zich af, die zich uit de voeten maakte en dekking zocht tussen twee kasten. Paola nam de tijd niet om haar revolver te zoeken en stortte zich met gebogen hoofd en gebalde vuisten op Karoski. Ze stootte haar rechterschouder in zijn maag en drukte hem met kracht tegen de muur; ze slaagde er echter niet in hem uit te schakelen: de schuimrubberen vullingen die hij droeg om forser te lijken dan hij was, beschermden hem. Desondanks liet hij Pontiero's wapen op de grond vallen, met een metalen klank die luid door de ruimte echode.

De moordenaar stompte met zijn vuisten op Dicanti's rug. Ze schreeuwde het uit van pijn, maar richtte zich op en wist Karoski met haar vuist in zijn gezicht te raken. Hij wankelde en het scheelde weinig of hij verloor zijn evenwicht.

Toen beging Paola haar enige vergissing.

Ze keek om zich heen om haar revolver te zoeken. Karoski mepte haar in haar gezicht, in haar maag, in haar nieren. Ten slotte hield hij haar met één arm in bedwang, net zoals hij met Shaw had gedaan. Ditmaal hield hij echter geen pistool in zijn andere hand, maar een scherp voorwerp waarmee hij over Paola's gezicht streek. Het was een doodgewoon vismes, maar vlijmscherp geslepen.

'Ach Paola, je kunt je niet voorstellen hoe ik hiervan ga genieten,' fluisterde hij in haar oor.

'Viktor!'

Karoski draaide zich om. Fowler zat met zijn linkerknie geknield op de marmeren vloer. Het bloed uit zijn verbrijzelde linkerschouder stroomde langs zijn arm, die slap langs zijn lichaam hing.

In zijn rechterhand hield hij Paola's revolver, die loodrecht op Karoski's voorhoofd was gericht.

'U schiet toch niet, pater Fowler,' hijgde de moordenaar. 'Wij zijn uit hetzelfde hout gesneden. We zijn allebei door onze eigen hel gegaan. U hebt op uw priesterschap gezworen dat u nooit meer zou doden.'

Buiten zichzelf van pijn slaagde Fowler er met bovenmenselijke inspanning in zijn linkerhand naar zijn witte boord te brengen. Hij trok hem in één beweging van zijn hals en wierp hem van zich af, in de richting van de moordenaar. De boord vloog door de lucht, keurig gesteven en spierwit, afgezien van de roodgetinte afdruk van Fowlers duim. Karoski volgde zijn baan door de lucht alsof hij erdoor gehypnotiseerd werd, maar hij zag hem niet op de grond neerkomen.

Fowler loste één enkel volmaakt schot en raakte Karoski precies tussen de ogen. De moordenaar zakte op de grond. In de verte hoorde hij de stemmen van zijn ouders... Ze riepen hem, tot hij zich bij hen voegde.

Paola rende naar Fowler toe, die doodsbleek zag en een wazige blik in de ogen had. Al rennend trok ze haar jasje uit om het bloed uit de gewonde schouder van de priester te stelpen.

'Ga liggen, pater.'

'Wat een geluk dat jullie eraan kwamen, beste mensen.' Kardinaal Shaw had de moed opgebracht om weer tevoorschijn te komen. 'Dat monster had me gegijzeld.'

'U moet hier niet blijven, kardinaal. Gaat u alstublieft iemand waarschuwen...'
begon Paola, terwijl ze Fowler hielp om te gaan liggen. Plotseling begreep ze
waar de kardinaal naartoe wilde: naar Pontiero's dienstwapen, dat vlak bij
Karoski's lichaam was neergekomen. Tegelijkertijd besefte ze dat zij als enige getuigen een groot gevaar voor hem betekenden. Ze reikte naar haar revolver.
'Goedemiddag,' zei hoofdcommissaris Cirin terwijl hij de ruimte binnenstapte,
gevolgd door drie agenten van de Vigilanza, waarmee hij de kardinaal, die zich
juist bukte om het wapen van de grond te rapen, liet schrikken. Hij richtte zich
in zijn volle lengte op.
'Ik vroeg me al af waar u bleef, hoofdcommissaris. Deze mensen moeten onmid-
dellijk in de boeien geslagen worden,' zei hij, op Paola en Fowler wijzend.
'Momentje, eminentie. Ik kom zo bij u.'
Camilo Cirin keek aandachtig om zich heen. Hij stapte op Karoski af en raapte
en passant Pontiero's dienstwapen van de vloer. Met de neus van zijn schoen
tikte hij het gezicht van de moordenaar aan.
'Is dit hem?'
'Ja,' zei Fowler zonder zich te bewegen.
'Verdomme, Cirin,' vloekte Paola. 'Een nepkardinaal. Hoe kon dat nou gebeuren?'
'Hij had uitstekende papieren.'
Cirin zette de zaak met de snelheid van het licht op een rijtje. Achter dat gezicht
van steen ging een brein schuil dat op volle toeren werkte. Hij herinnerde zich
onmiddellijk dat Pauljic de laatste kardinaal was geweest die door Wojtyla was
benoemd. Dat was een halfjaar geleden, toen Wojtyla amper in staat was zijn
bed uit te komen. Hij herinnerde zich dat hij aan Samalo en Ratzinger de benoeming had aangekondigd van een kardinaal *in pectore*, wiens naam uitsluitend was onthuld aan Shaw, opdat hij dit na zijn dood bekend zou maken.
Het was niet zo moeilijk je voor te stellen welke lippen de verzwakte paus de
naam van Pauljic hadden ingefluisterd, noch wie deze 'kardinaal' voor het eerst
had meegenomen naar de Domus Sancta Marthae om hem aan zijn nieuwsgierige collega's voor te stellen.
'Kardinaal Shaw, u hebt heel wat uit te leggen.'
'Ik begrijp niet wat u bedoelt...'
'Kardinaal, alstublieft.'
Shaw verstijfde nogmaals. Hij hervond zijn arrogantie, zijn eeuwige hoogmoed,
dezelfde die hij verloren was.
'Johannes Paulus II heeft me jarenlang voorbereid om zijn werk voort te zetten,
hoofdcommissaris. U weet beter dan wie ook wat er kan gebeuren als de leiding
van de Kerk in handen van de losbandigen valt. Ik vertrouw erop dat u ook op
dit moment zult handelen in het belang van onze Kerk, mijn zoon.'
Binnen een halve seconde hadden Cirins ogen een oordeel gevormd.
'Dat zal ik zeer zeker doen, eminentie. Domenico?'
'Ja, commissaris,' antwoordde een van de agenten die met hem mee waren gekomen, allen gekleed in donkere kostuums met een zwarte das.

'Kardinaal Shaw is klaar om de noveenmis op te dragen in de basiliek.'

De kardinaal glimlachte.

'Na afloop van de mis begeleidt u hem samen met een andere agent naar zijn nieuwe bestemming: klooster Albergradz in de Alpen, waar de kardinaal in volledige afzondering over zijn gedrag kan nadenken. Hij zal daar tevens de gelegenheid krijgen de bergsport te beoefenen.'

'Een gevaarlijke sport, heb ik gehoord,' zei Fowler.

'Nou en of. In de bergen gebeuren heel wat ongelukken,' zei Paola behulpzaam.

Shaw deed er het zwijgen toe en in die stilte zagen ze hem voor hun ogen instorten. Hij hield zijn hoofd gebogen, zijn kin tegen de borst geperst. Zonder een groet liep hij in gezelschap van Domenico de sacristie uit.

De hoofdcommissaris knielde naast Fowler neer. Paola ondersteunde zijn hoofd en hield nog steeds de wond dicht met haar jasje.

'Mag ik even?'

Hij haalde Paola's hand weg. Het door haar geïmproviseerde verband was doordrenkt met bloed en hij verving het door zijn eigen verkreukelde jasje.

'Blijf rustig liggen, de ambulance is onderweg. Mag ik weten hoe u toegang tot dit circus hebt verkregen?'

'We hadden geen zin om langs uw kassa te gaan, commissaris Cirin. We gaven de voorkeur aan die van de Congregatie.'

De onverstoorbare Cirin trok nauwelijks merkbaar zijn wenkbrauwen op. Paola besefte dat dit zijn manier was om verbazing uit te drukken.

'Ach, natuurlijk. Uw oude vriend Hanër, eeuwig aan het werk. Ik zie dat de criteria om u toegang tot het Vaticaan te verlenen iets minder streng geworden zijn.'

'Alleen de prijs is verhoogd,' zei Fowler, met het afschuwelijke verhoor dat hem de volgende dag wachtte in gedachten.

Cirin knikte begripvol en drukte zijn jasje nog iets steviger tegen de gewonde schouder van de priester.

'Dat kan geregeld worden.'

Op dat moment arriveerden er twee ziekenbroeders met een brancard.

Terwijl de broeders zich over de gewonde ontfermden, stonden in de basiliek acht misdienaars en twee priesters met wierookvaten in twee rijen bij de deur van de sacristie, in afwachting van kardinaal Shaw en kardinaal Pauljic. De oudste priester stond op het punt een van de misdienaars de sacristie in te sturen om te kijken wat er aan de hand was. Wie weet hadden de kloosterzusters die de zorg van de sacristie op zich hadden genomen problemen met de gewaden. Het protocol vereiste echter dat hij daar onbeweeglijk op de celebranten bleef wachten.

Eindelijk verscheen kardinaal Shaw geheel alleen door de deur die toegang verleende tot de kerk. De misdienaars begeleidden hem naar het altaar van Sint-Jozef, vanwaar hij de mis zou opdragen. De gelovigen die tijdens de viering het dichtst bij de kardinaal zaten, zeiden tegen elkaar dat de kardinaal veel van paus Wojtyla gehouden moest hebben: Shaw huilde gedurende de gehele mis.

'Rustig maar, u bent buiten levensgevaar,' suste een van de ziekenbroeders. 'We brengen u rechtstreeks naar het ziekenhuis om u verder te behandelen, maar de bloeding is onder controle.'

De broeders tilden Fowler op de brancard en op dat moment zag Paola plotseling het licht: de verwijdering van zijn ouders, het weigeren van de erfenis, het overweldigende schuldgevoel. Ze hield de broeders met een gebaar tegen.

'Nu begrijp ik het. De persoonlijke hel die u allebei hebt doorgemaakt. U ging naar Vietnam om uw vader te doden, is het niet?'

Fowler keek haar verbijsterd aan. Hij was zo perplex dat hij vergat Italiaans te spreken en haar in het Engels antwoordde.

'Sorry?'

'Woede en schuldgevoel, daar komt het door.' Paola antwoordde in het Engels, fluisterend, om te voorkomen dat de broeders haar zouden verstaan. 'De diepe haat jegens uw vader, de kille onverschilligheid jegens uw moeder. Uw weigering de erfenis te accepteren. U wilde alle familiebanden verbreken. En uw onderhoud met Viktor over de hel. Het staat in het dossier dat u me hebt gegeven. Het lag al die tijd voor mijn neus...'

'Waar wilt u naartoe?'

'Nu begrijp ik het.' Paola boog zich over de brancard heen en legde haar hand teder op de schouder van de priester, die een kreet van pijn onderdrukte. 'Ik begrijp waarom u die baan in Saint Matthew accepteerde en ik begrijp waarom u bent geworden wie u bent. Uw vader heeft u als kind misbruikt, is het niet? En uw moeder heeft het altijd geweten. Net als bij Karoski. Daarom had Karoski respect voor u: omdat hij de keerzijde is van uw medaille. U hebt ervoor gekozen een man te worden, hij koos ervoor uit te groeien tot een monster.'

Fowler gaf geen antwoord, simpelweg omdat dat niet nodig was. De ziekenbroeders vervolgden hun weg, maar Fowler vond de kracht nog om haar glimlachend aan te kijken.

'*Take care*, dottoressa.'

In de ambulance vocht Fowler om zijn bewustzijn niet te verliezen. Hij sloot kortstondig zijn ogen, tot een bekende stem hem terugbracht naar de werkelijkheid.

'Hallo, Fowler.'

Fowler glimlachte.

'Hallo, Fabio. Hoe is het met je arm?'

'Aardig klote.'

'Je hebt geluk gehad op dat dak.'

Dante gaf geen antwoord. Cirin en hij zaten op een smal bankje in de cabine van de ambulance. De hoofdinspecteur trok een cynisch gezicht, hoewel zijn linkerarm in het gips zat en zijn gezicht schrammen en builen vertoonde; de ander behield zijn eeuwige pokerface.

'En? Hoe gaan jullie me doden? Cyanide in mijn infuus, laten jullie me doodbloeden of wordt het het klassieke nekschot? Dat laatste heeft mijn voorkeur.'

Dante lachte vreugdeloos.

'Breng me niet in verleiding. Wie weet komt het ooit zover, maar nu nog niet, Anthony. Voor dit tochtje heb je een retourticket. We wachten op een betere gelegenheid.'

Cirin vertrok geen spier en keek Fowler recht in de ogen.

'Ik wil je bedanken. Je hebt goed werk geleverd.'

'Dat heb ik niet voor jou gedaan. En ook niet voor jouw club.'

'Dat weet ik.'

'Eerlijk gezegd dacht ik dat jij achter deze hele kwestie zat.'

'Ook dat weet ik. Ik neem het je niet kwalijk.'

Ze vervielen alle drie in een peinzend stilzwijgen. Uiteindelijk nam Cirin het woord.

'Is er nog een kans dat je bij ons terugkomt?'

'Nee, Camilo. Je hebt me één keer bedrogen, dat gebeurt me niet nog een keer.'

'Nog één keer. Uit respect voor het verleden.'

Fowler dacht enkele ogenblikken diep na.

'Op één voorwaarde. Ik hoef je niet te vertellen welke dat is.'

Cirin knikte.

'Je hebt mijn woord. Niemand raakt haar met een vinger aan.'

'En die andere vrouw ook niet. Die Spaanse journaliste.'

'Dat kan ik niet beloven. We weten nog steeds niet zeker of ze geen kopie van die dvd heeft.'

'Ik heb met haar gesproken. Ze heeft geen kopie en ze houdt haar mond.'

'In dat geval is het in orde. Zonder de dvd kan ze niets bewijzen.'

Er viel opnieuw een langdurige stilte, die slechts werd onderbroken door het aanhoudende gepiep van de apparatuur waaraan pater Fowler verbonden lag. Hij begon zich langzaam maar zeker te ontspannen. Vaag hoorde hij nog een laatste zin van Cirin.

'Weet je, Anthony? Ik heb heel even gedacht dat je haar de waarheid zou vertellen. De hele waarheid.'

Fowler wilde zijn eigen antwoord niet horen. Dat was ook niet nodig. Niet alle antwoorden werkten bevrijdend. Hij wist dat zelfs hij niet met zijn eigen waarheid kon leven. Die zware last zou hij nooit ofte nimmer op andermans schouders kunnen leggen.

RATZINGER VRIJWEL UNANIEM TOT PAUS GEKOZEN

(van onze speciale verslaggeefster)
Andrea Otero

ROME – Het conclaaf voor de verkiezing van de opvolger van Johannes Paulus II eindigde gisteren met de verkiezing van de voormalige prefect van de Congregatie voor de geloofsleer, Joseph Ratzinger. Hoewel de kiesgerechtigde kardinalen op de Bijbel hebben gezworen het overleg op straffe van excommunicatie geheim te houden, hebben de eerste geruchten de media reeds bereikt. Naar het schijnt werd de Duitse kardinaal met 105 van de 115 stemmen gekozen, beduidend meer dan de benodigde 77. Vaticaandeskundigen verzekeren ons dat de vrijwel unanieme steun die Ratzinger geniet uniek is in de geschiedenis, zeker gezien de verrassend korte duur van het conclaaf.

El Globo, woensdag 20 april 2005
(Zie voor verdere informatie pagina 8)

De deskundigen schrijven de ongebruikelijk korte duur van deze verkiezingen toe aan het gebrek aan oppositie voor een kandidaat die in eerste instantie weinig kans maakte. Betrouwbare bronnen binnen het Vaticaan melden ons dat Ratzingers grootste rivalen (Portini, Robayra en Cardoso) in geen van de stemronden op voldoende steun konden rekenen. Dezelfde bronnen laten ons weten dat deze drie kardinalen 'ietwat afwezig' leken te zijn tijdens de verkiezing van Benedictus XVI...

Epiloog

De in het wit gehulde man ontving haar op de zesde etage. Twee weken geleden had Paola een verdieping lager als één brok zenuwen in net zo'n gang zitten wachten, zonder te weten dat op datzelfde moment haar goede vriend en collega de dood vond. Nu, twee weken later, was de angst dat ze niet zou weten hoe ze zich moest gedragen vergeten en had ze haar vriend gewroken. Er was ontzettend veel gebeurd in die twee weken en een van de allerbelangrijkste veranderingen had plaatsgevonden in Paola's ziel.

Het viel de criminologe op dat het rode lint met de lakzegels waarmee de deur was afgesloten in de periode tussen het overlijden van Johannes Paulus II en de keuze van zijn opvolger er nog steeds hing. De Pontifex Maximus volgde haar blik.

'Ik heb verzocht het nog enige tijd te laten zitten. Het herinnert me eraan dat deze post van korte duur zal zijn,' zei hij vermoeid, terwijl Paola zich naar hem toe boog om de ring te kussen.

'Uwe Heiligheid.'

'Welkom, ispettore Dicanti. Ik heb u laten komen omdat ik u persoonlijk wilde bedanken voor uw moedige optreden.'

'Dank u, Heilige Vader. Ik deed niets dan mijn plicht.'

'Nee, nee, ispettore, u hebt veel meer gedaan dan uw plicht. Neemt u plaats, alstublieft.' Hij wees op een van de stoelen in een hoek van het kantoor, onder een schitterende Tintoretto.

'Eerlijk gezegd dacht ik dat ik pater Fowler hier zou treffen, Uwe Heiligheid,' zei Paola, zonder het verlangen in haar stem te verbergen. 'Ik heb hem al tien dagen niet gezien.'

De paus nam haar hand in de zijne en glimlachte haar geruststellend toe.

'Pater Fowler neemt een periode van rust in acht op een veilige plek. Ik heb hem gisteravond nog opgezocht. Hij vroeg me u zijn hartelijke groeten over te brengen en gaf me een boodschap voor u mee: "De tijd is aangebroken waarop wij beiden, u en ik, ons kunnen bevrijden van het verdriet over degenen die we achter moesten laten."'

Toen ze die zin hoorde, knapte er iets bij Paola en liet ze haar tranen de vrije loop. Daarna bleef ze nog een halfuur in het kantoor van de paus, hoewel hetgeen ze met de Heilige Vader heeft besproken voor altijd onder het zegel van de geheimhouding zal blijven.

Veel later stapte Paola het Sint-Pietersplein op, dat baadde in het heldere middaglicht.

Ze haalde het pakje sigaretten van Pontiero uit haar zak en stak de laatste sigaret op. Ze hief haar gezicht naar de hemel en blies de rook bedachtzaam uit.

'We hebben hem, Maurizio. Je had gelijk. En nu donder je op naar het eeuwige licht en laat je me met rust. O, en doe de groeten aan pap.'

Dankwoord

Dank aan Antonia Kerrigan, voor haar fantastische hulp en omdat ze me de juiste weg heeft gewezen. Aan Blanca Rosa Roca en Carlos Ramos, voor hun enthousiasme en inspirerende geestkracht. Aan Raquel Rivas, voor haar goede adviezen en haar eerlijkheid.

En natuurlijk aan Katu en Andrea. Voor jullie steun en onvoorwaardelijke liefde.

Blijft u graag op de hoogte van de nieuwste spannende boeken?

Kijk dan op

www.awbruna.nl

en geef u op voor de spanningsnieuwsbrief.

Op deze manier krijgt u steeds als eerste alle informatie over nieuwe boeken en kunt u gebruikmaken van aantrekkelijke kortingen en andere lezersacties.